«RÉPONSES

*Collection dirigée par Sylvie Angel
et Abel Gerschenfeld*

Dr DEAN DELIS/CASSANDRA PHILLIPS

LE PARADOXE DE LA PASSION

Les jeux de l'amour et du pouvoir

Traduit de l'américain par Claude Farny

ROBERT LAFFONT

Titre original : THE PASSION PARADOX
© Dean Delis et Cassandra Phillips 1990
Traduction française : Éd. Robert Laffont, S.A., Paris, 1992

ISBN 2-221-08771-2
(Édition originale :
ISBN 0-553-05788-X Bantam Books, New York)

*A mes parents, Leftare et Irene Delis,
qui m'ont appris à aimer et à penser.*

Août 2006

Salut beauté,

Cette année, je t'offre ton cadeau avant ta fête.

J'ai trouvé ce livre chez ma mère et ça m'a fait penser à nous deux !

J'ai été dominant dans toutes mes relations, sauf avec toi...

Tu verras, certains passages entre Paul et Laura te feront sourire !

Je ne peux pas m'empêcher de te rappeler que tu ne trouveras pas mieux que **Moi** ! Ha ! Ha !

Tant pis pour toi !

Et bonne fête ma vieille !

Phil

Là où règne l'amour, point de volonté de pouvoir ; là où prédomine le pouvoir, l'amour n'a pas sa place. L'un à l'autre porte ombrage.

CARL GUSTAV JUNG

Hermia : Je fronce les sourcils — il m'aime malgré tout...
Hélène : Et mon sourire hélas fait moins que vos courroux !
Hermia : Je le maudis — et lui me bénit en retour...
Hélène : Et ma prière n'obtient pas le moindre amour !
Hermia : Plus je lui dis ma haine et plus il me poursuit...
Hélène : Tandis que moi, plus je l'aime, plus il me fuit !

WILLIAM SHAKESPEARE

INTRODUCTION

Il y a quelques années, au cours d'un voyage en avion, j'eus une « cliente » inattendue. Élégante, séduisante, âgée de trente-sept ans environ, elle avait l'allure d'une femme d'affaires. Mais je remarquai, comme elle prenait place à côté de moi, son air distrait et troublé, l'air de quelqu'un qui a « besoin de parler ».

J'allais faire une conférence sur un test psychologique que je venais de mettre au point. Je pensais profiter du trajet pour finir de préparer mon intervention et je rendis grâce à ma voisine de ne pas chercher à entamer la conversation. Elle s'était tout de suite plongée dans un livre dont le titre, aperçu du coin de l'œil, parlait de « problèmes de couple ». Cela m'avait amusé puisque je m'intéresse tout particulièrement à ces questions.

Mais pendant le repas nous nous sommes mis à bavarder. Elsa était analyste financière et son travail l'amenait à faire des allers et retours entre la capitale et la province. La réaction des gens à l'énoncé de ma profession m'intéresse toujours. Certains se ferment complètement, d'autres se sentent mal à l'aise, d'autres enfin se laissent aller à parler. Elsa appartenait à cette dernière catégorie. Elle commença par me demander si je connaissais les thèses de l'auteur dont elle lisait le livre. Je lui dis que oui et qu'il m'intéresserait d'entendre son opinion. La conversation qui s'engagea alors devait être pour moi déterminante.

J'ai l'impression, me dit Elsa, que ce livre a été écrit tout exprès pour moi. C'est étrange.

Je lui demandai pourquoi et elle me répondit :

Je suis justement au beau milieu de ce qu'on peut appeler une crise relationnelle aiguë. Je suis prise entre deux hommes, mon mari et... un collègue de travail. Et je me sens devenir cinglée. Mon mari est l'être le plus adorable que je connaisse. Il est médecin. Il ferait n'importe quoi pour moi. Nous sommes mariés depuis douze ans mais il continue à m'offrir des roses sans raison particulière et il n'oublie jamais l'anniversaire de certains événements, celui de notre rencontre, par exemple. C'est terriblement culpabilisant parce que je l'adore mais il m'agace bien souvent. Et le pire, c'est qu'il supporte toutes les choses désagréables que je peux lui dire et qu'il est de plus en plus gentil avec moi, surtout en ce moment, alors que je ne le mérite vraiment pas.

J'avais remarqué une certaine tension dans la voix d'Elsa pendant qu'elle me parlait de son mari mais, dès qu'elle se mit à évoquer son amant, toute son attitude changea. Elle était soudain animée, passionnée par ce qu'elle disait.

J'ai rencontré Denis il y a environ un an. C'est notre correspondant en province. Il est plus jeune que moi et très beau garçon, je dois dire. Quand il a commencé à me faire des avances, je n'en revenais pas. Je n'imaginais pas que mon genre de femme puisse l'intéresser. Mais il avait l'air sincère et je dois dire que je n'étais pas insensible à son charme. D'ailleurs pendant quatre mois il ne s'est rien passé entre nous. Je n'avais jamais trompé mon mari mais un jour je me suis dit : « Qu'est-ce que je risque, après tout ? Je peux très bien avoir une petite aventure avec lui. » Mais j'ai tout de suite compris que j'étais plus mordue que je ne le croyais. Je pensais à lui sans arrêt et je lui téléphonais du bureau. J'ai une jeune collègue, analyste comme moi, en stage dans ma boîte et, le jour où on l'a envoyée en province, j'ai cru mourir de jalousie. J'étais persuadée qu'elle allait me prendre Denis.

Je lui dis qu'elle avait dû passer un moment très pénible. Elle sourit.

En fait, je n'avais aucune raison d'être jalouse et ma relation avec Denis devint de plus en plus forte. Mais je vivais dans une angoisse perpétuelle. Je me sentais totalement monstrueuse de trahir ce mari idéal, et je prenais régulièrement la résolution de quitter Denis. Mais dès que je me trouvais en sa présence j'étais comme frappée d'amnésie. Je n'avais plus qu'une chose en tête, mon amour pour lui. Et ça a duré encore sept mois. J'ai commencé à me dire que Denis et moi étions vraiment faits l'un pour l'autre. Comme je n'avais pas d'enfant, rien ne me retenait à Paris et j'aurais facilement obtenu mon transfert en province. D'ailleurs, Denis commençait à se montrer plus tiède avec moi et je me dis qu'il fallait agir vite.

Elle se tut. Son visage reprit l'air troublé que j'avais remarqué au début.

Enfin, reprit-elle, à mon dernier voyage j'étais pratique-ment décidée à lui proposer la vie commune. Mais il m'a paru plus distant que jamais. Quand il m'a posé des questions, j'ai flanché et bafouillé que ce serait peut-être bien de pouvoir passer plus de temps ensemble. Il a dit : « Il est parfois préférable de renoncer à une chose belle avant qu'elle ne s'abîme. » Mon sang s'est littéralement glacé dans mes veines. J'ai fait semblant de croire qu'il plaisantait. J'ai la quasi-certitude qu'il a rencontré quel-qu'un d'autre. Cela me met dans un tel état que je me sens bonne pour la camisole de force.

Nous avons encore discuté un moment, puis j'ai demandé à Elsa si le livre l'aidait à démêler sa situation.

Disons qu'il me montre pourquoi je suis tellement tordue dans mes relations, répondit-elle. Je sais maintenant que tout se ramène à ma peur profonde des rapports intimes. C'est à cause d'elle que j'ai maintenu mon mari à distance pendant toutes ces années. Je vois aussi que je suis accrochée à Denis d'une façon maladive. C'est probable-ment la façon dont mes parents m'ont élevée qui explique ma tendance systématique à me tromper dans le choix de mes partenaires, bien que j'aie eu une enfance heureuse. Tout se ramène en fait à un manque de confiance en moi et au besoin de me punir, peut-être parce que mes parents m'aimaient trop et que je ne me sentais pas capable de leur rendre tout cet amour...

La culpabilité à tout prix

Quand les gens entreprennent une thérapie, c'est souvent pour résoudre des problèmes relationnels. Longtemps je m'étais demandé pourquoi il est si difficile de trouver un bonheur durable dans l'amour, qui ne nous apporte bien souvent que des désillusions. Il me paraissait tristement contradictoire que le plus joyeux de tous les sentiments humains puisse aussi être le plus douloureux.

En écoutant Elsa décrire son désarroi, je compris quelle direction devaient prendre mes réflexions. Car enfin, cette femme intelligente et belle se définissait comme un cas désespéré. D'un côté elle se croyait incapable de s'investir, effrayée par l'intimité avec son mari, mais d'un autre côté elle se conduisait avec son amant comme une femme « trop amoureuse », entichée d'un homme volage. En d'autres termes, son livre lui proposait deux diagnostics contradictoires. D'après ce qu'elle m'en avait dit, il semblait que ses parents, contrairement aux familles dysfonctionnelles dont l'influence néfaste sur les rapports affectifs se prolonge jusqu'à l'âge adulte, lui avaient offert un soutien affectif assez exceptionnel.

Je comprenais, bien sûr, le désarroi d'Elsa. Il est vrai que l'amour peut nous donner l'impression de devenir fou. Et peu importe que la relation soit récente ou déjà installée. La peur d'être rejeté, par exemple, peut susciter une anxiété profonde, une autodévalorisation, une hypersensibilité et une obsession amoureuse plus forte que celle des débuts. Quand, par contre, on sent faiblir son amour, on risque de se trouver paralysé, incapable d'aimer ou même extrêmement coupable.

Comme Elsa et comme *tous les gens qui ont déjà été amoureux,* je connaissais bien ces états émotionnels extrêmes. Apparemment, ils étaient donc normaux.

Elsa était confrontée à une situation où elle vivait les deux aspects de l'amour en même temps. Rien d'étonnant à ce qu'elle se sentît déchirée. J'étais frappé de voir comment toute son attitude changeait d'un moment à l'autre, selon qu'elle parlait de son mari ou de son amant. *Les dynamiques de l'amour sont si puissantes*

15

qu'elles peuvent littéralement nous transformer. La nature de la transformation dépend évidemment du versant de l'amour sur lequel nous nous trouvons, c'est-à-dire, si nous risquons d'être rejeté ou, au contraire, si nous sommes tentés de rejeter notre partenaire. J'en ai conclu qu'en raison de leur force et de leur constance, ces dynamiques affectives des relations amoureuses devaient être envisagées et traitées *en tant que telles.* Mais personne parmi les spécialistes de l'amour et des problèmes relationnels ne semblait encore s'en être avisé. L'ensemble des ouvrages traitant de ces questions considère en effet nos comportements intimes comme le baromètre d'autre chose, de la façon dont nous avons été aimés par nos parents, le plus souvent. Elsa, par exemple, mettait ses difficultés relationnelles sur le compte de celles, supposées, de son enfance. Elle n'avait pourtant rien à se reprocher. Sa seule erreur était son insistance à se croire coupable, mais le vrai coupable, était à mon sens le livre qui l'y encourageait.

Je dis à Elsa qu'il existait simplement des problèmes inhérents à l'amour, que ces problèmes entraînent certains types de comportements que l'on peut facilement taxer de pathologiques mais qui sont absolument normaux, prévisibles, universels. Je venais de comprendre qu'il était essentiel de faire connaître à tous cette vision des choses. Voici les idées que notre conversation m'avait permis de dégager.

• Nous, membres de la communauté « psychothérapeutique », devrions cesser de considérer systématiquement les problèmes comme les symptômes d'un dysfonctionnement affectif enraciné dans l'enfance. Je sentais de plus en plus combien il était incohérent de

16

laisser croire aux gens qu'ils sont « malades » parce qu'ils ont des problèmes relationnels.

• Il peut être extrêmement destructeur de donner aux problèmes normaux et universels de l'amour une coloration pathologique. Cette approche incite en effet le sujet à douter de ses capacités de changer ou d'établir des relations satisfaisantes ; elle le persuade qu'il est condamné à reproduire éternellement des schémas relationnels négatifs ; elle est inefficace parce qu'elle ne tient pas compte de la réalité des relations dynamiques sous-jacentes.

• Aujourd'hui, plus que jamais, il est nécessaire de se pencher sur ces problèmes relationnels. En effet, jamais les gens n'ont lu autant d'ouvrages de psychologie les incitant à se soigner eux-mêmes qu'au cours de ces dix dernières années. Et je suis de plus en plus convaincu que ces livres font plus de mal que de bien avec leurs analyses culpabilisantes et souvent contradictoires. Le fait que ces ouvrages soient lus avec autant d'avidité montre bien que nous sommes de plus en plus perdus dans le labyrinthe de nos relations amoureuses et d'autant plus avides d'être guidés.

Le paradoxe de la passion

Pour tenter de comprendre l'approche habituelle des problèmes relationnels, je commençai par en reconsidérer les données de base. Je décrivis, pour moi-même et en termes aussi simples que possible, ce qui déstabilisait le plus souvent les relations affectives de mes clients (et aussi les miennes, bien sûr). Voici la conclusion à laquelle j'arrivai : *l'un des partenaires est plus amoureux (ou plus investi dans la relation) que l'autre. Et plus ce*

17

partenaire demande d'amour à l'autre, moins ce dernier est disposé à lui en donner. Je venais de décrire un état de déséquilibre dans lequel le partenaire le plus amoureux se trouve en position « dépendante » tandis que le moins amoureux est en position « dominante ». Je savais par expérience que l'homme et la femme assument l'une ou l'autre de ces positions selon les moments. Il m'apparut donc que la thèse moderne de la femme victime de l'homme occultait un fait important : les femmes aussi peuvent être des bourreaux des cœurs. Ma pratique m'avait également appris que nous vivons tous de la même façon les deux aspects de l'amour — que notre mère nous ait adoré ou détesté, que nous ayons eu une enfance heureuse ou malheureuse. Personne, même les plus équilibrés d'entre nous, n'échappe aux tourments de l'amour quand survient ce déséquilibre dans le couple. Les individus perturbés se retrouvent évidemment plus souvent dans des relations difficiles, tandis que les plus sains réussissent à se rétablir plus facilement et à tirer des enseignements de leurs expériences, mais l'amour peut nous faire perdre la tête à tous. Arrivé à ce point de mes réflexions, je me rendis compte qu'il manquait une articulation entre cette inégalité de l'investissement affectif et le dysfonctionnement de la relation. Je découvris alors que ce pivot émotionnel était un paradoxe, une contradiction qui explique pourquoi il nous a été si difficile de reconnaître ce problème.

Revenons au cas d'Elsa. Avec son mari, elle était « dominante ». Les manœuvres de séduction déployées par son mari exprimaient le déséquilibre de leur couple au même titre que l'attitude de plus en plus distante d'Elsa — qui en arrivait à se demander si elle l'aimait encore. Elle savait en tout cas qu'elle n'était plus « amoureuse » de lui et ne le désirait plus physiquement.

Au début de notre mariage, c'était très différent. Pierre était mon médecin et de quatorze ans mon aîné. Il était marié on ne peut plus traditionnellement et je l'idolâtrais. Un homme plus âgé et, de surcroît, médecin ! Mais au bout de quelques années, j'ai bien vu que nous avions des problèmes. Il avait toujours eu une femme totalement dévouée, disponible et moi, j'avais décidé de reprendre mes études. Il ne s'entendait pas avec mes amis et je n'appréciais pas tellement les siens. Et puis j'ai voulu un enfant mais pas lui. Et puis il a voulu un enfant mais je n'en voulais plus. Pourtant, il m'adore. Nous passons des moments merveilleux ensemble et nous sommes liés par une réelle tendresse.

Je lui dis qu'elle paraissait s'être accommodée de son mariage.

Oui... jusqu'au jour où j'ai rencontré Denis. Et là, tout a changé. Avant, je ne me préoccupais que de ma carrière et d'assortir le linge de table. Maintenant, il me semble qu'une partie oubliée de moi-même s'est réveillée. Et a pris le dessus. Je dois me forcer pour maintenir mon image professionnelle et je crois que Pierre commence à se douter de quelque chose.

Sa relation avec Denis était l'image en miroir de sa relation avec son mari. Celui-ci tournait autour d'elle comme elle tournait autour de Denis. Avec son mari, elle se sentait impatiente, distante, peu aimante — et de surcroît coupable de ses réactions ; avec Denis, elle était passionnée, inquiète et terriblement amoureuse.

Je dis à Elsa que le fait de tomber amoureux était avant tout une perte de contrôle. Elle acquiesça.

En fait, les premières fois avec Denis, c'était merveilleux. Je me sentais revivre. Et puis j'ai commencé à m'angoisser, à me poser des questions sur ses sentiments à mon égard, à craindre de faire la moindre erreur, en acte ou en parole.

L'angoisse d'Elsa naissait de sa peur d'être rejetée, peur typique des dépendants. Sûre d'elle-même dans les autres domaines de sa vie, elle se trouvait, au début de sa liaison, impuissante, vulnérable, incertaine (et follement amoureuse). Au début des histoires d'amour, les deux partenaires sont généralement dans le même état.

Mais les « dépendants » doivent faire des efforts. Ne se sentant pas en sécurité et voulant retrouver une marge de manœuvre, ils s'efforcent d'augmenter leur « pouvoir de séduction ». A la base de tous les rites de séduction, on trouve toujours la même volonté, celle de se mettre en valeur ; porter ses vêtements les plus flatteurs, passer des heures à s'examiner devant la glace, imaginer des reparties spirituelles, préparer des petits plats, dépenser sans compter en cadeaux, restaurants, sorties romantiques, bref, se rendre aussi désirable que possible. Elsa m'avoua en riant qu'elle avait bien dépensé un mois de salaire en produits de beauté depuis qu'elle connaissait Denis.

Le but de tous ces efforts, c'est de s'assurer le contrôle émotionnel de l'autre afin de conjurer la peur d'être rejeté. C'est-à-dire gagner son amour.

Mais il y a un risque.

Si vous vous montrez trop acharné à séduire l'être que vous désirez et que vous réussissez à le rendre plus amoureux de vous que vous ne l'êtes de lui, l'équilibre se rompt et vous devenez le dominant. Dans le cas contraire, si l'attitude détachée de l'autre vous angoisse, vous devenez le dépendant. Je venais de trouver le chaînon manquant : *le désir même de séduire, de prendre un pouvoir émotionnel sur l'autre, contient un facteur de déséquilibre relationnel. Et c'est parce que le sentiment amoureux est biochimiquement lié à la sensation de perte de contrôle.* Dès que l'on se sent maître de la situation, sûr des sentiments de l'autre, la passion commence à faiblir. Finies l'aventure, l'exaltation du défi, l'ivresse de la conquête.

Nous savons tous, bien sûr, que les sentiments délicieusement exaltés du début ne peuvent durer éternellement. Dans une relation équilibrée, une fois les premiers feux de la passion éteints, le couple passe à une phase plus calme d'installation dans la durée. Mais que l'un des partenaires soit plus profondément épris que l'autre et c'est le début d'une dynamique néfaste pour le couple.

Si nous reprenons l'exemple d'Elsa, une fois sa passion et son admiration pour Pierre émoussées, elle avait choisi de se tourner vers d'autres intérêts et non de bâtir sa vie autour de lui. Ce dernier avait alors réagi en essayant de la reconquérir grâce à une multitude d'attentions et de cadeaux. Mais son attitude « courtisane » n'avait réussi qu'à conforter Elsa dans sa position de force. Elle avait continué à s'éloigner de lui physiquement et affectivement. Pierre, pour sa part, avait senti vaciller la sécurité qu'il recherchait dans le couple. Il ne contrôlait plus Elsa et l'en aimait davantage. Ses conduites de séduction avaient pour but de regagner l'amour d'Elsa et de se libérer de l'angoisse du rejet.

Mais dans tous les couples déstabilisés ce surcroît d'amour fait prendre des distances au dominant. Et la réaction du dominant augmente encore le sentiment d'insécurité et le besoin de rapprochement du dépendant.

Comme le montre encore l'exemple d'Elsa, le paradoxe de la passion peut surgir à n'importe quel moment d'une relation. Il peut faire avorter une liaison débutante ou saper les fondements d'une union plus ancienne. Il peut être déclenché par différents facteurs de déséquilibre : pouvoir de séduction, circonstances particulières, identification aux rôles sexuels ou incompatibilité de style personnel, que nous examinerons tous, un par un. Mais quelles qu'en soient les causes, que ces causes soient évidentes ou cachées, les dynamiques du paradoxe de la passion pénalisent le couple en rendant impossible toute intimité réelle.

Les crises du paradoxe de la passion

De toute évidence, le paradoxe de la passion a toujours existé. Le meilleur exemple en est peut-être *Anna Karenine,* le chef-d'œuvre de Tolstoï et mon roman préféré. Amants adultères, Anna et le comte Wronski atteignent les sommets de la passion, surtout parce que les circonstances les empêchent de se posséder réellement. Mais dès qu'Anna se retrouve enceinte de Wronski et quitte son mari, la passion de son amant commence à faiblir. Cela suscite chez elle une insécurité destructrice qui transforme sa passion en jalousie dévorante et la pousse finalement à se donner la mort. Cette dynamique universelle apparaît donc comme éternelle. Mais à une époque où le mariage se fait de plus en plus tardif, chacun tend à multiplier des aventures qui l'amènent à se heurter souvent au paradoxe de la passion. Depuis longtemps, je recevais des clients qui, s'y étant blessés une fois de trop, étaient devenus des dominants chroniques ou des solitaires ; je recevais des femmes qui, privilégiant leur carrière, attendaient la trentaine pour songer à se marier, commençaient à paniquer et se présentaient en dépendantes sur le marché matrimonial ; je voyais des hommes et des femmes d'un cynisme effarant concernant leurs chances d'établir un jour des relations satisfaisantes, et entre ces deux extrêmes d'urgence et de cynisme il n'y avait qu'ambivalence et confusion. Les gens ne savent généralement pas pourquoi leur comportement, tendre ou indifférent, provoque des conséquences particulières dans leur relation. Ils ignorent pourquoi ils éprouvent certains sentiments envers leur partenaire ou une relation. Pis encore, ils se croient anormaux et se précipitent sur le premier traité de psychologie du couple venu.

Lesquels traités les confortent d'ailleurs dans cette hypothèse malsaine et donnent souvent des conseils que j'estime dangereux. Prenons l'exemple d'un couple en crise. L'un des partenaires se sent affectivement délaissé et voudrait recevoir plus d'attentions tandis que l'autre a la sensation d'étouffer et tend à prendre des distances. Le traitement habituellement proposé consiste à conseiller au couple de se rapprocher pour faire plus de choses ensemble. Mais ce rapprochement risque de pénaliser le partenaire distant (ou dominant) qui va se sentir d'autant plus étouffé qu'on le rend subtilement responsable du malentendu (il *devrait* être plus amoureux). Les résultats de cette démarche thérapeutique sont souvent de courte durée ou même antithérapeutiques. J'étais pour ma part persuadé qu'en travaillant sur ces problèmes selon une approche correcte on pouvait sauver la relation et même la renforcer. Mes clients admirent très bien l'idée que le paradoxe de la passion était le vrai responsable de leurs problèmes de couple. Comme je le leur expliquai, aucun des deux partenaires ne pouvait être accusé d'avoir provoqué le déséquilibre. Nous devions travailler ensemble à découvrir la ou les causes de la crise puis mettre en pratique les techniques que j'avais élaborées pour y remédier.

Comment reconnaître le paradoxe de la passion

Aussi habiles que nous soyons à détecter les problèmes des autres couples, nous manquons souvent de perspicacité quand il s'agit des nôtres. Pour savoir si votre couple se trouve pris dans le paradoxe de la passion, répondez aux questions qui suivent.

— L'un de vous deux est-il jaloux de l'autre ?

— L'un de vous deux est-il toujours à attendre que l'autre téléphone ou rentre à la maison ?

— L'un de vous est-il considéré comme « le bon » de l'histoire et l'autre comme « le méchant » ?

— L'un de vous fait-il davantage d'efforts pour susciter le dialogue ou établir la communication ?

— L'un de vous dit-il « je t'aime » plus souvent que l'autre ?

— L'un de vous est-il plus attirant que l'autre pour le sexe opposé ?

— L'un de vous est-il moins tendre que l'autre après l'amour ?

— L'un de vous est-il plus désireux que l'autre d' « analyser les problèmes » du couple ?

— Quand vous sortez avec des amis, l'un de vous se sent-il délaissé tandis que l'autre a l'impression d'être surveillé ou au contraire momentanément soulagé ?

— L'un de vous donne-t-il plus d'importance à sa carrière que l'autre ?

— L'un de vous se sent-il frustré ou insatisfait dans la relation alors que l'autre la considère comme acquise ?

— L'un de vous se sent-il gêné ou ennuyé par la conduite de l'autre en public ?

— Si vous n'êtes pas mariés, l'un de vous soulève-t-il plus souvent que l'autre la question de l'engagement ou du mariage ?

— Si vous êtes mariés, l'un de vous évoque-t-il plus souvent que l'autre la possibilité d'avoir des enfants (ou un enfant de plus) ?

— Quand vous vous disputez, l'un de vous se fait-il traiter d' « égocentrique », d' « égoïste », d' « indifférent », tandis que l'autre est accusé d'être « possessif », « exigeant » ou « collant » ?

Si vous avez répondu oui à plusieurs de ces questions, votre relation de couple contient des éléments de déséquilibre. Plus vous comptez de « oui », plus le déséquilibre est important. Même les couples équilibrés connaissent des moments difficiles où ils se heurtent au paradoxe. Mais dans la mesure où les partenaires investissent à peu près également dans la relation, cela leur permet de ne pas aller trop loin dans le manque de synchronisme.

Revenons maintenant aux causes profondes des problèmes relationnels. Voyons comment les puissantes dynamiques de l'amour peuvent nous enfermer dans une position dépendante ou dominante, nous faisant souvent adopter des comportements qui nous déplaisent mais sur lesquels nous croyons n'avoir aucun pouvoir.

Notre avion commençait à descendre quand Elsa fit, à propos du paradoxe, une remarque assez surprenante.

INTRODUCTION

J'ai l'impression que ce dont vous parlez est tellement fréquent, tellement évident en quelque sorte que c'est resté invisible.

Pourtant, l'enjeu est d'importance. La réussite de l'amour compte pour beaucoup dans le bonheur de l'individu. Ce livre a pour ambition de nous aider à trouver ce bonheur et de rendre visible l'invisible.

Première partie

Le déséquilibre dans l'amour

1.

L'ÉTAT AMOUREUX

Les charmes et les périls de la passion

Tomber amoureux transforme notre vie, lui donne brusquement tout le faste du Technicolor. L'amour naissant modifie nos façons de penser, de sentir, de percevoir. Il embrouille nos idées, exalte nos émotions, embellit notre vision des choses et libère dans notre cerveau de puissantes substances chimiques euphorisantes. Je demande toujours aux couples qui viennent me consulter de me raconter ce qu'ils ont ressenti dans les premiers moments de leur amour. C'est un exercice précieux dans la mesure où il permet aux deux partenaires de se remémorer un fait essentiel, facilement occulté en période de crise, le fait qu'ils sont capables de se donner mutuellement de grandes joies et beaucoup de plaisir. J'examine volontiers à la loupe ce moment privilégié parce qu'il permet de comprendre ce qui rapproche les partenaires et aussi parce qu'il contient souvent les germes de ce qui les a éloignés l'un de l'autre. Dans la plupart des cas, on y trouve en effet des signes précoces de déséquilibre. Et c'est une découverte cruciale puisque, comme le disent les médecins : « Un bon diagnostic, c'est la moitié du traitement. »

Trois rencontres

Si j'ai choisi ces trois couples pour raconter leur rencontre, c'est qu'ils illustrent parfaitement les dynamiques de l'attraction passionnée.

Paul et Laura

Paul, trente-cinq ans, est un avocat spécialisé dans la législation des impôts. Il parle de façon nette et posée, comme pour masquer l'émotion tumultueuse qu'il a ressentie en tombant amoureux de Laura, la femme qui devait lui faire découvrir les excès du bonheur, du désespoir et de l'incertitude.

Je l'ai rencontrée la première fois qu'elle est venue au cabinet où je travaille. Elle était tellement belle que pas un instant je n'ai songé à m'y intéresser sérieusement. Mais je me souviens très bien du moment où j'ai senti qu'une aventure était possible. Elle était assise à côté de moi pendant une réunion de travail. J'étais en plein désaccord avec un collègue à propos de la stratégie à adopter dans une affaire. À la fin, elle s'est penchée vers moi et a murmuré : « Bravo, Becker ! » Sa beauté, son parfum, son approbation souriante, sa gentillesse naturelle me sont allés droit au cœur. Je ne sortais avec personne depuis un moment et j'ai eu l'impression qu'un barrage venait de se rompre.

Laura, vingt-huit ans, grande et très jolie femme aux cheveux d'un noir brillant, en avait décidé ainsi. Elle avait jeté son dévolu sur Paul dont le personnage et l'autorité lui plaisaient.

... pas du tout le genre dragueur. Sans vouloir me flatter, j'étais un peu lasse de tous ces hommes qui se précipitaient sur moi à la première occasion. Paul me paraissait différent. Je me plaisais à imaginer quel genre d'amant il pouvait être. Je l'avais repéré parce que c'était un avocat habile, sûr de lui et respecté par le reste de l'équipe. Même son physique me plaisait. Son allure de professeur, posée et un peu désuète, ne manquait pas d'un certain charme.

Comme bien d'autres couples, Paul et Laura se connaissaient assez peu quand naquit leur attirance réciproque. Mais l'image qu'ils avaient l'un de l'autre était déjà précise et romantique.

Deborah et Jonas

Deborah, trente-trois ans, professeur de dessin dans un lycée, s'habille avec la décontraction d'une artiste. Elle a rencontré Jonas pendant une soirée chez des amis communs. Après une série de liaisons « sérieuses ou semi-sérieuses », Deborah connaît et redoute sa tendance à « se perdre » dans ses relations amoureuses. Elle a donc décidé de rester seule pendant un an et de consacrer toute son énergie à sa peinture, dans l'espoir de pouvoir exposer.

Jonas dirige une petite entreprise de menuiserie spécialisée dans la restauration. La quarantaine, il a été marié une fois et possède un diplôme de philosophie. Deborah évoque leur rencontre.

La première fois, je n'ai pas été tellement emballée par Jonas. Physiquement, ce n'était pas mon type : trop grand, trop mince, et je n'aime pas les barbes. Mais une chose me plaisait, son air réfléchi et sincère. Je lui ai dit tout de go que je ne cherchais pas à me caser mais il m'a persuadée de dîner avec lui « en copains ». Là, il m'a raconté la faillite de son ménage — sa femme l'avait quitté pour un autre — et il m'a dit que j'étais la première femme qui l'intéressait depuis plusieurs années. Il y avait de quoi être flattée mais je n'étais toujours pas convaincue. Enfin, il était gentil et j'ai tout de même accepté de le revoir.

J'ai demandé à Deborah si je pouvais inviter Jonas à venir me voir seul, et elle ne s'y est pas opposée. Il n'est venu que deux fois mais voici comment il m'a raconté leur première rencontre.

Je n'aime pas tellement sortir et j'allais m'en aller quand Deborah est arrivée. J'ai trouvé très originale la façon dont elle s'habillait et j'ai eu l'impression que nous avions des affinités spirituelles. Elle avait l'air réservé, aussi, et ça m'a plu. Je n'aime pas les femmes qui draguent ou qui se font remarquer. Après notre dîner en tête à tête, j'étais enchanté parce que mes premières impressions persistaient. Et j'étais ravi qu'elle accepte de me revoir puisqu'elle m'avait prévenu qu'elle voulait rester seule.

Il n'est pas rare que l'intérêt d'une personne éveille les sentiments romanesques de l'autre personne, initialement indifférente, comme ce fut le cas pour Jonas et Deborah. La perspective d'une satisfaction sentimentale est toujours attirante.

Béatrice et Michel

Contrairement aux autres couples, Béatrice et Michel étaient mariés quand ils sont venus me consulter. Ils s'étaient rencontrés quatre ans auparavant, alors que Michel venait d'être engagé pour sauver de la faillite un grand restaurant. Il avait transformé le décor, changé l'équipe de cuisine, et la reprise promettait d'être spectaculaire. Mais rien ne pouvait se faire sans une campagne publicitaire et c'est là que Béatrice était intervenue en tant que conceptrice. Béa, trente-cinq ans, était séparée depuis un an d'un homme avec lequel elle avait vécu longtemps. Elle sortait de temps en temps avec des amis hommes. Michel, trente-deux ans, avait la réputation d'un célibataire endurci. Béa raconte leur première rencontre.

Michel m'a littéralement subjuguée. Il était complètement débordé mais cela n'empêchait pas son cerveau de fonctionner à six niveaux en même temps, et son sens de la publicité m'a épatée. De plus, il me plaisait. Il était beau, à sa façon. Sa cravate, par exemple, décorée avec des petits bateaux. Mais le plus important c'est qu'il avait l'air sûr de son affaire. Il a insisté pour que je le rejoigne au restaurant après mon travail pour discuter de la campagne et, en fin de soirée, nous avons fait l'amour comme des fous sur le canapé de son bureau. Je vous assure que ce n'est pas ma façon habituelle de traiter avec les clients !

Quant à Michel, voici ce dont il se souvient.

L'attirance a été immédiate, mutuelle, physique, mentale et tout le reste. Au début, Béa était très business-business mais petit à petit son sens de l'humour a pris le dessus. Et j'adorais le contraste que faisait cet humour avec son petit tailleur B.C.B.G. Elle était pleine de contradictions passionnantes et d'idées sensationnelles. Après l'avoir quittée je n'arrêtais pas de penser à elle.

Quand ils viennent me voir pour la première fois, mes clients sont souvent déprimés, angoissés, furieux ou amers. Mais dès qu'ils se mettent à raconter ces premiers moments de leur amour, leurs yeux et leurs voix reflètent l'émotion, l'excitation d'un nouvel espoir.

L'attirance

Pourquoi sommes-nous attirés vers un être plutôt que vers un autre ? Si nous ramenons cette question éminemment complexe à ses composants de base, il faut d'abord parler des *besoins,* en particulier des *besoins sociaux.* Les besoins sociaux ne peuvent être satisfaits que dans l'interaction avec d'autres hommes. La satisfaction de ces besoins est essentielle à notre notion de bien-être moral, et la nécessité d'y parvenir est une des forces qui déterminent la plupart de nos comportements.

Nos besoins sociaux sont de deux ordres. Il y a d'abord les besoins fondamentaux qui comprennent l'échange, l'intimité, les rapports sexuels et la reconnaissance. Ces besoins nous poussent à entrer en contact avec nos semblables et contribuent ainsi à la survie de l'espèce.

Il y a ensuite les *besoins spécifiques.* Chacun d'entre nous possède sa propre mosaïque de besoins spécifiques. Ces besoins constituent des paramètres dans la recherche du partenaire qui va véritablement nous compléter. Ils déterminent des préférences dans des domaines aussi variés que le sens moral, les choix littéraires, la profession et les loisirs, la couleur des cheveux, le sens de l'humour et les goûts en matière de sport. Ils définissent l'ambiance affective — échevelée ou paisible — que nous désirons donner à notre relation et nous guident vers les personnes qui peuvent contribuer à créer cette ambiance.

Nos besoins spécifiques se forment à partir de sources

diverses. On y retrouve l'influence des parents et de la petite enfance mais aussi celle de relations et d'expériences plus tardives. Ils changent et évoluent tout au long de notre vie.

La sphère culturelle a aussi son rôle à jouer dans la définition de ces besoins. Dans les années soixante, par exemple, l'image du courtier en Bourse n'avait rien pour exciter la libido des jeunes filles alors qu'aujourd'hui les « yuppies » les font rêver. S'il vous est arrivé de lire les petites annonces matrimoniales des magazines, vous savez l'importance que chacun donne à ses besoins spécifiques (« J.F. cherche H. féministe, juif, végétarien... »), comme à ses besoins fondamentaux (« ardent, généreux, sincère et prêt à s'investir durablement »).

Le seuil critique

Chacun d'entre nous possède ce que j'appelle un *seuil critique* au-delà duquel il « tombe » amoureux. Pour qu'il soit atteint, il faut que deux forces convergent. Tout d'abord, nous devons être en état de besoin — absence de relation ou relation non satisfaisante — et en souffrir. Il arrive aussi qu'une rencontre réveille en nous un besoin inconscient.

Ensuite, nous devons entrer en contact avec une personne qui semble capable de répondre à la combinaison particulière de nos besoins. Lorsque nos besoins fondamentaux sont très forts, nous pouvons nous montrer moins regardants qu'à l'ordinaire. Mais si nous avons beaucoup de chance, nous tombons sur quelqu'un qui semble répondre à un grand nombre de nos besoins spécifiques. C'est alors le fameux « coup de foudre ».

Le seuil critique est variable selon les individus et leurs prédispositions particulières. Certains tombent amoureux souvent, d'autres une seule fois ; certains très vite, d'autres après une longue approche.

Au-delà du seuil critique, une transformation rapide et spectaculaire s'opère en nous. Des espoirs fous, des désirs intenses sont soudain projetés sur l'élu de notre cœur. Une intense joie de vivre nous envahit. Tout se passe comme si une porte s'était ouverte, libérant d'un coup toutes nos émotions contenues. C'est ce que décrivait Paul, l'avocat, en parlant de sa rencontre avec Laura : « Un barrage venait de se rompre. » Notre avidité à satisfaire nos besoins explique que nous puissions tomber amoureux de personnes que nous connaissons à peine.

La passion, désordre amoureux

Quand l'attirance initiale devient sentiment amoureux, la passion n'est pas loin. Le dictionnaire définit la passion comme une « affectivité violente qui nuit au jugement ». La passion embrouille tellement les circuits reliant le cœur et l'esprit qu'il est facile de confondre une toquade passagère avec l'amour véritable. Au début, les deux sentiments se ressemblent et notre cerveau surexcité a du mal à les distinguer l'un de l'autre. En effet, qu'il s'agisse d'un caprice passager ou du Grand Amour, nous ressentons le même vertige, le même égarement. Paul décrit son état au moment où il tombait amoureux de Laura.

Je ne pensais plus qu'à elle. J'étais complètement incapable de me contrôler et cela m'effrayait. Mon travail en souffrait et mes collègues commençaient à se moquer de moi parce que j'égarais systématiquement tous les dossiers. Il faut vous dire qu'au cabinet c'est moi qui suis chargé du classement. L'essentiel de mon énergie passait à imaginer des astuces pour croiser Laura et à me répéter ce que je lui dirais.

Quand Paul se décide à l'inviter à dîner, Laura accepte sans hésiter. Le lendemain, elle fait la cuisine chez elle et, au lieu de manger la tarte aux pêches qu'elle a préparée pour lui, ils font l'amour. Laura évoque ce moment.

> Nous avons tout laissé tomber. Pendant deux jours, nous ne sommes pas allés travailler. Ma mère, que j'appelle pratiquement tous les jours, était persuadée que j'étais morte dans un accident, sans mes papiers. Moi-même, j'ai commencé à me demander si j'allais redevenir normale un jour.

Pratiquement tous les amants vivent cette période comme une forme de délire où leurs façons habituelles d'agir et de penser sont bouleversées. C'est à la fois délicieux et un peu effrayant de se rendre compte qu'on a perdu tout contrôle. Et cette perte de contrôle est réelle puisque l'émotion amoureuse entraîne une dynamique baptisée par Freud *cathexis*. La cathexis se produit lorsque toutes nos émotions sont si exclusivement concentrées sur une seule personne qu'on en perd le contrôle.

Tomber amoureux, c'est comme acheter des actions. De même qu'on perd momentanément le contrôle de l'argent investi, on perd celui des sentiments concentrés sur l'être aimé. Et de même qu'on ne peut intervenir sur le cours de la Bourse, on ne peut prévoir l'avenir de la relation amoureuse. C'est le facteur de risque en amour, celui qui fait si peur.

Frissons de peur et de plaisir

En sentant grandir son attirance pour Jonas, Deborah fut à la fois surprise et effrayée.

> Je ne m'y attendais vraiment pas mais, après notre cinquième rendez-vous, j'étais « éprise ». Il se comportait avec moi comme si je correspondais à tous ses rêves, mais nos rapports étaient toujours platoniques. Nos baisers d'adieu se faisaient de plus en plus longs et passionnés mais c'était tout. Un peu déroutée, j'ai commencé à le désirer et à lui faire des avances. Je connaissais suffisamment la vie pour savoir qu'après avoir vraiment souffert, comme lui, on a un peu peur de s'engager. Si bien que d'un côté j'étais inquiète et d'un autre côté je me sentais de plus en plus amoureuse. Quand nous avons fait l'amour pour la première fois, à notre sixième rendez-vous, j'étais aux anges. Tant pis pour mon « vœu de célibat »...

Les périls de l'amour, comme toute forme de peur, déclenchent dans notre cerveau un flux de substances chimiques très puissantes, chimiquement proches des amphétamines. Ces substances nous stimulent, nous rendant capables de répondre au mieux aux nécessités de la survie de l'espèce. Elles nous aident, quand nous sommes vraiment menacés, à courir plus vite, à nous battre plus longtemps, à frapper plus fort, à supporter la douleur et à rester concentrés sur la source du danger. Mais ces stimulants puissants ont un effet secondaire non négligeable : ils donnent une intense sensation de plaisir. C'est pour cela, pour connaître cet état euphorique, que tant de gens courtisent le danger.

L'amoureux éprouve des sensations qui sont l'équivalent romantique de ces réflexes de survie. L'anticipation le fait trembler, il a les paumes moites, le cœur qui cogne dans la poitrine ; il dispose d'une énergie sans limites qui lui permet de faire l'amour toute une nuit sans être fatigué le lendemain ; son esprit est tout occupé de l'être aimé ; ses sens paraissent aiguisés ; il déborde d'esprit et de charme ; il ne semble nullement affecté par les désagréments du quotidien. Il devient même plus beau. Car tels sont les bénéfices biochimiques de cette perte de contrôle qu'est l'état amoureux.

L'angoisse du rejet

La passion et la sensation de danger que nous inspire l'amour proviennent essentiellement de l'angoisse du rejet. Au début d'une liaison, ce n'est évidemment pas la sécurité qui est à redouter, ni un surcroît d'amour, mais la perte de cet amour. Michel exprime cette angoisse à l'état pur quand il dit :

> Béa sortait avec un vice-président de société et avec un interne quand nous nous sommes rencontrés. J'avais une trouille bleue de ne pas faire le poids, de n'être qu'une passade pour elle.

Pour Béa, l'angoisse du rejet se cristallisait sur leur différence d'âge.

> J'ai soudain pris une conscience aiguë de mon âge, des petites rides autour de mes yeux, et tout ça. J'avais du mal à croire que cela ne compte pas pour lui, surtout avec toutes les belles jeunes femmes qui lui tournaient autour.

L'angoisse du rejet nous met à la merci de sentiments tels que la jalousie, l'obsession et le doute. Il peut être extrêmement effrayant de perdre le contrôle de soi-même avec une autre personne, de se trouver en position de faiblesse, donc en danger. Comme le dit Freud : « Nous ne sommes jamais aussi désarmés contre la souffrance que quand nous aimons. »

La vie nous a appris que la personne aimée peut se désintéresser de nous ou s'éprendre de quelqu'un d'autre. Or il n'est pas de sensation plus pénible, plus blessante, plus démoralisante que celle d'être « plaqué ». Tant que nous ne sommes pas sûrs des sentiments qu'on nous porte, la possibilité d'être abandonné nous rend particulièrement vulnérables et d'autant plus passionnés.

Tactique de défense : déchiffrer l'autre

Être amoureux peut rendre fou mais annihile rarement l'instinct de survie affective. Cet instinct nous rend avides de connaître en permanence l'état des sentiments de notre partenaire. Pour y parvenir, nous développons des systèmes de déchiffrage de ses actes et de ses paroles. Nous tenons rarement compte des informations ainsi collectées mais j'ai rencontré peu de délaissés qui affirmaient ne pas avoir « vu venir » la rupture.

Évaluer et décoder

Nous essayons donc de nous protéger en évaluant et en décodant constamment les comportements amoureux de notre partenaire. Voici ce qu'en dit Deborah.

J'étais troublée par les messages contradictoires que m'envoyait Jonas et je passais beaucoup de temps à essayer de les interpréter. Par exemple, il n'oubliait jamais de m'apporter des fleurs mais par contre il n'était pas pressé de m'attirer sur un lit. Nous avons commencé à nous voir régulièrement trois fois par semaine. Au début il avait l'air complètement enthousiasmé par moi, par nous. J'étais même persuadée que, de nous deux, c'était moi qui devrais décider si nous allions rester ensemble. Mais les choses n'ont pas tourné comme je l'espérais et j'ai commencé à faire le compte de ses élans et de ses réticences.

C'est un réflexe chez les amants que de surveiller en permanence le baromètre des sentiments de l'autre. Ils calculent le temps écoulé entre la dernière rencontre et le prochain coup de téléphone, ils sont à l'affût de toute allusion à des projets d'avenir, ils cherchent à mesurer le degré d'attention que leur porte l'autre. Tout amoureux devient terriblement attentif à ces nuances de comportement parce qu'il est avide de capter les signes d'intérêt ou de froideur de son partenaire. Il est tellement centré sur la personne aimée que peu de détails lui échappent. Il dispose ainsi, à tout moment, de données qui lui permettent d'évaluer ses chances d'être accepté ou rejeté. C'est une technique qui donne aux plus inquiets l'impression qu'ils n'ont pas perdu tous leurs moyens.

La faille du système

Mais ce système a, bien entendu, un défaut. Il marche très bien tant que nous ne sommes pas *trop* impliqués. Si nous constatons que notre partenaire s'éloigne, nous devrions logiquement amorcer un désengagement pour éviter de souffrir. Mais, si nous avons déjà investi une bonne partie de nos affects dans la relation, le repli de l'autre va déclencher en nous un regain de passion. Et la passion s'arrange toujours pour rester aveugle aux signes négatifs, pour ne capter que les positifs.

La meilleure défense, c'est l'attaque

Certaines personnes ont tellement peur d'être rejetées ou de se risquer dans l'inconnu qu'elles choisissent très vite de mettre fin à la relation. C'est souvent parce qu'elles se trouvent dans une période où elles doutent d'elles-mêmes ou parce qu'elles sont mal remises d'une précédente rupture. Celui qui prend l'initiative du rejet s'assure une position de pouvoir et se protège contre sa propre angoisse mais il tue dans l'œuf toute possibilité d'intimité.

L'attaque : manœuvres de séduction

Les manœuvres d'approche de deux amants sont généralement considérées comme une série de rituels destinés à s'assurer l'amour de l'autre et à exprimer le sien. Je crois qu'elles remplissent une autre fonction essentielle qui est du domaine de la prise du pouvoir dans le couple. J'ai décrit comment, en abandonnant tout contrôle à un nouveau partenaire, on se laisse entraîner vers l'angoisse et la passion. Il nous faut maintenant comprendre comment ces sentiments nous permettent à leur tour de lutter pour prendre le contrôle de notre partenaire. Dans cette entreprise, notre meilleur atout c'est notre pouvoir de *séduire*. Consciemment ou inconsciemment, nous déployons des myriades de tactiques pour nous rendre aussi irrésistibles que possible. Dans des mises en scène dignes d'un Casanova, nous faisons miroiter pour l'être aimé les facettes les plus éclatantes de notre personnalité.

La mise en valeur du moi

J'ai demandé à Laura et à Paul séparément s'ils avaient consciemment essayé de se rendre attirants. Laura :

> Quand j'ai vraiment commencé à m'intéresser à lui, on peut dire que je soignais mon maquillage avant nos réunions de travail. Je laissais trois boutons de mon chemisier déboutonnés au lieu de deux, je mettais un soupçon de parfum en plus et je me décoiffais légèrement. Puis je « prenais position » soit à côté de lui, soit juste en face. Je me montrais *très* attentive à ses remarques, approuvant quand il avait raison, souriant à la moindre occasion. Une vraie gourgandine !

Paul :

> Quand j'ai eu l'impression que Laura s'intéressait à moi, j'ai commencé à me préoccuper de mon apparence. D'habitude, je n'y faisais guère attention. Mon front dégarni commença à me donner des complexes. J'essayais toutes sortes de coiffures pour le dissimuler. Je me suis même surpris à lire les publicités pour la repousse des cheveux dans les magazines ! Et je me suis acheté un costume italien qui m'allait nettement mieux que mes vieux complets en velours côtelé.

Paraître à son avantage, ou plutôt se donner l'apparence la plus susceptible de plaire à l'autre est un rituel de séduction classique. Si Laura avait jeté son dévolu sur un chanteur de hard-rock, elle aurait peut-être adopté la minijupe en cuir et une coiffure punk. Car nous essayons de façonner notre image en fonction de la personne à séduire et pour lui montrer à quel point nous sommes compatibles.

Le moi éclairé

Deborah utilisa un autre rituel de séduction extrêmement classique.

Jonas s'intéressait beaucoup à l'existentialisme et je ne voulais pas avoir l'air complètement ignare. Je me suis donc acheté plusieurs ouvrages de philosophie moderne et j'ai potassé. C'était dur mais le jeu en valait la chandelle. Et quand Jonas a mis le sujet sur le tapis, j'ai pu laisser tomber quelques remarques sur Sartre, Kierkegaard et la « vie authentique », comme ça, mine de rien. Il n'en revenait pas. En fait, c'est ce soir-là que nous avons fait l'amour pour la première fois.

Quand on décide de conquérir l'être aimé, on commence par identifier ses préoccupations, ses intérêts essentiels, et on lui prouve ensuite qu'on les partage. Ce ne sont pas nécessairement des idées. On peut également s'enthousiasmer pour le métier ou les loisirs de l'autre. L'amour fait de nous des caméléons. Inconsciemment, nous adoptons la coloration de l'autre pour le persuader que nous sommes capables de satisfaire le maximum de ses besoins spécifiques.

Un moi dont toute mère serait fière

Nous séduisons aussi notre partenaire en nous débarrassant de mauvaises habitudes et en réfrénant nos

44

conduites négatives. Michel raconte comment il a réagi au dégoût de Béa pour la cigarette.

> J'étais ce qu'on appelle un fumeur invétéré mais cela déplaisait beaucoup à Béa. J'ai commencé par me bourrer de pastilles de menthe, ensuite je suis passé aux vaporisations de déodorant, mais ça ne servait à rien. Alors, après avoir fumé pendant douze ans, j'ai arrêté. Du jour au lendemain. C'est ça, l'amour.

Ceux qui sont naturellement désordonnés se mettent à ranger ; notre intérieur n'est jamais aussi impeccable que pour la première visite de l'aimé. Nous ne sommes jamais de mauvaise humeur, désagréable ou mesquin avec notre partenaire. Nous déployons au contraire tout le charme, l'esprit et l'humour dont nous sommes capables ; nous lui affirmons en toute occasion notre sympathie, notre soutien et notre approbation.

Offrir et dépenser sans compter

Béa évoque l'un des rituels de séduction qu'elle préfère.

> Avec Michel, nous avons commencé à nous faire des petits cadeaux. Je lui offrais des jouets miniatures ou ces moulages de « suchis » qu'on voit dans la vitrine des restaurants japonais. Lui me faisait des cadeaux « utiles » mais toujours drôles. Comme ce presse-papier des années cinquante avec un petit bonhomme assis à l'intérieur ou ce panier à pique-nique décoré d'une licorne que j'aimais tant.

De la modeste boîte de bonbons au bijou orné d'un diamant, les cadeaux sont parmi les preuves d'amour les

45

plus fréquentes. Ils ont généralement un aspect précieux, romantique ou amusant. On n'imagine guère un amant transi offrant à sa belle un ouvre-boîte électrique. Le cadeau est chargé d'exprimer un message non dit : « Aime-moi et je te traiterai toujours comme un être à part. »

Mais les cadeaux ne sont pas la seule façon de dépenser de l'argent quand on veut séduire. Les amoureux se conduisent souvent comme des millionnaires en vacances. Jonas fut surpris de constater avec quelle facilité il dépensait, au début de sa liaison avec Deborah.

En règle générale, je suis très économe. Adepte de Thoreau, je vis selon son précepte : « Simplifie. » Mais quand j'ai commencé à sortir avec Deborah, c'était comme si l'argent n'existait pas. Je l'emmenais dans des restaurants chers et choisissais toujours les meilleurs vins. Puis nous sommes allés en week-end à Big Sur. Normalement, je vais au camping, mais là, seule la meilleure auberge pouvait convenir. J'avais l'impression de m'être restreint pendant si longtemps que le moment était venu de me laisser aller.

Même les plus raisonnables d'entre nous savent que la passion peut bouleverser radicalement leur rapport à l'argent. Il s'agit avant tout de plaire et de séduire, l'argent n'est plus qu'un moyen pour y parvenir.

Le plus beau cadeau : trois petits mots

La perspective de dire « je t'aime » à Laura angoissait Paul au plus haut point.

Au bout d'un moment, j'ai senti grandir en moi le besoin de lui dire que je l'aimais. Mais j'avais peur que ce soit prématuré et j'étais persuadé qu'elle allait me répondre quelque chose comme : « Ah ! Comme c'est gentil ! » et changer de sujet. Quand on faisait l'amour, le fait de ne pas le lui dire commençait à me gêner. C'était si peu naturel. Et puis un jour où elle me serrait très fort dans ses bras c'est sorti tout seul. A mon grand soulagement, elle a paru heureuse de l'entendre et elle a dit qu'elle m'aimait aussi.

Avouer son amour constitue une étape importante pour la plupart des amoureux. C'est aussi un grand risque. D'une façon générale, personne ne s'y hasarde sans avoir reçu de son partenaire toutes sortes d'indices rassurants. Car si la déclaration est accueillie sans réciprocité, elle met son auteur en état de vulnérabilité — et de passion — extrême. Mais quand les trois petits mots sont échangés, c'est pour les amants un sommet de joie et de plaisir. Quand on a réussi à faire dire à la personne aimée qu'elle vous aime, on peut commencer à se libérer de l'angoisse du rejet et à entrevoir une réelle complicité.

Donner pour conquérir

Les cadeaux et l'argent dépensés pour courtiser un partenaire nous donnent l'impression d'être des modèles de générosité et d'altruisme. Mais notre comportement n'est pas gratuit : nous recevons en échange la joie de procurer du plaisir à un être aimé.

Toutefois, l'excitation, la peur et l'altruisme que nous venons d'évoquer tendent à dissimuler le motif essentiel de nos conduites de séduction : *la prise de contrôle émotionnel de l'être aimé.* Il est évidemment de notre intérêt psychologique de trouver une source permanente de satisfaction de nos besoins. Nous souhaitons également nous prémunir contre le traumatisme du rejet amoureux. Pour atteindre ces objectifs, nous nous efforçons d'exercer sur l'autre une emprise telle que, complètement charmé, il ne peut envisager de nous rejeter.

Cela ne veut pas dire que l'état amoureux nous transforme en manipulateur cynique. Il est parfaitement normal et nécessaire de vouloir retenir auprès de nous la personne qui va satisfaire nos besoins. Les rituels de séduction sont destinés à recruter le candidat que nous estimons le plus apte à remplir cette fonction. Une fois assurés d'avoir conquis l'amour de cette personne, nous pouvons retrouver notre contrôle sur nous-même, nous installer et vivre tranquillement notre vie — ce qui est parfois difficile quand on est follement amoureux ou désespéré de ne pas l'être.

Le délicat équilibre de l'amour

Dans une relation équilibrée, *les deux* partenaires se sont assuré l'amour de l'autre. Ils sont plus ou moins à égalité en ce qui concerne l'attirance réciproque, l'investissement dans la relation, le nombre de besoins que l'un satisfait pour l'autre. Aucun ne se sent étouffé ou brimé, aucun ne considère l'autre comme acquis une fois pour toutes. L'union des deux est enrichissante, et salutaire l'autonomie de chacun. Ils sont équilibrés.

Les premières ardeurs de la passion apaisées, ils vont retrouver leur contrôle émotionnel et découvrir des sentiments beaucoup plus faciles à gérer, plus profonds aussi, que l'affrontement du début. Idéalement, la passion rapproche deux êtres par une sorte d'alchimie amoureuse qui les unit en une complicité tendre, fertile, confortable et souvent dynamique. Mais ce scénario parfait ne le reste pas toujours très longtemps. Les relations amoureuses étant le lieu de toute volonté de plaisir et de toute peur du rejet, il est presque impossible de les maintenir en équilibre. Nous allons maintenant examiner les forces qui menacent en permanence la stabilité du couple.

2.

LA RECHERCHE DE L'ÉQUILIBRE

Alternance du pouvoir dans le couple

Toute relation de couple est une recherche d'équilibre. Au début, tout étant nouveau, incertain, effrayant pour les deux partenaires, chacun investit à peu près également dans l'autre. Mais à mesure que la relation mûrit, l'équilibre peut se rompre en un clin d'œil ; ou il peut se modifier progressivement, sans que le couple s'en rende compte, jusqu'à ce qu'un problème particulier fasse apparaître le déséquilibre au grand jour.

Ma pratique de la psychothérapie de couple m'a permis d'identifier trois des facteurs de déséquilibre les plus fréquents. Certains déséquilibres sont plus faciles à traiter que d'autres mais tout traitement sera facilité par la conscience prise par les intéressés des forces qui soustendent leurs problèmes.

Inégalité du pouvoir de séduction

Paul était complètement ensorcelé par Laura. Pendant une séance où il était seul, je lui ai demandé de me dire comment, à son avis, Laura était perçue par les autres.

Je dirais qu'elle peut apparaître comme une image de la femme idéale. Elle est à la fois belle, remarquablement intelligente et capable professionnellement. Elle est sportive, plus que moi en tout cas, et son charisme est tel que dans les réunions elle devient tout naturellement le centre d'intérêt. Je pense qu'elle est jalousée par bien des femmes et qu'elle intimide bien des hommes.

J'ai posé la même question à Laura concernant Paul.

Paul, je pense que son intelligence et la façon dont il s'investit dans son travail impressionnent beaucoup les gens. Ce n'est pas le plus ambitieux des avocats de la boîte mais il a trouvé sa place et n'éprouve pas le besoin de se faire remarquer. Les gens l'apprécient et le respectent pour cela.

La description faite par Paul est plus longue, qualitativement plus riche et plus enthousiaste que celle faite par Laura. Même en tenant compte de différences individuelles dans l'expression, ces descriptions indiquent que Laura est plus séduisante pour Paul que Paul pour Laura.

Dans leur relation, Laura a donc un avantage dans le domaine du « pouvoir de séduction ».

Qu'est-ce que le pouvoir de séduction ?

Le pouvoir, nous le désirons tous, bien que nous répugnions à l'admettre ou que nous n'en soyons pas conscients. Dans les relations amoureuses, surtout, on considère généralement que la conquête du pouvoir est négative ou destructrice. Pourtant, il est normal de chercher à s'assurer le pouvoir et le contrôle dans ses relations intimes par des moyens sains et positifs.

Ce que nous cherchons à contrôler, dans la plupart des cas, ce ne sont pas les autres mais plutôt les éléments de notre environnement affectif, de manière à nous assurer que le plus grand nombre possible de nos besoins seront satisfaits. Cela suppose que nous séduisions des personnes qui nous complètent et que nous établissions des liens avec elles. En grandissant, nous apprenons que certaines qualités plaisent à certaines personnes. Nous apprenons aussi quel genre de personne est susceptible de correspondre à notre mosaïque particulière de besoins. Nous cultivons donc en nous-mêmes certaines qualités, certains dons comme la beauté, l'intelligence, l'humour, le charme, le sex-appeal, la réussite professionnelle. Bien sûr, c'est d'abord pour nous plaire que nous nous développons, et c'est déjà très important. Mais nous sommes également poussés dans cette volonté d'accomplissement de soi par le désir de nous assurer un « pouvoir social », levier qui nous permettra de soulever le monde. Une fois rassemblé cet arsenal de séductions, nous devenons capables d'attirer les personnes qui suscitent et comblent nos désirs.

L'ère de la séduction

L'industrie des cosmétiques compte aujourd'hui parmi les cinq cents industries mondiales les plus florissantes.

Plusieurs milliards sont dépensés chaque année en produits et en services qui vont du conseil en diététique au club de remise en forme, en passant par les parfums et la chirurgie esthétique. Personne ne peut nier que nous prenons très au sérieux notre potentiel de séduction.

Il est très important de paraître à son avantage. Cela

nous permet d'avoir confiance en nous et de faire impression sur les autres. Mais des études ont montré que l'impact de la beauté n'est déterminant que dans la phase initiale de la conquête amoureuse. Par la suite, ce sont d'autres qualités, nos traits de caractère, qui attirent et surtout *retiennent* l'être aimé : bonté, joie de vivre, spontanéité, franchise, intelligence, confiance et créativité. Par ailleurs, il n'est pas inutile de posséder certains atouts qui améliorent notre image : richesse, succès, puissance, célébrité, talent, jeunesse, position sociale et attrait sexuel. Les privilégiés qui cumulent un grand nombre de ces attraits ont parfois un pouvoir de séduction qui les dépasse et leur complique l'existence.

Qu'est-ce qui rapproche deux êtres ?

Je crois que quand deux personnes ont un pouvoir de séduction similaire, il peut se produire entre elles un déclic, cette alchimie particulière qui leur donne l'impression de s'être cherchées toute leur vie. C'est ce qui s'est passé entre Béa et Michel. Rappelez-vous ce que disait Michel de leur première rencontre : « L'attirance a été immédiate, réciproque, physique, mentale et tout le reste. »

Pour en apprendre davantage sur le pouvoir de séduction, promenez-vous dans un lieu public, tel qu'un zoo, une plage ou une fête foraine, où les couples aiment venir flâner. Vous constaterez combien les amoureux sont souvent bien assortis ; leur pouvoir de séduction est comparable, et certains sont même habillés de la même façon. Et si vous remarquez une trop grande inégalité apparente, vous chercherez automatiquement des compensations. L'exemple le plus classique est celui de l'homme plutôt laid ou vieux accompagné d'une belle jeune femme : vous pouvez être pratiquement sûr que l'homme est génial ou très riche. Quand un nouveau couple se forme, nous avons tous tendance à nous demander s'il est bien assorti. Vous avez certainement déjà entendu, au hasard de conversations, des remarques comme : « Elle est plus intelligente que lui », « Il est trop beau pour elle », « Elle gagne mieux sa vie que lui ». Quand l'un des partenaires paraît plus doué que l'autre, nous sommes inquiets car nous sentons que ce déséquilibre peut provoquer des problèmes ; ou nous nous posons des questions sur les talents cachés que peut posséder le moins séduisant. Une partie de nous-même estime que ces différences apparentes ne devraient pas compter, et c'est vrai, mais l'expérience nous montre qu'elles comptent effectivement.

Il est aisé de comprendre comment certaines pratiques négatives — abus de pouvoir physique ou psychologique, par exemple — peuvent menacer la stabilité d'un couple. Mais ce que nous enseigne le paradoxe de la passion, c'est qu'une simple inégalité du pouvoir de séduction peut entraîner une perte d'amour. Deux amants apparemment unis au début de leur relation se désunissent parfois quand ce déséquilibre leur devient apparent.

Première désillusion

J'ai demandé à Paul à quel moment il avait pris conscience du problème.

Je dirais que c'est au cours de la fête de Noël organisée par la firme. C'était la première fois que notre liaison devenait officielle, pour ainsi dire. Nous sortions ensemble depuis environ trois mois et les langues allaient bon train.

Les liaisons entre collègues sont généralement mal vues, mais nous avions déjà fait des projets de mariage et nous pouvions donc rendre la chose publique. Je me suis d'ailleurs rendu compte, ce jour-là, que tout le monde était au courant. Au début, j'ai eu cette sensation étrange que j'allais vivre un moment de triomphe. J'étais là, *moi,* avec la femme la plus désirable de l'assistance. Mais j'ai très vite déchanté.

Paul avait senti dès le début ce déséquilibre entre Laura et lui. Souvenez-vous, sa première impression avait été qu'il n'avait aucune chance avec elle. Seul le fait qu'elle se soit intéressée à lui semblait contredire cette impression, jusqu'à ce soir-là.

Nous discutions avec un groupe d'associés, essentiellement des hommes, et comme d'habitude Laura monopolisait l'attention. Elle riait et parlait avec son charme habituel. Elle avait l'air de flirter, bien qu'elle restât accrochée à mon bras. Et d'un seul coup je me suis senti défaillir. Je me disais : « Ces types intéressent Laura bien plus que moi. Ils sont plus beaux, plus à l'aise et, j'en suis sûr, plus sportifs. » Je n'arrivais pas à m'ôter de l'esprit que Laura n'allait pas tarder à s'ennuyer avec moi.

C'est ainsi que Paul se retrouva, pour la première fois, dans la position du dépendant. Au moment où il aurait dû se sentir sûr de lui, de Laura et de leur couple, il était submergé par l'angoisse et le pessimisme. Pourquoi ? Parce que Laura était plus séduisante que lui et parce qu'il commençait à être plus amoureux qu'elle.

La dépendance

Quand un amant constate que son partenaire est plus séduisant que lui, toute l'angoisse contenue dans son amour s'exacerbe, comme le découvrit Paul ce soir-là.

J'ai été pris d'une telle angoisse que je n'arrivais plus à prononcer un mot. Je voulais participer à la conversation mais je restais planté là, comme un crétin qui se serait trouvé, par le plus grand des hasards, avec la plus belle femme de la soirée. Si encore ils avaient discuté de droit ou de fiscalité, j'aurais pu dire quelque chose. Mais ils évoquaient les concerts de rock auxquels ils avaient assisté étant étudiants. Moi, à la même époque, je ne m'intéressais qu'à la musique de chambre. J'ai essayé de présenter ça comme une blague mais c'est tombé complètement à plat.

Paul était soudain envahi par la sensation de son insuffisance. La certitude de n'être pas assez séduisant, pas assez à l'aise en société pour capter l'intérêt de Laura amplifiait sa crainte naturelle d'être rejeté. Terrassé par l'angoisse et l'impuissance, il découvrit alors que ses talents de société étaient effectivement réduits à néant. Cette nuit-là, il éprouva ses premières difficultés à faire l'amour avec Laura. Les victimes de la dépendance se trouvent souvent handicapées dans les situations où elles devraient pouvoir donner le meilleur d'elles-mêmes.

Tentative de rétablissement

Dans certaines relations récentes, le dépendant est le premier à se rendre compte qu'il n'a plus sa part de pouvoir et à paniquer. Enfermé dans le paradoxe, il s'efforce par tous les moyens de regagner l'amour de l'autre. Mais il se fait beaucoup de tort en manifestant ouvertement sa dépendance. Comme le raconte Paul :

> Ma seule idée, c'était de quitter la fête pour me retrouver seul avec Laura. Finalement, je lui ai pris la main et je lui ai dit qu'il était peut-être temps de partir. Elle a eu l'air un peu déçue mais elle m'a suivi. Comme j'avais peur qu'elle m'en veuille, le lendemain je lui ai acheté une chaîne en or massif avec un cœur. Je pensais que ce cadeau lui dirait mieux que moi combien je l'aimais. Elle a apprécié, bien sûr, mais en restant sur sa réserve.

En règle générale, les gens sentent à quel moment une rupture intervient dans leur relation. Cela commence par une dépendance inquiète de la part de l'un et une légère résistance de la part de l'autre.

Réaction du dominant

Laura s'aperçut donc, elle aussi, qu'un changement s'était produit dans leur relation.

> La première fois que Paul m'a dit qu'il m'aimait, j'étais absolument ravie. Je me suis dit : « Ça y est, ne cherche pas plus loin. » Il était adorable ; il aurait fait n'importe quoi pour moi. Mais au bout d'un moment j'ai trouvé qu'il en faisait un peu trop. Il me couvrait de cadeaux, des petits cadeaux très chers, et m'emmenait dans des restaurants de plus en plus chics. Il a aussi commencé à se montrer possessif, comme à cette soirée de Noël. Je m'amusais beaucoup mais il a voulu partir une heure ou deux après notre arrivée. Je n'étais pas très contente, mais en même temps je me sentais vaguement coupable, comme si je m'étais rendue ridicule.

Puis deux événements contribuèrent à préciser la nature du problème qui avait surgi entre Paul et Laura. Laura se vit confier son premier dossier à plaider, une affaire compliquée de fraude bancaire, et, à peu près au même moment, Paul se mit en tête de concrétiser leurs projets de mariage. Laura raconte.

Du jour au lendemain, il a fallu que je concentre toute mon attention sur ce dossier, et les petits différends que j'avais avec Paul ont commencé à s'aggraver. Ce qui ne veut pas dire que je ne me sentais plus liée à lui. Ma position, à l'époque, c'était que nous devions travailler sur certains aspects de notre relation. Mais Paul, parce qu'il avait peur, je pense, a insisté pour que je fixe une date de mariage. C'était au-dessus de mes forces à ce moment-là. Je savais que Paul ferait un mari merveilleux mais mes sentiments pour lui prenaient un tour plus affectueux que passionnel. Je me demandais ce qui m'arrivait. J'aurais dû être heureuse qu'il soit tellement épris de moi mais je n'étais plus très sûre de mes propres sentiments.

Celui qui se retrouve soudain en position dominante est avant tout déconcerté : son cœur et sa raison ne fonctionnent plus à l'unisson.

Le paradoxe de la passion s'installe

À mesure que les sentiments de Laura tiédissaient, ceux de Paul s'enflammaient. Il voulait absolument fixer la date de leur mariage, mais Laura...

... se mettait à me taquiner ou changeait de conversation. C'est à ce moment-là aussi que j'ai remarqué un changement dans son comportement. Elle oubliait de me téléphoner ou elle travaillait très tard le soir, par exemple. Je comprenais qu'elle soit préoccupée par son travail mais il lui arrivait de passer une semaine sans me voir autrement qu'au bureau. Elle n'avait pas l'air de désirer que je l'aide. Dans ma tête, je me disais que rien n'avait changé, que seule mon imagination morbide me faisait croire que nous étions sur la mauvaise pente. Finalement, je lui ai exposé mes soucis et mes craintes. Elle m'a rassuré mais avec un peu de condescendance. Elle paraissait plus irritée que concernée par mes inquiétudes. Elle m'a dit, et je l'ai cru, que comme bien des gens elle avait peur de s'engager mais qu'elle essayait de se raisonner.

Ironiquement, l'une des qualités de Paul qui avaient attiré Laura au début, c'était son apparente maîtrise de lui-même et de ses émotions, maîtrise qu'il avait rapidement perdue une fois amoureux. Son investissement excessif dans la relation mettait Laura dans une position de force qu'elle n'avait ni prévue ni souhaitée. De plus, elle se sentait tellement en sécurité avec lui qu'elle n'éprouvait plus la moindre pulsion passionnelle pour lui. La soumission amoureuse de Paul donnait à sa partenaire un pouvoir qui ne lui plaisait pas et déséquilibrait la relation.

Pourquoi Paul ne se ressaisissait-il pas ? Parce que à ce stade il était enfermé dans le piège du paradoxe. S'il en avait pris conscience, il aurait pu tenter quelque chose pour en sortir et sauver leur couple. Mais il avait perdu tout contrôle de la situation, il en souffrait et cela exacerbait son amour. Ses facultés de raisonnement avaient été sérieusement affectées par cette crise. Il choisissait par exemple d'attribuer des doutes parfaitement justifiés sur les sentiments de Laura à son « imagination morbide ». Les dépendants reçoivent régulièrement des messages de leur inconscient alerté leur conseillant de se méfier, mais ces messages sont rarement décodés correctement par leur cerveau éperdu d'amour.

Si Paul ne s'était pas senti menacé par le pouvoir de séduction de Laura, le couple aurait pu trouver une harmonie satisfaisante. Mais le déséquilibre ouvrit une brèche juste assez large pour que s'y engouffre le paradoxe de la passion. Paul se montra pressant, Laura distante, et le cercle vicieux s'installa. En polarisant l'attitude des deux partenaires, le paradoxe de la passion creuse effectivement le déséquilibre entre eux.

Le déséquilibre circonstanciel

Béatrice et Michel qualifiaient leurs deux premières années de mariage de « bonheur extatique ». Tous leurs amis leur répétaient qu'ils formaient un « couple idéal » et ils devaient bien en convenir. Ils étaient l'un et l'autre actifs, ambitieux, intelligents et séduisants. Ils achetèrent une maison qu'ils arrangèrent avec beaucoup de goût. Le couronnement de leur bonheur arriva à la fin de la deuxième année sous la forme de deux surprises : Béa attendait un enfant et Michel avait été sollicité par un groupe d'investisseurs qui lui donnaient carte blanche pour créer un nouveau restaurant, dont ils lui offraient également la copropriété. Comme le raconte Béa :

L'histoire du restaurant méritait d'être étudiée avec le plus grand sérieux. Michel était bien placé pour savoir que ce genre d'entreprise nécessite un travail considérable et, d'après nos calculs, le restaurant devait ouvrir peu de temps avant mon accouchement. Mais on lui offrait un salaire considérable, sans parler de la copropriété. Nous avons donc pensé que le sacrifice de son temps et de son énergie pendant tous ces mois serait compensé par le gain final. C'était aussi une sécurité financière pour toute la durée de mon congé de maternité.

Le raisonnement était sain, mais la réalité ne devait ressembler que de très loin à ce qu'avait imaginé le couple. Michel donne sa version des faits.

Je suis du genre à m'investir totalement dans ce que j'entreprends. Et puis les sommes d'argent engagées dans ce nouveau restaurant étaient telles que je me sentais obligé d'en faire une réussite. Je travaillais douze à quatorze heures par jour et j'ai manqué quelques séances de préparation à l'accouchement avec Béa. Une certaine tension s'est installée entre nous. Oui, j'étais là pour l'accouchement, mais je n'arrêtais pas de m'endormir. Et puis la maternité a été un choc considérable pour Béa. Elle n'en revenait pas d'éprouver autant d'amour pour Chloé. Elle n'en revenait pas non plus d'être totalement à la merci d'un si petit bébé vingt-quatre heures sur vingt-quatre et tous les jours. Je n'étais pas à ses côtés, c'est vrai, mais moi aussi j'en bavais et elle n'était pas à mes côtés non plus. Elle a commencé à m'en vouloir et moi aussi.

Michel investissait beaucoup d'énergie dans son travail, cette énergie qu'il trouvait habituellement dans sa relation avec Béa. Béa, pour sa part, avait énormément besoin de son mari. Elle avait quitté une profession gratifiante et se trouvait confrontée au dilemme que connaissent tant de femmes de sa génération : devait-elle compromettre sa carrière ou confier le bébé à une nourrice dès le début et pendant toute sa période d'éveil ? Avant l'accouchement, elle pensait prendre un congé de trois mois puis reprendre son travail. Mais par la suite elle décida de s'occuper de Chloé pendant un an et d'avoir un autre enfant le plus vite possible. « Après tout, j'avais trente-sept ans ! » dit-elle.

Comme beaucoup de couples en cette période de baby boom, Béa et Michel avaient fondé leur relation sur l'égalité absolue ; aucun ne devait être passif ni dominant ; tous deux devaient poursuivre leurs ambitions extérieures au couple avec le soutien enthousiaste de l'autre ; toutes les corvées domestiques devaient être partagées à égalité.

Mais, comme c'est souvent le cas, la femme, Béa, se retrouva chargée des responsabilités de la maison et de l'enfant. Complètement pris par le restaurant, Michel ne vivait pas le même dilemme concernant Chloé et ignorait donc la culpabilité, la rage et la frustration qu'il engendrait chez Béa. Dégagé de tout souci domestique, Michel se retrouvait, comme beaucoup de maris, dans la position dominante et désirable de celui qui réussit dans sa carrière. Plus l'indépendance et la confiance en elle de Béa diminuaient, plus l'autonomie et le pouvoir social de Michel augmentaient. Quand cette inégalité entre partenaires se prolonge, elle constitue un terreau fertile pour le paradoxe de la passion. Dans une société où le statut de la mère est déprécié et la réussite socio-professionnelle des hommes encouragée, l'équilibre entre partenaires auparavant égaux tend à se rompre.

Béa commença à ressentir les effets de sa perte de pouvoir dans le couple dès le début de son congé de maternité.

Je n'étais absolument pas préparée au choc que j'ai subi en quittant mon travail. J'ai pris mon congé de maternité quinze jours avant l'accouchement et j'ai accouché avec quinze jours de retard. Dès la deuxième semaine je me suis sentie devenir folle. J'avais grossi de vingt-cinq kilos et je ressemblais à une baleine. Quand j'apparaissais au restaurant, toutes les conversations s'arrêtaient. C'était horrible parce que je me sentais perdre pied sur deux plans en même temps : non seulement je ne travaillais plus mais j'étais devenue monstrueuse. D'où une sensation de vulnérabilité et d'insécurité extrêmes. Et le fait de voir toutes ces jolies serveuses n'arrangeait rien. L'attitude contrainte de Michel non plus. Pour compenser tout cela, j'ai décidé d'écrire mon roman. Quelle blague ! Moi qui avais déjà du mal à tenir la maison propre !

Réaction en chaîne

Michel commença à se réfugier dans son travail pour éviter la confrontation avec une Béa de plus en plus dépendante. Béa, pour sa part, se tourna vers sa fille pour trouver l'amour et la tendresse qui lui manquaient. Aimer un enfant peut apporter énormément de satisfactions mais ne comble pas pour autant l'ensemble des besoins affectifs d'un adulte. Béa attendait de Michel des preuves d'amour mais sa façon de les demander était devenue inadéquate. Le paradoxe avait sapé leur capacité de communication. Les périodes de transition nous rendent toujours vulnérables au déséquilibre. Déménager, changer de métier ou perdre son emploi, reprendre des études, avoir un enfant et même se marier sont des situations stressantes qui peuvent mettre en péril même les couples les plus stables. Quand deux ou plusieurs de ces événements coïncident, comme dans le cas de Béa et Michel, les conséquences peuvent en être excessivement dangereuses.

Le déséquilibre des personnalités

L'une des choses que Jonas avait tout de suite remarqué et apprécié chez Deborah, c'était son air réservé. Ce n'était pas le genre de femme qui se jette à la tête des hommes ou qui se fait remarquer. Je lui demandai de développer.

Eh bien, au début, Deborah me paraissait distante et réservée. J'étais même intrigué par son personnage. J'adore être seul et je ne pourrai jamais me lier avec une femme qui insiste pour discuter de tout, des sentiments, etc. Deborah avait son art, elle lisait beaucoup, alors j'ai pensé que nous ferions une bonne équipe tous les deux. Elle n'avait pas l'air de vouloir s'investir ou du moins elle n'a jamais fait allusion à une relation stable, au début. Curieusement, c'est plutôt moi qui pensais à ce genre de chose.

Je lui ai demandé pourquoi il n'avait pas fait l'amour avec elle plus tôt.

C'est une question que je devrais me poser aussi. J'étais très attiré par Deborah et j'ai eu envie d'elle tout de suite, mais c'était comme si quelque chose me retenait. La peur, sans doute. Je savais que si j'entamais une liaison avec elle ce serait du sérieux. Et ça m'effrayait un peu, étant donné la façon dont ma dernière liaison sérieuse — mon mariage — avait tourné. Par ailleurs, Deborah paraissait distante et je ne voulais pas faire un geste qui aurait été mal accueilli.

Jonas appréciait Deborah parce qu'il lui semblait que leurs personnalités s'accordaient parfaitement. Au début, il croyait qu'elle ne s'intéressait pas à lui, et la façon dont elle le tenait à distance excitait à la fois son angoisse du rejet et sa passion. Il entrevoyait avec elle une relation parfaitement adaptée à ses besoins, une relation qui lui laisserait de grandes plages d'indépendance et de solitude.

Mais les séances avec Déborah m'avaient appris que Jonas se méprenait, avec raison mais gravement, sur elle. Son attitude retenue ne provenait pas d'une personnalité introvertie mais de plusieurs autres facteurs.

> Pour commencer, si je lui ai paru distante c'est qu'il ne me plaisait qu'à moitié. Quelle ironie ! Ensuite, j'avais vraiment, vraiment décidé de ne pas m'engager pendant un an. Évidemment, si l'homme de ma vie s'était présenté, je me serais laissé faire. Mais Jonas n'était pas mon genre. Et finalement, quand j'ai commencé à m'attacher à lui, j'avais terriblement peur de le laisser paraître. Cela m'était déjà arrivé avec les hommes qui comptaient le plus pour moi et je ne voulais pas retomber dans le même piège. Jonas s'est donc figuré que j'étais du genre distant, mais il se trompait complètement. Quand je tombe amoureuse, c'est pour de bon. Je cache bien mon jeu, c'est tout.

À certains égards, Jonas et Deborah étaient pourtant bien assortis : pouvoir de séduction à peu près égal — même si Jonas n'était pas le « type » de Deborah — et situation sociale comparable. Mais il existait entre leurs personnalités une différence fondamentale : Jonas appréciait la solitude tandis que Deborah recherchait l'intimité affective.

Pendant la phase de conquête, Deborah ne pouvait pas voir Jonas sous son vrai jour puisque, par peur d'être rejeté, il lui faisait une cour assidue. Deborah dit à ce propos :

Dès le début, j'avais remarqué des incohérences dans le comportement de Jonas. Je voyais bien qu'il était amoureux de moi. Il voulait tout le temps sortir avec moi et faisait preuve d'imagination pour me séduire. Un jour, par exemple, il m'a emmenée au planétarium et il a déballé un pique-nique pour que nous déjeunions sous les étoiles. Il me répétait sans cesse que je lui plaisais plus que les autres femmes qu'il avait rencontrées, et j'étais persuadée qu'il recherchait une véritable complicité amoureuse. J'espérais que cela viendrait, mais non.

Pour se protéger, Jonas et Deborah usaient de tactiques différentes mais les tactiques de l'un étaient interprétées à contresens par l'autre. Sans le vouloir, Jonas s'était rendu irrésistible pour Deborah de même qu'elle s'était rendue irrésistible pour lui, au début. Il lui faisait miroiter un avenir de complicité amoureuse mais la tenait à distance en restant évasif. Incapable de voir où il voulait en venir, elle devenait de plus en plus inquiète et passionnée.

Un équilibre précaire

Tant qu'ils réussirent à se dissimuler mutuellement leurs besoins les plus profonds, leur couple garda un équilibre précaire. Mais l'angoisse de Deborah devenait trop forte et l'équilibre se rompit à l'occasion d'un dîner de famille.

J'ai invité Jonas chez mes parents pour Noël et ça m'a semblé bizarre de le voir si mal à l'aise. Ma famille est accueillante et sympathique mais on aurait dit qu'il restait sur ses gardes. Ensuite nous sommes allés chez moi mais je le sentais distant. Et c'était une sensation étrange pour moi parce que, à ce moment-là, j'étais folle de lui. Je commençais à penser mariage et tout ça. Mais il ne m'avait jamais dit qu'il m'aimait et je n'en pouvais plus. Alors j'ai décidé de le faire moi-même, pensant que je ne risquais rien. Je lui ai dit que je me sentais tomber amoureuse de lui, espérant qu'il n'attendait que ça. Mais il a répondu qu'il ne savait plus très bien où il en était, qu'il préférait qu'on en reparle plus tard, qu'il avait besoin d'être un peu seul. Quand il est parti, je me suis sentie complètement perdue.

La perche que lui tendait Deborah apparut à Jonas comme une menace. C'est alors que sa vraie nature de solitaire prit le pas sur son ardeur amoureuse.

C'était bien la preuve que Deborah voulait m'annexer. Quand elle m'a invitée à dîner chez ses parents, j'ai compris que c'était trop lourd pour moi. J'ai été franc avec elle en lui disant que ce n'était pas mon genre. J'avais l'impression que tout le monde me considérait déjà comme un éventuel membre de la famille. Et puis le lendemain matin elle a essayé de me faire dire que je l'aimais. Quand j'aime quelqu'un je le lui dis mais j'ai horreur qu'on me force la main. Je trouve ça hypocrite. Quoi qu'il en soit, je me suis senti mal et j'ai pris de la distance.

Révélées au grand jour, leurs personnalités donnèrent à chacun le rôle qui lui convenait : Jonas le solitaire devint le dominant tandis que Deborah la tendre se retrouvait dépendante.

S'ils avaient pu se rendre compte que leurs besoins profonds les promettaient au paradoxe de la passion, ils auraient été en mesure de trouver l'équilibre qui leur convenait. Ou ils auraient choisi de devenir amis plutôt que de rester amants. Mais, sans cette conscience, ils ne pouvaient que laisser le paradoxe façonner leurs réactions.

À partir du chapitre 12, nous examinerons plus en détail les différents styles de personnalité, comment ils s'accordent ou se contrarient et comment les équilibrer. Mais pour le moment nous allons étudier ce que sont la position dominante et la position dépendante et voir de quels moyens nous disposons pour les gérer.

3.

LE DOMINANT

Le fardeau du pouvoir

Dans un couple, le dominant détient le pouvoir exécutif, c'est-à-dire que c'est lui qui décide si la relation va continuer ou prendre fin. Il arrive, bien sûr, que le dépendant parte le premier mais en général il y a été psychologiquement incité par le dominant.

Vous vous êtes certainement déjà trouvé dans la position de dominant à un moment de votre vie. Rares sont ceux qui n'ont pas connu cette sensation étrange et déroutante d'être convoité par quelqu'un qu'on n'aime pas vraiment. C'est à la fois flatteur et frustrant, agréable et épuisant. Cela oblige souvent à agir à l'encontre de ses désirs. On espère être soulagé et libéré par la fin de la relation, mais on se trompe. Nous allons découvrir maintenant pourquoi le paradoxe de la passion engendre des impasses émotionnelles dont personne ne sort gagnant.

Le dominant n'est pas un monstre

Dans la mesure où les dominants ont le pouvoir, il est facile de les traiter de bourreaux des cœurs ou de leur reprocher leur peur de l'investissement affectif. Pourtant, la plupart d'entre eux désirent sincèrement la réussite de la relation. Mais, comme les dépendants, ils sont victimes des forces puissantes qui séparent les couples déséquilibrés.

Dans ce chapitre, nous étudierons les structures du comportement des dominants, à la lumière d'un des besoins fondamentaux de l'être humain, le désir de ne pas se laisser emprisonner affectivement.

Si le dépendant souffre cruellement du pire des sentiments, l'angoisse du rejet, cela n'empêche pas le dominant de ressentir une réelle détresse au moment où la relation bascule. C'est un mélange de culpabilité, de colère, de désarroi, de doute et de frustration. Et s'il essaie de nier ou de refouler ces sentiments, ils n'en deviendront que plus forts. Quant à son « désamour » pour le dépendant, il peut le dissimuler le plus long-temps possible. Il sait, pour l'avoir lui-même expéri-menté, que le rejet est infiniment destructeur et il hésite à porter ce coup fatal. Il redoute par ailleurs la solitude qui l'attend hors de la relation et les risques liés à la recherche d'un nouveau partenaire.

Au début, le dominant est fier et heureux d'avoir conquis son partenaire. Puis le voilà mal à l'aise : il sent bien que son amour tiédit mais il ignore pourquoi. Il suppose que cela ne va pas durer et cherche désespéré-ment une explication. Mais, une fois le paradoxe de la passion installé, ni la réflexion ni le doute n'empêche-ront sa conduite de refléter son désintérêt grandissant.

Tu ne m'apportes plus de fleurs...

Premier signe de déséquilibre dans le couple, l'aban-don par un seul des partenaires des conduites de séduction. Celui qui vient de prendre la position de dominant ne ressent plus l'envie de faire des cadeaux, de dépenser sans compter, de corriger ses mauvaises habitudes ou de se mettre en valeur. Jonas, par exemple, abandonna l'une des « traditions » qui le liaient à Deborah.

> Pendant les deux premiers mois de notre liaison, j'apportais toujours une fleur quand j'allais la voir. J'aime bien jardiner et il y a toujours quelque chose à cueillir dans mes plates-bandes. C'était devenu comme une tradition. Mais j'ai commencé à ralentir le jour où Deborah m'a reproché de passer plus de temps avec mes plantes qu'avec elle.

Dans toute relation réussie, les conduites de séduction évoluent vers un comportement plus ordinaire et un engagement à long terme désiré par les deux parties. Mais le retour de Jonas à ce comportement ordinaire était prématuré et trahissait son désengagement. Ce qu'il ignorait, c'est que son mouvement de recul allait provoquer un mouvement inverse chez sa partenaire.

Laura, pour sa part, commença à se montrer à Paul sous son vrai jour.

> Je suis rapide et j'ai tendance à m'impatienter avec les gens qui ne le sont pas. C'est ma nature, voilà tout. Paul prend son temps, et j'ai dû manifester mon agacement. Quand il m'en a fait la remarque, j'ai mis cela sur le compte de la tension due à mon travail.

Les dominants ont toujours tendance à se chercher des excuses, le travail étant la plus fréquemment invoquée. Rejeter la faute sur des circonstances extérieures leur permet d'éviter une discussion de fond qu'ils ne souhaitent pas. Comme beaucoup de dominants, Laura voulait croire que son changement d'attitude était dû à la fatigue occasionnée par son travail.

Quand la relation est ancienne

Quand la relation est déjà ancienne, « tu ne m'apportes plus de fleurs » se traduit par une diminution de l'affection portée par le dominant au dépendant. Le changement est souvent subtil, il n'en est pas moins signifiant ; quand il est plus marqué, il modifie le quotidien du couple.

Une autre de mes clientes, Louise, petite femme de quarante-cinq ans mince et charmante, était mariée depuis vingt-trois ans quand elle réalisa enfin un rêve qui lui était cher. Elle collectionnait avec passion des objets d'art artisanal et fit un petit héritage qui lui permit, ses fils étant partis de la maison, d'ouvrir un magasin pour vendre les objets de sa collection. L'affaire prit une ampleur inespérée.

La réussite de Louise eut pour effet de déstabiliser une union qui paraissait stable. Lors de notre premier entretien, Louise me raconta :

À peu près un an après l'ouverture du magasin, Charles n'obtint pas la promotion qu'il espérait dans son travail. C'était une façon pour la direction de lui signifier qu'il n'avait pas l'étoffe d'un chef. Il démissionna, pensant trouver un meilleur poste dans une autre compagnie bancaire. Mais il n'eut qu'une seule offre, inférieure à sa qualification, et il la refusa. C'est alors qu'il se mit en tête de m'aider à développer mon commerce. J'ai pensé que c'était une bonne idée, jusqu'au jour où je me suis rendu compte que Charles espérait prendre ma place. En outre, il ne comprenait pas que je travaille beaucoup à l'extérieur, à faire du porte-à-porte. Notre collaboration n'a donc pas marché et il s'est très vite désintéressé de l'affaire.

Louise savait que leurs positions professionnelles respectives s'étaient plus ou moins inversées cette année-là, mais elle n'avait pas perçu le changement intervenu dans leurs rapports quotidiens.

J'étais du genre à fouiner dans mes livres de cuisine pendant des heures et à mitonner des petits plats. Je brodais ses initiales sur ses chemises et j'empesais ses cols. J'ai dû ralentir après l'ouverture du magasin mais je m'efforçais tout de même de le rendre heureux. Je ne voulais pas qu'il ait l'impression de passer au second plan. Maintenant, quand je repense à la volonté désespérée que j'avais de lui plaire, je crois rêver. Il a fini par remarquer que je ne faisais plus toutes ces « petites choses » et il en a été blessé à un point que je n'imaginais pas ; je lui ai dit que c'était l'usure du temps.

Dans une relation équilibrée et heureuse, ces « petites choses » sont la monnaie courante de l'affection. Quand l'échange cesse d'être réciproque, la relation se déséquilibre. Pendant vingt-trois ans, Louise avait été dépendante, mais les revers professionnels de Charles et sa propre réussite avaient totalement inversé les rôles.

Le prince changé en crapaud

Pendant la phase de conquête, nous ne sommes pas assez aveugles pour ne pas remarquer les imperfections de l'être aimé. Mais la passion ne tient pas compte de ces détails qu'elle tend même à trouver charmants.

Puis il arrive un moment où l'amour possessif du dépendant modifie la vision du dominant. Ce dernier commence à oublier ce qui le séduisait chez son partenaire et à ne plus voir que ses défauts physiques. Que le dépendant soit beau et séduisant aux yeux des autres n'a aucune importance. Pour le dominant, le prince, ou la princesse, s'est changé en crapaud. Voici ce que dit Laura à propos de Paul :

> Ce qui me posait un problème par rapport au mariage, c'était que je n'étais plus attirée par Paul physiquement. Ce qui m'avait paru charmant au début — sa totale absence de vanité et ses allures de professeur ébouriffé — commençait même à me déplaire. Je le regardais, je regardais d'autres hommes, et je me demandais ce qui avait bien pu me passer par la tête.

Si le partenaire idéalisé paraît irrésistible pendant la phase de conquête, le dépendant démystifié n'est plus qu'une excuse pour le désengagement du dominant. Dans la mesure où les hommes sont généralement plus sensibles au physique que les femmes, la disgrâce de la femme peut être déterminante pour le couple. Elle apparaît souvent comme le prélude et l'excuse à l'infidélité de l'homme.

La solution esthétique

Les « solutions » sont les méthodes palliatives les plus employées par les dominants, mais elles sont les moins efficaces parce qu'elles entretiennent le paradoxe. Elles paraissent merveilleusement logiques puisqu'elles cherchent à rendre au dépendant son attrait perdu, mais elles manquent souvent leur but.

La solution esthétique consiste à offrir au dépendant des « recettes de beauté ». Directement ou subtilement, le dominant s'arrange pour que le message passe, suggérant par exemple un changement de coiffure, de vêtements, de maquillage ou un régime amaigrissant. Michel essaya la solution esthétique avec Béa.

Béa était vraiment mince quand je l'ai connue, mais après la naissance de Chloé elle eut beaucoup de mal à perdre du poids. J'en étais arrivé à préférer faire l'amour dans l'obscurité. Alors, pour notre anniversaire de mariage, je lui ai offert un abonnement à un club de gymnastique. Elle y est allée et le résultat ne s'est pas fait attendre. Mais elle n'arrêtait pas d'en parler et de vouloir que j'admire ses progrès. Cela m'a vite énervé. Elle espérait que je lui ferais l'amour plus souvent mais, comme ça ne marchait pas, elle a progressivement cessé d'y aller.

L'échec de la solution esthétique s'explique par le fait que l'ardeur du dépendant à l'appliquer renforce la sensation de pouvoir du dominant. Or, chaque fois que le dominant sent qu'il domine, le paradoxe le rend moins amoureux.

Le Q.I. qui rétrécit

Le dépendant ne perd pas seulement son attrait physique, il perd aussi son intelligence. Personne n'a aussi bien décrit ce phénomène que Marilyn French dans son célèbre roman, *Toilettes pour femmes*[*]. Après

---

[*] Robert Laffont, 1978.

avoir dépeint l'enchantement de l'amour naissant et l'idéalisation du « bien-aimé », elle écrit :

> Et puis un jour, l'inconcevable arrive. Vous êtes en train de prendre votre petit déjeuner, et tu as un peu la gueule de bois ; tu regardes ton bien-aimé, ton admirable bien-aimé, et le bien-aimé en question ouvre sa jolie bouche en bouton de rose, découvre ses jolies dents pour dire une connerie. Ton corps se glace sur-le-champ, ta température tombe d'un coup, le bien-aimé n'avait jamais dit une bêtise jusque-là ! Tu te tournes vers lui, certaine d'avoir mal entendu. Tu lui demandes de répéter. Et il le fait. Il dit : « Il pleut », alors tu lui dis : « Non, il ne pleut pas. Tu devrais te faire examiner les yeux, ou les oreilles... »

Chacun sait que l'attirance sexuelle pour une personne fait facilement passer son intelligence au second plan. Ce phénomène peut, par la suite, devenir une cause importante de déséquilibre. Même dans le cas où les deux partenaires ont des quotients intellectuels comparables, un déséquilibre provenant d'une autre cause peut faire paraître le dépendant moins brillant qu'il ne l'est.

En outre, il est malheureusement vrai que la tension subie par le dépendant *peut* anesthésier son intelligence, ainsi que son charme et sa spontanéité, qualités qui sont ordinairement associées à l'intelligence. Le dépendant se montre souvent raide, complexé, maladroit, comme un étudiant victime du trac pendant un oral d'examen. En pareil cas, le dominant va se sentir coincé avec quelqu'un qui l'ennuie, l'agace ou lui fait honte. Cela renforce son envie de prendre des distances.

La solution culturelle

Quand le quotient intellectuel de son partenaire rétrécit, le dominant peut essayer la solution culturelle. C'est ce qu'a fait Raoul, un de mes clients. Écrivain et libraire, il s'était amouraché d'une jolie serveuse du café qu'il fréquentait. Mais la relation fut bien vite menacée par le déséquilibre.

Les goûts culturels d'Ilona allaient de *Police Academy* à « La Roue de la fortune » et autres jeux télévisés. Au début, je trouvais ça charmant parce qu'elle avait toujours quelque chose de drôle à en dire. Mais je me suis rapidement lassé et je l'ai encouragée à suivre des cours du soir. Philosophie et littérature, pour commencer. Je dois reconnaître qu'elle a travaillé dur, mais sa peur de l'échec la bloquait complètement. Elle s'est mise à employer des mots savants et à aborder des sujets qu'elle croyait intéressants pour moi. Devant mes amis, j'étais assez gêné. En fait, j'ai été soulagé quand elle s'est calmée.

Ilona s'efforçait de plaire à Raoul en se conformant à ce qu'il lui demandait. Mais ses efforts n'eurent pas d'autre effet que de rendre patent le gouffre culturel qui les séparait. Elle se trouva prise au piège de la soumission et perdit du même coup sa spontanéité naturelle et charmante.

Tu ne pourrais pas être un peu plus...

Dans toute relation nouvelle, l'acceptation de l'autre tel qu'il est, après la phase de séduction, constitue un tournant critique. Mais quand la relation est déséquilibrée, le dominant est toujours déçu par le vrai visage de son partenaire. Il ne trouve chez lui aucune des qualités essentielles qu'il espérait. La formule : « Tu ne pourrais pas être un peu plus... » peut alors être complétée par les mots suivants :

- dynamique
- sûr de toi
- intéressant
- spontané
- ambitieux
- indépendant
- amusant.

Le dominant fait rarement ce genre de reproches de façon directe. C'est en discutant de sa relation avec des amis qu'il les verbalise. Mais ces qualificatifs donnent bien la mesure de la rancune que la soumission du dépendant lui inspire. Son attitude critique, qui reproche à son partenaire d'être *ce qu'il est,* va très vite évoluer vers un détachement accru.

Quand Laura sentit grandir son impatience avec Paul, elle l'attribua au fait qu'ils ne sortaient pas assez. La vie nocturne qui avait toujours été la sienne commençait à lui manquer, Paul étant plutôt du genre casanier. Elle organisa donc une soirée avec des amis et des collègues dans un club qui venait d'ouvrir. Paul n'avait pas envie de sortir mais accepta finalement quand Laura menaça d'y aller sans lui. La soirée devait rappeler à Laura la fameuse fête de Noël au bureau.

Paul passait alternativement d'une tendresse débordante à la bouderie. Pour finir, je l'ai entraîné dans un coin et je lui ai demandé ce qui se passait. Il m'a répondu qu'il y avait

trop de bruit et qu'il voulait rentrer. J'ai dit d'accord. Il a
précisé « avec toi » et s'est mis à me faire les yeux doux
comme pour me convaincre. Je l'ai repoussé et je suis
retournée à la table. J'étais écœurée, gênée et furieuse qu'il
se conduise de cette façon... inepte.

Laura voulait une chose à la fois simple et impossible,
que Paul soit la personne qu'elle voulait qu'il soit. C'est
ce même désir qui se cache derrière toutes les solutions
proposées par les dominants. Mais, comme nous l'avons
vu, il se combat lui-même en provoquant chez le
dépendant une soumission totale, avec toutes les conséquences qu'elle implique.

Le désir est mort

L'intérêt sexuel du dominant pour le dépendant
diminue progressivement. L'acte sexuel n'est plus alors
qu'un acte mécanique ou, comme le décrivent souvent
mes consultants, une corvée à subir ou à éviter. Le désir
du dominant est mort.

Dans *Annie Hall,* Woody Allen donne une description
savoureuse et à mes yeux très juste de la façon dont
dominant et dépendant envisagent l'acte sexuel. Au
moment où Annie se retrouve en position dominante et
Alvie Singer en position dépendante, l'écran se coupe en
deux et le spectateur assiste simultanément à leur séance
de thérapie respective. D'un côté, Alvie se plaint de ce
qu'ils ne font presque plus l'amour, à peine trois fois par
semaine ; de l'autre côté, Annie explique qu'Alvie est un
obsédé sexuel qui n'arrête pas de lui sauter dessus,
jusqu'à trois fois par semaine. Annie se sent étouffée et
irritée par les avances d'Alvie qui, lui, la désire de plus

en plus. Dans la vie réelle, cela n'a rien de comique, bien sûr.

La solution érotique

L'érotisme peut être introduit dans l'amour par l'un des deux partenaires pour ranimer le désir du dominant. Cela peut prendre la forme de gadgets, de fantasmes, de cassettes vidéo, de drogues ou même d'un partenaire supplémentaire. L'érotisme n'est pas réservé aux couples en difficulté, bien sûr, mais il peut constituer pour eux un ingrédient salutaire.

Dans le couple Louise-Charles, c'est lui qui eut recours à l'érotisme, après vingt ans de rapports naturels. Louise, perplexe, en conclut qu'il avait besoin de se rassurer.

> C'était comme s'il voulait prouver, à lui-même autant qu'à moi, sa valeur, sa virilité. J'étais préoccupée par tout autre chose et ça ne m'intéressait absolument pas. Mais il a commencé à rapporter des trucs à la maison. Des cassettes pornos, par exemple. J'ai accepté parce que ça semblait vraiment important pour lui et je ne voulais pas le vexer. Mais c'était dur et il savait que je me forçais.

La solution érotique peut également prendre la forme d'une escapade romantique dans un lieu où la passion se réveille. Mais l'espoir que ce regain d'intérêt sexuel survive aux habitudes quotidiennes est presque toujours déçu. L'amélioration n'est que passagère.

La solution érotique peut aussi consister pour le dominant à fermer les yeux pendant l'amour et à s'imaginer dans les bras d'un autre partenaire. Mais ensuite, couché auprès du dépendant, ne risque-t-il pas de se sentir coupable ? Dans les relations peu déséquilibrées, les stratégies érotiques sont parfois bénéfiques dans la mesure où elles donnent au dominant une bonne raison de rester. Vous avez certainement déjà entendu dire : « C'est dur de se quitter, on s'entend tellement bien au lit. » Mais si le déséquilibre est trop accentué, il viendra un moment où l'érotisme ne suffira plus à entretenir l'amour. Le problème de la stratégie érotique, c'est précisément que ce soit une stratégie.

Le temps du secret

Dans une nouvelle relation ou un couple équilibré, on se dit tout. On parle de ses sentiments, on se raconte, on confronte ses idées, on bavarde.

Mais quand le paradoxe s'installe, le dominant perd tout désir de communiquer avec le dépendant. Comme pour d'autres réactions, il n'a pas toujours clairement conscience qu'il s'agit en fait d'un symptôme de détachement. Le dépendant, par contre, le sent et essaie de faire parler son partenaire. C'est ce qui arriva à Charles avec Louise.

> Je rentrais d'une journée riche et intéressante, et Charles voulait que je lui raconte absolument tout. Mais j'étais trop fatiguée alors je lui racontais un truc et j'ajoutais qu'il ne s'était pas passé grand-chose d'autre. Mais il insistait et je sentais l'irritation m'envahir.

Remarquez que Louise met sa réaction sur le compte de la fatigue. Elle se refuse à admettre qu'elle n'a plus de désir d'échange et de complicité avec son mari. Le silence est l'un des remparts les plus efficaces que connaissent les dominants. Ils se sentent tellement suffoquer dans la relation que, pour s'isoler, ils doivent dresser cet écran protecteur.

Le dépendant piégé

La confusion des sentiments qu'éprouve le dominant finit par se cristalliser. Il réalise alors qu'il est piégé dans une relation avec quelqu'un qui l'aime et a besoin de lui mais qu'il n'est pas sûr d'aimer ou de pouvoir aimer.

LAURA :

Ce qui me paraissait le plus horrible à ce moment-là, c'était l'idée que plus jamais je ne pourrais aimer passionnément. J'avais du mal à croire que les sentiments de Paul soient aussi intenses parce que, de mon côté..., calme plat. Je lui en voulais de ne pas avoir su entretenir ma flamme.

JONAS :

Avec Deborah, c'est tout ou rien. Elle demandait une immersion totale dans la relation ou rien. Elle refusait la demi-mesure qui m'aurait convenu : passer de bons moments ensemble tout en gardant un espace de liberté. Quand j'ai compris ça, j'ai commencé à me sentir aspiré dans des sables mouvants.

MICHEL :

C'est drôle. Avoir réussi tout ce que j'ai entrepris dans la vie — une femme extra, un bel enfant, une maison agréable, un restaurant qui marche — et être aussi malheureux. J'en étais arrivé à redouter de rentrer chez moi. Béa était dans un état de dépendance tel que je n'avais même plus d'espoir.

Mais les dominants disposent d'une autre série de stratégies qui les aideront à se sentir moins coincés ou leur éviteront d'en arriver à la douloureuse solution de la fuite.

Ailleurs, l'herbe est plus verte

Au début d'une relation, les deux partenaires n'ont d'yeux que l'un pour l'autre. Mais quand le dominant commence à se sentir prisonnier, il va d'abord tenter de s'évader *visuellement* en regardant les personnes du sexe opposé, même en présence du dépendant.

Il est tout naturel d'apprécier la beauté, et certaines personnes heureuses en ménage s'adonnent de temps en temps à ce plaisir. On pourrait même dire que le fait de regarder ailleurs constitue une soupape de sécurité pour les monogames, une innocente compensation au fait que la monogamie soit contraire à certaines de nos pulsions instinctives.

Mais quand elle devient systématique, c'est une habitude souvent nuisible et révélatrice de problèmes graves. Comme dans le cas de Béa et Michel.

> Nous sortions rarement en famille mais ce jour-là nous allions à la plage. J'ai préparé un pique-nique délicieux, acheté mon premier maillot de bain depuis que j'allais à la gym et j'ai tout fait pour que nous passions un bon moment. Mais Michel n'arrêtait pas de regarder les autres femmes. Je lui parlais et je voyais son regard se fixer au-dessus de mon épaule. Je me retournais, et c'étaient deux filles en bikini. Même pas belles, d'ailleurs !

La personne regardée n'a pas besoin d'être plus séduisante que le dépendant, il suffit que ce soit quelqu'un d'autre, quelqu'un que le dominant ne domine pas affectivement. Le dépendant réagit généralement par un commentaire peiné, acerbe ou pseudo-humoristique. Le dominant peut essayer de se réformer mais ce n'est pas facile. Regarder les filles ou les hommes est une réaction involontaire et irraisonnée contre l'ennui, une forme d'évasion stimulante. Démasqué, le dominant peut avoir recours à des ruses, comme ce monsieur qui regardait les filles pendant que sa femme comparait les étiquettes au supermarché.

La solution sociale

La prochaine fois que vous serez dans une soirée, observez bien les interactions des couples. Vous verrez par exemple une femme traverser la foule en faisant du charme à tous les hommes et, dans son sillage, un individu renfrogné ; vous verrez un homme danser avec toutes les femmes présentes, sauf celle qui l'accompagne ; elle discute avec des amis sans jamais le quitter des yeux.

Pour les dominants qui s'ennuient, toute sortie ressemble à une libération sur parole. Rien de tel qu'une soirée pour justifier une conduite inconvenante. « J'avais un peu bu » est une des excuses habituelles avec : « Mais il — ou elle — s'est jeté à ma tête. »

En pareille circonstance, l'attitude typique du dépendant consiste à suivre le dominant à la trace en espérant qu'il va bientôt donner le signal du départ et mettre fin à une situation jugée dangereuse. Par la suite, les deux partenaires souffriront, l'un de se sentir encore plus prisonnier après cette bouffée d'air frais et l'autre d'avoir encore plus peur d'être rejeté.

Colère du dominant

Nous sommes naturellement portés à la colère quand nous n'avons pas ce que nous voulons. La colère et la rancune du dominant sont proportionnelles à la sensation d'enfermement qu'il éprouve. Il est furieux contre le dépendant qui l'a déçu et contre lui-même de s'être laissé entraîner dans une situation dont il ne peut sortir sans déclencher un orage émotionnel. La colère contribue bien entendu à éloigner le dominant du dépendant.

Le dominant sort ses griffes

Si le dominant contrôle la relation, il ne maîtrise pas toujours la *situation*. La distinction est importante et provoque souvent des revirements émotionnels. La sensation de son impuissance peut rendre le dominant agressif envers son partenaire, même si par la suite il regrette et méprise sa conduite. Le dominant devient méchant lorsque sa rancœur et sa frustration passent du virtuel au factuel. Laura s'aperçut ainsi que son irritabilité se transformait en reproches violents.

Les gens qui ronflent me rendent dingue parce que quand j'étais gamine un de mes frères ronflait comme une forge. J'ai le sommeil léger et Paul est un ronfleur de classe internationale. Une nuit, je n'en pouvais vraiment plus, alors je l'ai réveillé et chassé de mon lit après l'avoir copieusement engueulé. Il a dormi sur le canapé. Le lendemain, je n'étais pas fière de moi mais à partir de ce moment-là j'ai remarqué que j'exprimais plus facilement mon irritation à propos d'un tas de choses. Comme si des vannes s'étaient ouvertes.

Le dominant s'énerve volontiers pour des riens parce qu'il préfère ne pas aborder le problème de fond — son désintérêt amoureux. Comme Laura, il s'acharne sur son partenaire. Cette méchanceté n'est pas seulement l'expression de sa colère mais une tactique inconsciente pour éloigner le dépendant sans avoir à affronter le vrai problème.

Le bourreau et la victime

La rage du dominant peut lui donner l'apparence du « salaud ». Les mécanismes du paradoxe de la passion lui permettent d'exprimer sa colère en toute sécurité, sans se soucier des répercussions négatives qu'elle peut avoir. Comme nous allons le voir, le dépendant est tout aussi furieux car ses besoins ne sont pas satisfaits non plus dans la relation. Mais à la différence du dominant, il ne peut pas exprimer sa colère en toute sécurité. Sa peur du rejet le condamne au silence. Le dominant furieux endosse donc le rôle du bourreau, agressif et méchant, tandis que le dépendant joue les victimes consentantes. Cette configuration particulière du paradoxe alimente le déséquilibre de façon insidieuse. Elle culpabilise le dominant et l'incite à en vouloir au dépendant qui le transforme en ogre ou en sorcière. Elle transforme le dépendant en un martyr dont la vertu essentielle consiste à se laisser torturer. Mais traiter le dominant de « salaud », c'est le rendre seul responsable des problèmes du couple et oublier la très réelle coresponsabilité du dépendant.

Le dominant va trop loin

La colère et son expression, même indirecte, sont des réactions tout à fait normales quand on se sent emprisonné. Comme je l'explique à mes clients, cela ne suffit pas à faire de vous un « salaud ». Mais il existe malheureusement des façons très destructrices d'exprimer son ressentiment. Je traite souvent des personnes envoyées par le tribunal, en majorité des hommes qui ont physiquement et psychologiquement brutalisé leur compagne. Si ce genre de traitement est toujours difficile et rarement efficace, j'encourage ceux de mes patients qui y sont sensibles à considérer leur colère et leur frustration comme des *sentiments* normaux et justifiés, mais j'insiste sur le fait que les actes de violence inspirés par ces sentiments ne sont, eux, *jamais* justifiés.

Savoir que leur colère et leur frustration sont normales représente un progrès considérable pour ces hommes. Ils se sentent tout de suite mieux dans leur peau et cela leur permet d'apprendre à canaliser leur rage dans des expressions plus adéquates, moins violentes.

La colère comme solution

La colère générée par le paradoxe a une autre fonction étonnante puisqu'elle peut être considérée comme une solution. En la manifestant, le dominant cherche à provoquer une réaction de défense chez son partenaire, à le faire sortir de sa passivité habituelle. Le dominant sent intuitivement que s'il arrivait à faire sortir le dépendant de ses gonds cela aiderait le couple à se rééquilibrer. Bien des dominants en viennent à penser, comme Laura, que leur partenaire manque de caractère.

Paul paraissait capable d'encaisser absolument tout ce que je pouvais lui dire, même quand je m'attaquais à ce qu'il était vraiment. J'avais parfois envie qu'il explose, qu'il se rebiffe, qu'il fasse preuve d'un peu de fierté. Je l'en aurais respecté davantage.

Mais la colère constitue rarement une solution efficace dans la mesure où elle accroît le sentiment d'insécurité du dépendant. N'oubliez pas que la rage de celui-ci doit être extrême et son amour-propre très développé pour qu'il en arrive à laisser exploser sa colère.

Le dominant se sent coupable

La plupart des réactions du dominant par rapport au dépendant provoquent et entretiennent sa culpabilité. Il n'aime plus, il trahit, il ne désire plus, il critique le dépendant, il en a honte, il est malhonnête avec lui, etc. Mais ce qui le culpabilise par-dessus tout, c'est la colère qu'il ressent à son égard.

Cette colère pousserait le dominant à rompre, mais la culpabilité (et la peur) lui fait valoriser les avantages qu'il trouve dans la relation. Insidieusement, la culpabilité peut le déterminer à prolonger une relation déséquilibrée pour se punir de sa conduite et de ses réactions injustifiables.

La spirale colère/culpabilité

La colère et la culpabilité sont des émotions très proches, tellement proches que les dominants peuvent les éprouver simultanément. Ils se sentent coupables d'être en colère et furieux de se sentir coupables. Michel s'est trouvé confronté à cette spirale sans fin un soir, en rentrant chez lui.

J'avais passé une soirée épouvantable au restaurant. Le chef avait prévenu qu'il ne viendrait pas parce qu'il était malade, et un critique gastronomique a précisément choisi ce jour-là pour débarquer. Quand, enfin, j'ai pu rentrer chez moi, j'ai trébuché sur la poussette de Chloé. Il y avait du désordre partout et ça m'a fait exploser. Je me suis mis à hurler que la maison ressemblait à une porcherie et Chloé s'est mise à pleurer. Ça a réveillé Béa qui s'est mise à crier à son tour. Alors je suis devenu immonde. J'ai reproché à Béa de se laisser aller. Non seulement il y avait du fouillis dans toute la maison mais elle passait son temps à ne rien faire. Ça l'a vraiment blessée et elle s'est mise à pleurer. Alors je me suis senti coupable de lui avoir fait du mal. Et puis j'ai pensé : « Mais après tout je suis bouffé par tout ça, je n'ai pas à me sentir coupable. »

La spirale colère/culpabilité absorbe une grande partie de l'énergie affective du dominant. Elle peut même constituer un piège puisque, en se perpétuant elle-même, elle entretient la sensation d'être piégé.

Qu'est-ce qui me prend?

Le dominant a souvent l'impression que sa colère et sa rancœur ne sont pas fondées. Quand il s'efforce de comprendre pourquoi il en veut tellement à son partenaire, il suit un raisonnement « logique » :

1. Mon partenaire m'aime et ferait n'importe quoi pour moi.
2. Son dévouement et son amour mériteraient que je l'aime également.
3. Mais je lui en veux plus que je ne l'aime.
Alors :
4. Qu'est-ce qui me prend?

Le dominant en conclut souvent qu'il est affligé d'un défaut inné, d'un égoïsme et d'une froideur profonds qui le rendent incapable d'aimer. C'est ce que pensait Laura.

> Quand je vois la façon dont je traite Paul, je me dis : « Mais quelle garce tu fais! » Et je m'inquiète parce que si je n'arrive pas à construire quelque chose avec un homme comme Paul, je me demande si je suis capable d'aimer durablement.

Cette façon morbide de considérer les choses est une forme d'autopunition. En nous punissant, nous éliminons une partie de la culpabilité liée à notre conduite humiliante envers l'autre. C'est une sorte d'expiation.

Mais c'est une attitude dangereuse. Le dominant s'accuse de ne plus aimer, comme si l'amour pouvait surgir et disparaître sur commande. L'autodévalorisation qui en résulte est si puissante que le dominant ferait n'importe quoi pour y échapper. C'est ainsi que, bien souvent, il s'échappe de la relation. L'une des plus grandes difficultés de mon travail consiste à persuader les dominants qu'ils n'ont pas à se reprocher les problèmes du couple. Je leur rappelle que le dépendant en a sa part et que les dynamiques internes de la relation sont les vraies coupables.

Une fois libéré de sa culpabilité, le dominant se sent moins écrasé par la relation et reprend espoir. Car, paradoxalement, c'est en cessant de se reprocher leur manque d'amour que les dominants se donnent les meilleures chances de ranimer cet amour.

Il existe pourtant des cas où le sentiment de culpabilité *est* justifié. Si votre frustration envers votre partenaire vous a dicté des *actes* violents, le sentiment de culpabilité est là pour vous rappeler que *vous devez arrêter de vous conduire ainsi.* Mais pour la grande majorité de mes clients — et pour les gens qui lisent des livres comme celui-ci — il s'agit d'une culpabilité non fondée. (Je donnerai au chapitre 10 des méthodes permettant de mieux gérer sa culpabilité.)

La culpabilité féminine

Les femmes dominantes sont souvent très difficiles à convaincre qu'elles ne doivent pas se sentir coupables. On leur inculque dès l'enfance l'idée que féminité veut dire dévouement et approbation. La colère est considérée comme une émotion agressive, masculine, négative et donc incompatible avec le comportement féminin. Si cette conception a déjà perdu de son influence, elle n'en subsiste pas moins dans la mentalité de beaucoup de femmes, celles de la cinquantaine notamment. Quand elles se trouvent en position dominante, les femmes ont tendance à dissimuler leur colère derrière une culpabilité qui leur permet de retourner contre elles-mêmes cette force éminemment corrosive. Elles se sentent aussi menacées par la place qu'elles occupent dans le couple et qui leur donne un pouvoir sur leur compagnon. C'est le cas de Louise, par exemple, que je considère comme une « dominante déguisée ».

Tant qu'elle était dépendante, Louise exprimait rarement sa colère. Devenue dominante, elle continuait à en refouler la majeure partie. Son sentiment de culpabilité la mettait dans un état de dépression et de désespoir qui la poussa même à envisager le suicide.

> A un certain moment, je me suis sentie indigne de vivre. Et, le croiriez-vous, j'ai commencé à imaginer que Charles mourait d'une crise cardiaque. Je me voyais à son enterrement, toute en noir, avec un tas de gens qui me consolaient. Mais ce qui est vraiment méprisable, c'est qu'au fond de moi-même j'étais heureuse d'être enfin libre. Chaque fois que ce fantasme revient, je souhaite que ma voiture aille s'écraser au fond d'un ravin.

La colère de Louise se manifestait par un état dépressif et des accès de haine contre elle-même. Elle commençait aussi à présenter des symptômes physiques, maux de tête et perte d'appétit, qui la laissaient sans force.

Le fantasme du veuvage

Au centre de la dépression de Louise se trouvait ce que j'appelle le fantasme du veuvage, stratégie de défense fréquente chez les dominants qui transforment leur colère en culpabilité. Si le dépendant venait à mourir, le dominant serait *libre sans être coupable.* Il se ferait même plaindre au lieu de se faire accuser. Louise eut beaucoup de mal à admettre que de tels fantasmes émanent des signaux d'alarme, tels d'un inconscient surchargé de culpabilité et de honte. Je lui dis que c'était une réaction fréquente et qu'au lieu de se la reprocher (au risque d'augmenter sa culpabilité et son besoin de fantasmes morbides) elle devrait la considérer comme un baromètre du malheur et de la frustration qu'elle vivait avec son mari.

Certains dominants savent instinctivement reconnaître les signes du paradoxe de la passion dans une nouvelle relation. Quand leur partenaire leur semble soudain mal choisi ou trop possessif, ils se retirent aussi vite et aussi élégamment que possible. Mais si le déséquilibre a été masqué depuis le début par l'intensité du besoin et de la passion, si donc la relation s'installe, la plupart des dominants — sinon tous — s'enlisent dans ce que j'ai nommé le « syndrome d'ambivalence affective ».

4.

LE SYNDROME D'AMBIVALENCE AFFECTIVE

Les désarrois du dominant

A leur première séance de thérapie, les deux partenaires du couple affirment vouloir sauver la relation. Toutefois, il devient vite évident que seul le dépendant en a vraiment envie. Le dominant ne sait pas très bien ce qu'il veut, ce qu'il espère, ce qu'il peut attendre du traitement entrepris. La thérapie peut-elle rendre au dépendant le charme d'un nouvel amour ? Peut-elle l'aider à s'évader facilement d'une relation étouffante ?

J'ai fini par comprendre ce que les dominants recherchent dans la thérapie. C'est la fin de leur ambivalence. Ils n'arrivent pas à décider s'il vaut mieux partir ou rester et espèrent que la voix du thérapeute arbitre va emporter la décision.

Jonas exprime très bien cette indécision quand il décrit ce qu'il a ressenti après avoir demandé à Deborah un temps de réflexion.

Sur le plan émotionnel, j'étais vraiment troublé par le fait que mes sentiments pour Deborah aient tiédi aussi vite. Je savais que j'aurais du mal à trouver quelqu'un qui me corresponde aussi bien qu'elle. J'ai imaginé ce que je ressentirais si elle sortait avec un autre. Pas génial. Alors pourquoi envisager de rompre ? C'était idiot. J'ai vraiment passé un fichu moment. J'hésitais à continuer avec elle, à construire quelque chose, mais d'un autre côté, pourquoi pas ? L'enjeu était de taille.

L'ambivalence peut vous faire perdre la tête. Par définition, c'est « l'attirance et l'aversion simultanée pour un objet, une personne, une action ». Pour l'ambivalent, les arguments « pour » sont contrebalancés par les arguments « contre », il n'y a donc pas de choix possible. L'un des problèmes essentiels des décisions concernant le couple, c'est qu'on voudrait pouvoir les prendre en toute connaissance de cause, c'est-à-dire en sachant ce que nous réserve l'avenir. On aimerait savoir si la rupture n'est pas la plus grosse erreur que l'on puisse faire ou si un partenaire plus intéressant nous attend au coin de la rue. On a l'impression qu'il existe une bonne et une mauvaise solution, mais comment en être sûr ? On ne veut pas brûler ses arrières, ni d'un côté ni de l'autre, tout en sachant qu'on ne peut pas « tout avoir ».

Pratiquement tout le monde connaît cette ambivalence au moment de prendre une décision concernant le couple car aucune relation n'est parfaite et, comme le dit Jonas, l'enjeu *est* important. Mais pour le dominant dans une relation déséquilibrée, l'ambivalence peut devenir une véritable torture. Comme nous allons le voir, les dominants élaborent différentes stratégies pour essayer de faire pencher la balance d'un côté ou de l'autre et mettre fin à leur calvaire. J'ai donc donné à ce type de comportement le nom de syndrome d'ambivalence affective. Au départ, je m'en servais pour décrire le dilemme des dominants non mariés mais fortement impliqués dans une relation, puis j'ai découvert qu'il pouvait également s'appliquer à la situation des dominants mariés hésitant à divorcer. Comme nous allons le voir, ce syndrome peut se manifester à différents degrés d'intensité.

La forme bénigne

Dès le début de la relation, la plupart des dominants prennent secrètement la décision de ne pas se marier. Ce fut le cas de Raoul, le libraire, avec Ilona, la serveuse.

> Je n'avais qu'une idée, être avec elle, mais sans songer pour autant à m'engager. Mon premier élan vers elle était tellement fort que j'ai *peut-être* pensé, pendant deux secondes, que ça pourrait marcher. Mais je savais très bien, au fond, qu'elle n'avait pas le profil d'une femme pour moi. Mais j'appréciais énormément sa façon de m'entourer, de prendre soin de moi et je ne voulais surtout pas la blesser. C'est sans doute pour cela que notre liaison a duré plus longtemps qu'elle n'aurait dû.

Ce genre de relation correspond souvent à un besoin passager du dominant. Il se trouve confronté à une situation éprouvante où il a besoin de se faire dorloter. Les étudiants surmenés se retrouvent souvent dans ces relations déséquilibrées et protectrices, de même que les gens à l'itinéraire chaotique ou mal rétablis d'un précédent échec amoureux. Raoul, par exemple, venait de terminer son premier roman, et la réaction des quelques amis qui l'avaient lu était plutôt tiède, quand il tomba amoureux d'Ilona.

Les dominants de cette catégorie n'avouent généralement pas qu'ils ont mis des limites à la relation. Ils n'ont aucune envie de faire souffrir leur partenaire ou de transformer un arrangement confortable en situation de conflit. Ils préfèrent rester évasifs, ne faire aucune promesse et dissimuler leurs véritables sentiments.

Les dominants de cette catégorie peuvent mettre fin à la relation pour différentes raisons. Soit ils sont attirés par un nouveau partenaire, soit ils se sentent trop fortement sollicités par le dépendant, soit, les circonstances de leur vie évoluant, leurs besoins ne sont plus les mêmes. Leur motivation est souvent une combinaison de plusieurs raisons. Il arrive aussi qu'ils s'ouvrent au dépendant de leur envie de partir. La souffrance et/ou les protestations de celui-ci viendront alors renforcer leur crainte de quitter une situation sécurisante et les convaincre de réviser leur décision. L'ambivalence peut ainsi assombrir même un paysage apparemment serein.

La forme grave

Les dominants souffrant de la forme grave du syndrome d'ambivalence affective ont d'abord sérieusement envisagé le mariage avant que le déséquilibre du couple ne les incite à se reprendre. Pour ceux qui sont déjà mariés, le problème est légèrement différent puisque c'est de divorce qu'il s'agit.

La question du mariage

Se marier ou non, telle est la question. Incapable de prendre une décision, le dominant ambivalent aura recours à la bonne vieille méthode du pour et du contre. Mais le drame spécifique de l'ambivalence, c'est justement que les « pour » équivalent aux « contre ».

AVANTAGES DU MARIAGE	INCONVÉNIENTS DU MARIAGE
un partenaire dévoué	un partenaire étouffant
fin de l'errance amoureuse	fin de la liberté sexuelle
enfants	enfants
rapports sexuels réguliers et sûrs	rapports sexuels obligatoires et ennuyeux
complicité du couple	éloignement des vieux amis
confort du foyer	corvées domestiques
sécurité affective	emprisonnement affectif

Que choisir ? La réponse est si peu évidente que le dominant risque de se poser indéfiniment la question. Et son malaise ne pourra que croître. Quelque parti qu'il prenne, il lui faudra perdre quelque chose. Le choix est douloureux.

La raison dit oui, le cœur dit non

Le syndrome d'ambivalence affective met en conflit la raison et le cœur du dominant. Sa raison lui dit qu'il serait stupide de quitter un partenaire aussi aimant et aussi dévoué, tandis que son cœur aspire à des sentiments plus romanesques. Il *pense* qu'il doit rester avec son partenaire mais il *sent* qu'il devrait partir.

Le conflit vécu par le dépendant est exactement inverse. Son cœur veut s'accrocher à la relation quoi qu'il arrive, tandis que sa raison le met en garde contre le détachement du dominant.

Est-ce vraiment l'amour ?

La plupart des dominants éprouvent des sentiments pour le dépendant mais ils se demandent si c'est

« vraiment l'amour ». Cette question est au cœur de l'ambivalence. Laura, par exemple, n'a jamais cessé de chérir Paul, même quand elle hésitait à rester avec lui.

> J'étais tellement indécise. Même quand il m'agaçait, je continuais à l'apprécier. Comment faire autrement ? Il était si gentil, si généreux, si encourageant, et je l'admirais pour tellement de choses. En outre, nous nous connaissions vraiment bien. C'était l'ami idéal. Ma déception se situait à un niveau vraiment superficiel — il ne m'excitait plus. Il était là, voilà tout. Je ne suis pas assez naïve pour croire que l'enthousiasme du début peut durer toujours. Je ressentais peut-être ce que les couples installés doivent ressentir. Très franchement, je ne savais plus où j'en étais.

Notre langue, si riche en vocabulaire et en nuances, est étonnamment pauvre pour parler de l'amour. Nous éprouvons des sentiments filiaux qualitativement différents de ceux que nous inspire l'état amoureux, sans parler de nos préférences gastronomiques. Pourtant, nous ne disposons que d'un seul petit verbe pour exprimer ces différents élans émotionnels. Rien d'étonnant à ce que Laura ne s'y retrouve plus.

J'expliquai à Laura qu'elle venait de décrire un sentiment que les psychologues appellent l'amour-amitié*, par opposition à l'amour-amoureux. Paul était devenu pour elle un « ami très spécial » qui n'excitait plus ni ses sens ni son imaginaire. Bien des relations heureuses et durables sont fondées sur cette sorte d'amour, mais les doutes de Laura manifestaient clairement qu'elle avait besoin d'autre chose.

J'encourage les dominants comme Laura à reconnaî-

---

* Jacqueline Kelen, *Aimer d'amitié*, éd. Robert Laffont, 1992.

tre et à accepter leur besoin de romanesque, même dans une relation installée. Leur exigence est parfaitement naturelle et, en cessant de se la reprocher, ils se mettent en meilleure position pour travailler sur la relation. Et quand celle-ci retrouve un meilleur équilibre, l'amour romanesque a toutes ses chances de renaître.

Comme le raconte Louise, il peut aussi y avoir confusion entre amour et compassion.

> C'était vraiment bizarre. Je me sentais toujours très attachée à Charles à cause de notre histoire commune, des garçons et tout le reste. Mais quand il a cessé de travailler, j'ai commencé à éprouver un peu de pitié pour lui. Comme pour un oiseau blessé, par exemple. Je voulais m'occuper de lui, mais cela n'avait rien à voir avec un sentiment amoureux.

La compassion est l'ennemi naturel de la passion. Le partenaire pour lequel on l'éprouve a, par définition, perdu quelque chose. Or on peut dire que toute perte modifie l'équilibre du pouvoir entre deux partenaires épris. L'un des buts essentiels de la thérapie de Louise, c'était de l'aider à aider Charles à dépasser son échec professionnel, d'une part, et à ne pas se sentir diminué par la réussite de sa femme, d'autre part.

Le va-et-vient du pendule

C'est l'amour vu par Edgar Poe. La victime du syndrome se sent prisonnière du puits de l'indécision tandis que l'ambivalence fait osciller ses sentiments et ses désirs avec la régularité du pendule.

Quand le pendule recule, le négatif l'emporte. Le dominant s'efforce de voir les bons côtés du dépendant, mais leur poids lui semble négligeable. La perspective du mariage lui paraît alors aussi séduisante qu'un séjour à Alcatraz.

Il arrive que les angoisses de la journée viennent perturber les rêves de la nuit. Peu après l'épisode de la soirée au club, Laura fit un de ces rêves typiques des dominants. Elle portait une magnifique robe de mariée et se dirigeait vers la chapelle où l'attendait Paul. Mais la musique d'orgue qui accompagnait la scène avait des accents sinistres et Laura se retrouva au bord d'un « gouffre sans fond ». Ne pouvant l'éviter, elle bascula dans le vide avec une telle frayeur qu'elle se réveilla tout en sueur. Son inconscient lui suggérait de façon claire et nette de quitter Paul.

La pression du négatif augmente, et le dominant se persuade qu'il doit reprendre sa liberté. Il trouvera forcément quelqu'un de plus compatible avec ses besoins spécifiques — plus intelligent, plus drôle, plus séduisant, plus sexy, plus parfait —, quelqu'un qui lui inspirera une passion durable au lieu de le plonger dans cet état d'indécision. Il envisage différents candidats possibles et ces rêveries sont agréables, trop agréables...

Tellement agréables que le dominant se sent soudain déloyal et coupable. Comme l'explique Michel :

> L'idée de faire l'amour avec une autre femme me tentait de plus en plus, et je l'aurais probablement fait plus tôt si je ne m'étais pas senti aussi méprisable. Je pensais à tout ce que cela remettrait en cause, aux problèmes, aux complications, à la douleur de Béa. Et à la petite Chloé... J'en étais presque malade.

Quand le dominant visualise les conséquences probables d'une rupture, il se sent repris par la sentimentalité et le regret. Chaque fois que Louise songeait au divorce, les bons souvenirs de leur vie commune lui revenaient en mémoire.

Je repensais à notre bonheur quand nous avons acheté notre première maison. Charles était si fier de m'avoir enfin permis de quitter cet appartement. Ou à la naissance difficile de notre second fils. Quand je me suis réveillée de l'anesthésie, il y avait des fleurs plein la chambre et Charles était là, le bébé dans les bras, souriant à travers ses larmes. On n'oublie pas ces moments-là.

Culpabilité, compassion et nostalgie contribuent à inverser le mouvement du pendule, le poussant vers les aspects positifs de l'engagement. Le changement d'optique est parfois si brutal que le dominant s'étonne d'avoir pu songer à quitter le dépendant. Il compare maintenant la chaleur et la sécurité de la relation à l'insécurité douloureuse du célibat. Il pense aux risques, très réels, du sida. Il se demande s'il existe vraiment quelqu'un de mieux que son partenaire actuel. Si oui, quelles chances a-t-il de le rencontrer ? Il se met en garde contre sa trop grande exigence d'amour. Il risque si facilement de *tout* perdre.

Le pendule approche maintenant de la position favorable au mariage. Car le fait de ne plus se sentir coupable est un tel soulagement qu'il provoque une sorte d'euphorie proche du bonheur authentique. Alors le dominant n'a plus rien d'autre en tête que ses sentiments positifs et aimants.

Mais très vite une autre dynamique entre en jeu. Le dominant est donc débarrassé de la culpabilité et de l'angoisse qui accompagnaient son envie de partir, mais ses vieux doutes reviennent progressivement. Il regarde son partenaire et constate qu'il n'a pas changé, qu'il a toujours les mêmes défauts. Alors il se demande à nouveau s'il doit réellement décider de s'engager.

Est-ce par amour ou pour échapper à la culpabilité et à l'angoisse qu'il voulait rester avec son partenaire ? En restant, ne se trahit-il pas lui-même ? Et voilà que les défauts du dépendant lui deviennent insupportables et qu'il est repris par ses fantasmes de rupture. Le pendule revient vers les aspects négatifs du mariage. Mais entre-temps, le dominant ne vient-il pas de s'engager un peu plus avant dans la relation ? Il se sent plus prisonnier que jamais, et le cycle recommence.

Situations critiques

Quand un événement comme une grossesse ou une mutation professionnelle oblige à prendre une décision rapide, le pendule peut se mettre à aller et venir comme un fou. Pour le dominant, c'est un véritable enfer. Le voilà tout à fait décidé à partir, il est déjà en train de faire ses bagages et, la minute d'après, il se raccroche désespérément au dépendant, lui promettant de ne jamais le quitter. Confrontés à ce genre de situation, pratiquement tous les dominants que j'ai connus (clients, collègues, amis et aussi moi-même) ont vécu une forme de « démence passagère ». C'est un état caractérisé par des changements d'humeur spectaculaires et une tendance à rendre ses amis complètement fous en multipliant les appels au secours et les demandes de conseils. Le dépendant se trouve bien sûr entraîné dans ces montagnes russes émotionnelles aux côtés du dominant.

Gagner du temps

Jonas fit exactement ce que font tous les dominants en pareil cas : il s'arrangea pour gagner du temps.

Deborah m'a appelé, quelques jours après Noël, pour me demander si j'avais pris une décision à propos de notre relation. Je lui ai répondu franchement que je ne savais toujours pas où j'en étais. Je lui ai proposé de renouer « pour voir » et nous avons pris rendez-vous pour le week-end suivant.

« Pour voir », c'était la solution idéale. Elle évitait à Jonas de prendre une décision et mettait des limites aux exigences de Deborah. Deborah, pour sa part, souffrait encore du changement d'attitude de Jonas mais elle admit qu'il pût être motivé par sa peur profonde de l'engagement. Jonas voulait reprendre la relation progressivement, en espérant, comme tous les dominants, que les choses finiraient par s'arranger d'elles-mêmes.

Bien des dominants tendent à conserver très longtemps une relation épisodique avec le dépendant. Ils espèrent que les problèmes vont se tasser mais, curieusement, rien ne change. Bien des dépendants apprennent, pour leur part, qu'en insistant pour se fiancer ou se marier ils risquent de perdre le dominant.

Il existe un autre moyen pour gagner du temps, un moyen bien plus risqué que d'espacer les rendez-vous, c'est la solution qui consiste à essayer de...

Vivre ensemble

Pour un couple bien assorti et décidé à se marier, vivre ensemble est souvent le prélude à l'engagement définitif. Car même les couples équilibrés connaissent la peur de l'engagement, que le fait de partager un lieu et des habitudes peut les aider à dépasser. Mais je suis sûr et certain que la majorité des couples qui vivent ensemble sans être mariés ont des relations déséquilibrées.

Vivre ensemble est encore une façon pour le dominant de gagner un temps précieux, de retarder la décision. Le dominant optimise ses chances en retenant le dépendant, qui satisfait toujours des besoins importants, mais sans fermer totalement la porte à d'éventuelles rencontres.

Ce que le dominant espère surtout, c'est que la vie commune va résoudre son ambivalence grandissante en l'éclairant sur ses sentiments. Vivre avec le dépendant sera peut-être un paradis, peut-être un enfer, mais au moins il sera fixé. Certains dominants s'efforcent de nier les implications de la vie commune. L'histoire de Jessica et de Philippe montre que le dominant considère souvent l'installation avec son partenaire comme une simple mesure pratique. Philippe était producteur d'un magazine d'actualités télévisées à New York, Jessica écrivait pour ce magazine. Déjeuners de travail, soupers romantiques, et un beau soir Philippe se déclare. Émotion de Jessica. Philippe est un homme respecté dans sa partie et très apprécié par ses amis pour son intelligence, sa délicatesse et son humour. Jessica l'aime bien mais n'éprouve pas pour lui la passion qu'elle a connue avec d'autres. Elle évoque les réflexions qui ont influencé sa décision.

Pour les couples vivant à New York, la question de la vie commune se pose très vite parce que les loyers sont horriblement chers. Quand j'ai commencé à sortir avec Philippe, j'avais trente-deux ans et je partageais toujours un trois-pièces avec une copine. Or Philippe avait un appartement superbe à Greenwich Village. Je sais que je vais vous paraître sacrément opportuniste, mais la perspective de vivre avec un homme sympa dans un appartement magnifique ne pouvait pas me laisser indifférente. Je me demande parfois ce qui se serait passé si nous nous étions rencontrés ailleurs qu'à New York.

Quand vous entendez une personne s'exprimer de façon aussi pragmatique, vous pouvez être sûr qu'elle occupe la position dominante dans une relation déséquilibrée.

Quand le couple s'installe, la nouveauté de la situation peut donner à leurs relations un regain de chaleur. Mais une fois la « lune de miel » terminée, le dominant s'aperçoit que son ambivalence a encore augmenté. En entremêlant la vie et les possessions des deux partenaires, la vie commune tend tout naturellement à solidifier leur position réciproque — c'est ainsi que le dépendant va se sentir plus dépendant et le dominant plus coincé. La « grande décision » est remise à plus tard et le syndrome d'ambivalence s'installe.

S'en remettre au destin

Certains dominants souffrant de ce syndrome préfèrent tout simplement abdiquer. Ils s'en remettent au destin pour décider à leur place du dénouement de leur histoire. C'est la solution que choisissent les dominants passifs comme Jessica.

Je vivais avec Philippe depuis quelques années. Sans être vraiment insistant, il revenait régulièrement sur la question du mariage, et je répondais régulièrement « pas encore »... Et puis ma sœur a accouché d'une petite fille. Je n'avais pas l'habitude des bébés et je suis tombée raide amoureuse de cette gamine. J'étais certaine de vouloir un enfant mais toujours pas décidée à épouser Philippe. Puis je me suis retrouvée enceinte et toujours indécise à propos du mariage. En fait, je pensais attendre la naissance du bébé pour me décider. C'est alors que ma bonne éducation a pris le dessus, et nous nous sommes mariés au cinquième mois de ma grossesse.

Jessica a évité de prendre elle-même des décisions en laissant la nature et les conventions sociales la pousser vers le mariage. Son seul choix fut de suivre la ligne de moindre résistance.

Le mariage

Le mariage est une institution sociale qui a évolué pour s'adapter au syndrome d'ambivalence affective. Il existe deux formes principales de mariage : la « formalité administrative » et le « déploiement de faste ». La formalité administrative, que choisit Jessica, correspond à une décision hâtivement prise par le dominant — « après tout, pourquoi pas ? » — pendant que le pendule se trouve du côté favorable à l'engagement. C'est donc un acte impulsif, spontané, relativement indolore et même parfois joyeux, mais une décision qui ne résisterait pas à de nombreux allers et retours du pendule.

Le déploiement de faste, par contre, met le dominant ambivalent dans un état de totale impuissance dans la mesure où il l'écrase littéralement par son ampleur. Même quand le faste est relatif, l'organisation qu'il suppose, les dépenses, les invitations, les espoirs de toutes les parties concernées obligent le dominant à « assurer ». Le déploiement de faste suscite une peur panique chez le dominant qui, tel le lapin hypnotisé par les phares d'une voiture, n'a pas la présence d'esprit de fuir en terrain découvert. Cela ne veut pas dire que le mariage soit toujours une mauvaise solution pour les couples déséquilibrés. Je leur conseillerais de travailler sur la relation avant de se marier, mais le mariage peut, par lui-même, favoriser le rééquilibrage.

Le mariage comme solution

À une époque où le divorce est devenu facile, les gens restent très attachés à la signification du mariage. Bien des couples m'ont dit que jamais ils n'auraient fait autant d'efforts pour sauver leur relation s'ils n'avaient pas été mariés.

Mais le dominant qui espère que le mariage va résoudre magiquement tous ses problèmes et l'installer dans un bonheur de conte de fées doit s'attendre à une grosse déconvenue. S'il se sentait prisonnier avant, il risque de se sentir enterré vivant après. Et quand il réalise qu'il s'est engagé par contrat à rester uni au dépendant toute sa vie et que rompre ce contrat serait émotionnellement et financièrement catastrophique, il peut être tenté de sortir de son ambivalence par des moyens extrêmes.

L'infidélité comme solution

L'infidélité sexuelle constitue pour le dominant ambivalent — marié ou non — une façon d'échapper à l'impasse où il se trouve. Certains se mettent consciemment en quête d'une aventure, mais plus nombreux sont ceux qui adoptent simplement des manières plus libres avec les gens qui leur plaisent. Rappelez-vous qu'ils ne sont pas vraiment conscients d'être malheureux dans leur relation présente. Leurs manœuvres de séduction envers un autre partenaire ne seront donc pas nécessairement délibérées.

Consciemment ou non, voilà notre dominant attiré par la perspective de plaisirs nouveaux, excitation, passion, changement. La culpabilité, la honte et l'inquiétude risquent de le retenir jusqu'au moment crucial où il se dit qu'une aventure pourrait l'aider à se décider une fois pour toutes pour ou contre la relation. C'est la rationalisation. Elle permet au dominant de surmonter les scrupules qui le paralysent afin de mettre à l'épreuve son attachement pour le dépendant.

Il est parfois stupéfait par l'intensité du plaisir qu'il éprouve avec son nouveau partenaire. L'interdit érotise fortement la relation. C'est ce que découvrit Michel lorsque sa mésentente avec Béa le poussa dans les bras du chef pâtissier de son restaurant, charmante jeune femme de vingt-cinq ans.

> Je savais que Monique s'intéressait à moi, et la réciproque était vraie. Mais je savais qu'une aventure avec elle ne ferait que compliquer les choses. Et puis, un soir où Béa m'avait appelé plusieurs fois pour des broutilles, j'étais vraiment à bout. Après la fermeture du restaurant, Moni-

que m'a apporté un verre de vin et m'a demandé si j'avais envie de parler. Ça s'est très vite terminé sur le canapé de mon bureau. Et je dois dire que ça a été extraordinaire.

À moins que le nouveau partenaire ne possède visiblement les qualités qui en feront un meilleur compagnon que l'autre, l'infidélité ne résout rien et ne fait qu'aggraver la crise. La soirée avec Monique permit à Michel d'échapper un moment à sa frustration affective et sexuelle, mais la conscience de sa culpabilité et la rancune qu'il nourrissait contre sa femme s'en trouvèrent augmentées. La saveur du plaisir défendu l'incita à continuer avec Monique, aggravant encore sa honte et sa culpabilité. La solution de l'infidélité devient souvent une habitude et un problème encore plus complexe.

La séparation provisoire

Quand le pendule reste bloqué sur les aspects négatifs de l'engagement, le dominant peut proposer une autre solution pour gagner du temps, la séparation temporaire. L'intérêt de cette solution, c'est qu'elle donne au dominant une totale liberté pour trouver quelqu'un d'autre tout en lui conservant une position de repli.

Le dominant suggère cette possibilité avec habileté, en insistant sur le fait que la séparation permettra *aux deux* de réfléchir. Il dit qu'il a besoin d' « espace », de « recul », de « faire le point ». Le dépendant demande alors ce qu'il a fait de mal, mais le dominant est prêt à endosser tous les torts. Il « ne sait plus où il en est » et c'est souvent à cause de son travail. Il ajoute qu'il se sent responsable de la façon dont les choses ont tourné et affirme au dépendant qu'il sera certainement bien mieux sans lui.

Michel couchait avec Monique depuis deux mois et ne supportait plus son « hypocrisie ». Béa et lui ne se parlaient pratiquement plus. L'essentiel de sa vie se passait entre le restaurant et sa nouvelle amie, Béa étant censée ignorer leur liaison. Il se sentait tiraillé entre deux aspects de lui-même, le bon père de famille et le joyeux restaurateur, sans pouvoir choisir. Il raconte le soir où tout a basculé.

> Je suis rentré tard du restaurant et Béa n'était pas couchée, elle lisait. J'étais encore indécis quant à la séparation, mais les choses se sont soudain accélérées. Béa m'a accusé d'avoir une liaison avec Monique. Je n'ai pas répondu mais j'ai dit que j'envisageais de me séparer d'elle momentanément. Elle a commencé à pleurer et m'a dit qu'elle n'arrivait pas à croire que nous en soyons arrivés là. J'ai dit que je ne savais plus où j'en étais et que, si nous restions un moment sans nous voir, les choses s'arrange-raient sûrement. Elle m'a regardé d'une telle façon que je me suis senti vraiment moche et puis elle m'a jeté son livre à la figure et s'est mise à sangloter en disant qu'elle me haïssait de lui faire ça.

Pour certains dominants, provoquer une séparation provisoire est une façon de mettre fin « en douceur » à une relation déséquilibrée. En laissant entendre que tout espoir n'est pas perdu, ils ménagent le dépendant, lui permettant d'intégrer progressivement la peur et l'humi-liation du rejet. Certains arrivent même à se persuader qu'ils sont sincères en parlant de séparation provisoire. Mais, quelle que soit l'idée qu'ils s'en font, ils vont probablement au-devant d'une surprise. Car lorsqu'une relation intime se défait, le paradoxe déclenche une nouvelle série de puissantes dynamiques émotionnelles.

Si quelqu'un d'autre attend

Quand la séparation provisoire est motivée par un nouvel amour, trois éventualités sont possibles.

Fin de l'ambivalence

Le nouvel amour s'avère plus enrichissant, mieux équilibré que la relation première. L'ambivalence peut alors prendre fin, mais pas la culpabilité ni la souffrance. Pour peu que la relation première soit chargée d'histoire, le dominant va se sentir envahi par un sentiment de perte, de tristesse et souvent d'échec. Il sait, intellectuellement, qu'une rupture nette est préférable, tant pour lui-même que pour l'autre, mais il n'en souffrira pas moins. Après la rupture, il va espérer que son ex-partenaire fasse rapidement une nouvelle rencontre pour le décharger de sa culpabilité.

L'ambivalence augmente

Quand le dominant quitte le dépendant pour un autre partenaire, ses sentiments vont subir une étrange métamorphose : il se met à se languir de celui qu'il a abandonné. Il lui trouve finalement plus d'attraits, plus de charme qu'à celui qui, encore récemment, monopolisait toutes ses pensées et tous ses rêves. C'est ce retournement de situation déconcertant qu'a vécu Michel.

> Je n'en revenais pas. Peu après la séparation, je suis parti en week-end avec Monique mais je n'arrêtais pas de penser à Béa. Je m'étais sans doute attendu à ce qu'elle résiste

davantage et je n'arrivais pas à m'ôter de l'idée qu'un autre mec allait venir me voler ma famille.

Ce revirement se produit surtout quand le dominant reste dominant dans sa nouvelle relation. Le nouveau partenaire est surtout attirant, irrésistible même, tant qu'il n'est pas encore sous le contrôle du dominant. Il est alors un agent libre, libre de se lier à quelqu'un d'autre. Mais une fois fixé dans sa dépendance, il apparaît bien moins excitant que celui qui, délaissé, a retrouvé son rôle d'agent libre. Quand le dominant pense que son « ex » peut s'attacher à quelqu'un d'autre, il a immédiatement envie de le reprendre. Cette envie peut être si forte qu'il quittera son nouveau partenaire pour revenir à l'ancien, persuadé qu'il a fait une grave erreur. Si les deux dépendants sont assez amoureux de lui pour l'accepter, il commencera à faire la navette entre eux.

Le dominant qui s'installe dans cette habitude poursuit une chimère — la passion —, regrettant toujours auprès d'un partenaire celui qu'il vient de quitter. Il se dit qu'il est amoureux des deux et rêve de vivre avec les deux. Il se retrouve donc avec deux ambivalences au lieu d'une, et ce jonglage affectif risque fort de compromettre son équilibre émotionnel.

Mais l'un des deux dépendants va atteindre son seuil de tolérance et poser un ultimatum. Le dominant choisira certainement de rester avec lui puisqu'il vient d'affirmer sa capacité d'échapper à son emprise.

Le dominant joue et perd

C'est le contraire de la situation précédente. Le dominant se libère et devient disponible pour son nouveau partenaire mais celui-ci se désintéresse de lui.

113

Le fait que le dominant ait quitté son ancien partenaire prouve au nouveau qu'il le domine émotionnellement. L'ex-dominant se retrouve donc dépendant et s'attache d'autant plus à son nouvel amour que celui-ci prend des distances. Il vit alors exactement ce qu'il a fait vivre à l'autre dans sa précédente relation. L'ironie de la situation ne lui échappe probablement pas. Il est fréquent que ce genre de liaison s'étiole et que le dominant, blessé, humilié, reste seul avec l'espoir que son ancien partenaire voudra encore de lui.

Presque toutes les ruptures causées par l'infidélité tombent dans l'une de ces trois catégories. Mais la simplicité de ces brèves descriptions rend mal compte des souffrances et des blessures émotionnelles qu'elles occasionnent.

Si personne n'attend

Si le dominant provoque une séparation provisoire avant d'avoir trouvé quelqu'un d'autre, il va choisir d'attendre un peu avant de se lancer dans une nouvelle aventure. Il veut savourer sa liberté. Partir, c'est un peu prendre des vacances, du moins au début.

La saveur de la liberté

Retrouver sa liberté donne au dominant une sensation euphorique. Il jouit d'être chez lui, de manger où et quand il lui plaît, d'aller et venir à sa guise et d'entamer la recherche d'un nouveau partenaire. Il va peut-être s'inscrire à un club de remise en forme ou à des cours du soir et va renouveler sa garde-robe. Il

114

peut même prendre goût à cette indépendance et décider de la conserver jusqu'à sa prochaine liaison.

L'amertume de la liberté

Mais pour beaucoup l'euphorie du début va rapidement laisser place à un pénible sentiment d'insécurité. Tant qu'il vivait avec le dépendant, le dominant jouissait d'une sécurité et d'un confort affectif qu'il considérait comme acquis. Quelques nuits solitaires dans un appartement vide peuvent faire naître en lui une intense nostalgie. Pour y échapper, il va multiplier les sorties, dans l'espoir de faire de nouvelles rencontres, mais sans y prendre réellement plaisir. L'insatisfaction qui l'a éloigné de son partenaire ne l'a pas préparé à la sensation de vide qu'il éprouve sans lui. C'est ce que découvrit Jonas en l'absence de Deborah.

> J'ai voulu reprendre ma vie habituelle comme si Deborah n'avait jamais existé. Je me suis remis à écouter de la musique, à lire, à bricoler dans le jardin, mais j'ai bien dû me rendre à l'évidence, quelque chose avait changé. J'exécutais les mêmes gestes mais de façon mécanique, sans ma spontanéité habituelle. Je ressentais comme un vide. J'avais repris l'habitude d'être avec quelqu'un.

Cette sensation d'absence prend les dominants au dépourvu.

> Un soir, je suis allé dîner au restaurant tout seul. Autour de moi, il y avait des couples qui discutaient, qui riaient, penchés l'un vers l'autre, et je me suis senti très seul. J'avais l'impression d'être un raté, un laissé-pour-compte. Et j'ai repensé à Deborah à nos premières sorties, quand l'avenir paraissait plein de promesses.

115

Ne se sentant plus « nourris » par l'amour du dépendant, bien des dominants éprouvent cette sensation de manque affectif. Aussi étouffés ou piégés qu'ils aient pu se sentir avec le dépendant, ils découvrent à quel point il leur sera difficile de se rééquilibrer sans lui.

À la recherche d'un nouvel amour

Lorsqu'il va se remettre à draguer, le dominant qui vient de se rendre disponible risque d'avoir d'autres surprises. Après sa rupture avec Ilona, Raoul découvrit qu'il avait du mal à séduire.

À la librairie, on organise de temps en temps des réceptions pour les auteurs. Ce jour-là, pour un poète, il n'y avait pratiquement que des jolies femmes. Super, non ? La lecture terminée, tout le monde s'est mis à boire et s'est groupé autour du poète pour lui parler. J'ai remarqué une femme qui me plaisait beaucoup et je l'ai abordée. Je me suis présenté et je lui ai demandé si elle voulait un verre de vin. Elle a dit oui, mais en remplissant son verre ma main tremblait légèrement. Après m'avoir remercié, elle a rejoint le cercle qui entourait le poète. J'ai trouvé ça ironique parce que, quand j'étais avec Ilona, c'étaient toujours les femmes qui m'abordaient les premières.

Pour comprendre cette baisse du pouvoir de séduction chez le dominant, il faut considérer la transformation intervenue dans son monde affectif. Pendant sa liaison avec le dépendant, ses besoins relationnels primaires — sexualité, intimité, échange — étaient toujours satisfaits. Il était donc détendu et charmant avec tous ceux qu'il côtoyait. Le fait qu'il soit « en main », inaccessible, le rendait encore plus désirable.

Mais en quittant le douillet cocon de sa relation, il se pose à nouveau en demandeur d'attention, d'admiration et d'amour. Plus le temps passe, plus ses besoins augmentent et plus sa conduite va laisser transparaître sa demande. Comme Raoul, il devient alors anxieux et maladroit dans son avidité de plaire. Les femmes qu'il approche devinent qu'il cherche désespérément à créer des liens affectifs. S'il nouait une nouvelle relation à ce moment-là, il deviendrait instantanément dépendant et ses partenaires éventuels le sentent.

Intermède passionné

Peu après la séparation provisoire, le dominant reprend souvent contact avec le dépendant. Les bonnes raisons ne manquent pas : enfants ou affaires à venir chercher, choses importantes à dire, etc., et les prétextes les plus fantaisistes peuvent être invoqués. Dans *Annie Hall*, par exemple, Annie la dominante appelle Alvie en pleine nuit parce qu'elle a découvert une énorme bestiole dans la salle de bains. Il faut qu'il vienne immédiatement l'en débarrasser. Alvie s'empresse d'y aller, bien sûr.

L'ex-partenaire redevient alors extrêmement attirant, presque autant que pendant la phase de conquête. La raison en est simple. En provoquant la séparation, le dominant a renoncé à son emprise affective sur le dépendant qui est donc à nouveau libre et, à ce titre, séduisant.

Le dominant peut donc éprouver pour lui un regain de désir, aussi inattendu qu'agréable. Tout en vaquant aux occupations « officielles » qui motivent sa présence, le dominant peut frôler le dépendant « accidentellement », et ce contact va enflammer ses sens.

C'est ce qui s'est produit la première fois que Michel est retourné chez lui, trois semaines après être parti.

Béa était tellement bouleversée qu'elle en avait perdu l'appétit et quelques kilos. Elle avait repris son travail à mi-temps et réorganisé sa vie. Elle paraissait en pleine forme. J'étais tellement heureux de la revoir que j'ai voulu la prendre dans mes bras mais elle m'a repoussé. Elle m'en voulait toujours. Mais au moment où j'allais partir, elle a épousseté mon épaule du revers de la main, je me suis tourné vers elle et elle a répondu à mon étreinte. L'instant d'après, nous nous embrassions passionnément tout en nous dirigeant vers la chambre. Après, je voulais rester mais elle m'a demandé de partir.

La plupart des dépendants continuent longtemps à aimer le dominant, même quand ils lui en veulent. Certains sont capables de tout pour le reprendre mais d'autres, comme Béa, ont trop d'orgueil.

Le plaisir de la réconciliation

Les dominants qui ne réussissent pas à établir une nouvelle relation pendant la séparation peuvent se sentir profondément atteints dans leur amour-propre. Doutant d'eux-mêmes, ils ont encore plus besoin d'être aimés et rassurés. Ils se mettent à regretter les attentions du dépendant qu'ils ont eu le tort d'abandonner. C'est alors que leur attitude intérieure change. Finie l'ambivalence, ils ont maintenant le désir ardent de retourner vers le délaissé. Pleins d'enthousiasme, ils se préparent à annoncer la grande nouvelle : la séparation les a rapprochés pour toujours. L'avenir de la relation est désormais entre les mains du dépendant.

Les écueils de la réconciliation

Si le dépendant accueille le dominant à bras ouverts, le couple va vivre une nouvelle phase de conquête, les mêmes étapes, les mêmes écueils, mais « en accéléré ». La séparation a mis les deux partenaires sur un pied d'égalité en plaçant le dominant en situation de demandeur tandis que le dépendant reprenait son rôle d'agent libre.

À l'occasion de la réconciliation, le dominant va revivre ce moment de joie et de victoire où il a réussi à gagner l'amour de son partenaire. Si le couple n'est pas marié, c'est souvent l'occasion de l'envisager et de le faire. Si le couple est déjà marié, il peut s'offrir une seconde lune de miel, faire un enfant, acheter des meubles ou une nouvelle maison. Mais pour les relations dysharmonieuses, la joie des retrouvailles n'est qu'un remède passager. C'est le moment idéal pour entreprendre une psychothérapie de couple dans la mesure où les deux partenaires sont motivés, c'est aussi le plus mauvais moment puisque tous leurs problèmes semblent avoir disparu. Malheureusement, ils resurgissent presque toujours, sous la même forme, après un temps plus ou moins long. Pour le dominant, c'est le retour de la déception et du syndrome d'ambivalence affective. Cette réaction prendra parfois une forme vindicative parce que le dominant se sent encore plus coincé que jamais par le mariage, l'enfant ou la nouvelle maison.

Parmi ces dominants-là, beaucoup vont repartir. Certains s'aperçoivent qu'il leur suffit de dominer leur peur de la séparation pour retrouver un élan de vrai bonheur. D'autres estiment que leur départ fera le plus grand bien à leur partenaire. Beaucoup entrent en thérapie pour prendre du recul et mieux comprendre qui ils sont et comment ils vivent leurs relations.

D'autres dominants se rendent compte que la relation est trop déséquilibrée pour durer longtemps, mais choisissent néanmoins de rester. Il s'agit pour eux de se protéger pendant qu'ils cherchent un partenaire plus attirant et mieux assorti. Ils s'épargnent ainsi les risques de la solitude — ou du sida — entre deux liaisons.

D'autres, enfin, renoncent purement et simplement. Sentimentalement épuisés par la vaine recherche d'un nouvel amour, ils choisissent de rester dans leur relation déséquilibrée et dans la frustration. Certains compenseront en devenant des drogués du travail ou de la télévision, en s'adonnant à l'alcool ou à toute forme d'activité qui les tiendra éloignés de leur foyer et qui comblera leur vide intérieur.

Une certaine harmonie

Pour bien des dominants, la séparation provisoire est une leçon profitable. Elle leur apprend que l'apaisement de la passion dans une relation est la modeste rançon d'une vie affective sûre et confortable. Ils acceptent donc leur compagnon tel qu'il est et font des efforts pour le garder. Leur emploi du temps est bien rempli et de choses importantes : travailler, s'occuper des enfants, accomplir tous les devoirs d'un époux ou d'une épouse. Le dominant « repenti » en tirera d'authentiques satisfactions affectives. Il éprouvera pour son partenaire une tendresse profonde et connaîtra la chaleur et la sécurité d'une relation vraiment aimante. Son partenaire se sentant lui-même accepté et sécurisé, la relation va tout naturellement tendre vers un meilleur équilibre.

Pourtant, même s'il apprend à se satisfaire d'une relation déséquilibrée, le dominant restera toujours hanté par une vague sensation d'échec, par la nostalgie d'une vie centrée sur une union joyeuse et romanesque — si seulement il avait rencontré le partenaire idéal.

5.

LE DÉPENDANT

La douleur d'aimer

Tomber amoureux met *les deux* partenaires en position de dépendance. Quiconque éprouve une passion, qu'elle soit ou non réciproque, devient dépendant. Le dépendant est celui qui ne maîtrise plus ses émotions. Si la passion est l'un des plaisirs suprêmes de l'existence, la passion à sens unique est l'une des expériences les plus douloureuses qui soient. J'ai entendu des dépendants affirmer qu'ils auraient moins souffert de voir mourir leur partenaire que d'être rejetés par lui.

Tout commence par une vague sensation de malaise, l'un des partenaires percevant intuitivement que l'intérêt de l'autre s'émousse.

Le détachement devient sensible

Deborah n'a perçu ces premiers indices de détachement que rétrospectivement.

J'ai entendu dire que le cap des trois mois était déterminant et je veux bien le croire. C'est à ce moment-là que j'ai remarqué des changements. Depuis le début, j'étais pratiquement sûre de mon ascendant sur Jonas, mais il s'est produit quelque chose. Je devrais plutôt dire que quelque chose a cessé de se produire. On a commencé à se voir moins souvent. Cela faisait quelque temps que nous passions tous nos week-ends ensemble et puis ça s'est réduit au samedi soir et au dimanche matin. Il ne m'avait toujours pas dit qu'il m'aimait. Je trouvais ça bizarre mais je restais persuadée d'avancer en terrain sûr. Et subitement j'ai eu le sentiment que quelque chose ne collait pas, que j'étais mal partie.

J'ai expliqué à Deborah que les premiers signes d'éloignement sont très difficiles à percevoir. Quand on est amoureux, donc optimiste par rapport à la relation, on ne remarque pas les signaux subtils émis par son partenaire. Et quand la relation se déséquilibre, il est rare que ce dernier comprenne lui-même ce qui se passe. S'il commence à se détacher, il n'en garde pas moins des sentiments positifs par rapport à la relation et cela rend son attitude difficile à interpréter.

Les premiers indices peuvent passer inaperçus parce qu'ils ressemblent à des comportements normaux dans une relation nouvelle. Pendant la phase de formation du couple, les deux partenaires peuvent éprouver une certaine crainte à s'aventurer en territoire inconnu. Et, un jour ou l'autre, l'un des deux va rentrer tard ou oublier de téléphoner. Dans une relation équilibrée, l'incident se soldera par une explication ou sera tenu pour négligeable, mais dans une relation déséquilibrée, l'un des partenaires va adopter toutes les habitudes de détachement tandis que l'autre en sera réduit à l'anxiété.

Je conseille à ceux qui ressentent cette anxiété très tôt dans la relation de ne pas sous-estimer leur réaction. Qu'ils s'efforcent simplement de réfréner leur tendance à réagir en dépendant et qu'ils évitent de quémander des explications et des attentions. L'anxiété peut être une alliée puisqu'elle nous signale très vite le paradoxe de la passion. Or, plus tôt les dynamiques du paradoxe seront connues, plus on aura de chances de les maîtriser.

Perfection du dominant

Même les premiers, même les plus subtils symptômes de détachement de l'autre peuvent enflammer l'amour du dépendant qui aura donc le plus grand mal à les identifier comme tels. Car ce regain d'amour va gravement altérer ses perceptions. Si son amour embellissait déjà son partenaire, le déséquilibre va l'idéaliser. En embrassant son prince charmant, le dépendant étreint maintenant un roi. C'est le syndrome opposé à celui du « prince changé en crapaud » vécu par le dominant.

Voyons comment il a modifié la perception de Deborah.

La première fois que j'ai rencontré Jonas, il ne m'a pas plu. Je n'aime pas les maigres, il l'est. Et puis j'ai commencé à le trouver de plus en plus beau. Je n'imaginais même pas que je pourrais désirer un autre homme. Je n'avais pourtant pas oublié ma première impression. Maintenant, je ne remarque plus que les hommes barbus et maigres.

La façon dont Paul voyait Laura subit le même genre d'altération.

Selon n'importe quels critères, Laura est extraordinairement belle. Ce qui m'a désespéré quand les choses ont commencé à tourner à l'aigre entre nous, c'est l'idée que

plus jamais je ne pourrais tomber amoureux. Laura reste-
rait l'idéal inaccessible auquel toutes les autres femmes
seraient désormais mesurées.

Toute perception « objective » dépend, nous enseigne
la psychologie, de l'état d'esprit de l'observateur. Et
c'est d'autant plus vrai quand ledit observateur est
éperdument amoureux. La distorsion positive de cette
perception est fondée sur l'espoir du dépendant d'avoir
enfin trouvé le partenaire idéal. Et plus sa passion
grandit, plus son espoir lui semble confirmé.

Le détachement devient visible

Vient un moment où le dépendant ne *sent* plus
l'éloignement du dominant, il le constate à des preuves
irréfutables : coups de fil oubliés, rendez-vous annulés,
journées de travail prolongées, attitude distante ou
impatiente. Le dépendant finit par comprendre. Paul
raconte comment, un soir, il a dû se rendre à l'évidence.

Laura s'était littéralement immergée dans son dossier.
L'affaire était énorme et occupait toute une équipe d'avocats et d'avoués de chez nous et d'un autre cabinet. Laura
travaillait jusqu'à quatorze heures par jour, la plupart du
temps avec l' « équipe ». Nous n'avions pas passé une seule
soirée ensemble depuis presque quinze jours parce qu'elle
était soit trop occupée, soit trop fatiguée. Je lui ai donc
proposé de nous retrouver pour dîner mais elle a refusé,
disant qu'ils allaient se faire livrer de quoi grignoter au
bureau. Et puis mes parents sont venus me rendre visite et
je les ai invités dans un restaurant chic. Nous en étions à la
moitié du repas quand j'ai découvert que Laura était à cinq
ou six tables de la nôtre, en train de dîner avec Luc, l'un

des avoués. J'ai failli m'évanouir. La situation était particulièrement embarrassante du fait que mes parents étaient tellement curieux de connaître Laura. Mais ce qui m'a vraiment soufflé, c'est qu'elle est venue à notre table. Avec son charme habituel, elle a expliqué qu'elle « discutait stratégie » avec Luc. Elle s'est montrée très convaincante mais je me suis douté qu'il y avait autre chose.

Paul venait de découvrir « la frousse du dépendant ». De tout son cœur, il souhaitait qu'il s'agisse d'une crise de paranoïa non fondée, mais le ver était dans le fruit. Il se sentit encore plus désarmé que jamais.

La peur et l'espoir

Quand le détachement du dominant s'affirme, le dépendant entre dans une existence crépusculaire, jalonnée de peur et d'espoir. La peur engendre l'angoisse, compagne inséparable du dépendant. La peur entretient aussi la sensation d'être dépossédé de soi-même et désespérément amoureux. Le moindre signe d'intérêt de la part du dominant déclenche en lui des sursauts d'espoir. Les sentiments profonds du dominant n'ont peut-être pas changé, seul son comportement superficiel est différent. Derrière l'espoir, il y a un besoin salutaire, celui de sentir que l'on détient au moins un peu de pouvoir dans la relation. L'alternance de peur et d'espoir devint pour Béa une véritable torture quand elle se mit à attendre les retours de plus en plus tardifs de Michel.

Je me mettais au lit et je lisais des magazines, sans pouvoir me concentrer mais sans pouvoir m'assoupir non

126

plus. Quand je fermais les yeux, ils se rouvraient d'eux-mêmes. Je me disais que Michel était simplement retenu au restaurant. Puis j'avais la sensation physique, horriblement réelle, qu'il était avec quelqu'un d'autre. Je savais même qui parce que je l'avais rencontrée une ou deux fois. On a parfois ce genre de certitude. Et puis, comme pour effacer cette image, je me reprochais mon manque de confiance et j'imaginais qu'il avait eu un accident sur la route. Mon esprit se mettait à passer d'une hypothèse à l'autre, de plus en plus vite, et je me sentais emportée dans un tourbillon d'où il m'était impossible de sortir.

La perte de soi dans l'amour

La souffrance et l'amour du dépendant finissent par se fondre en une passion dévorante où il va perdre son identité. Il agit de façon purement réflexe quand il entreprend des manœuvres destinées à reconquérir le dominant pour mettre fin à son anxiété et à son impuissance. Malheureusement, ces manœuvres ne sont que des comportements de soumission qui vont le dépersonnaliser davantage et faire fuir le dominant.

La reconquête

« Je n'avais que des attentions pour elle », raconte Paul.

Ce que j'essayais de faire, je pense, c'était persuader Laura que personne ne saurait ou ne pourrait l'aimer et la traiter mieux que moi. Je faisais tout ce que je pouvais pour lui plaire, depuis l'inviter dans les meilleurs restaurants jusqu'à m'entraîner pour courir avec elle. J'étais toujours prévenant et attentif. J'interrompais mes rendez-vous et mes coups de fil quand je devais la voir. Je passais même chercher son linge à la teinturerie. Je me défonçais vraiment pour elle, mais je n'arrivais jamais à la satisfaire. Cela me dépassait.

Pour reconquérir l'être aimé, on utilise les mêmes procédés que pour le conquérir, en plus appuyés. C'est parfaitement logique. Si le charme, la gentillesse et la générosité ont séduit le dominant une fois, pourquoi pas deux ?

J'explique aux dépendants que ces comportements sont effectivement séduisants en début de relation parce que les deux partenaires ressentent la même anxiété, le même besoin, la même insécurité. Toute manifestation d'intérêt est alors bienvenue dans la mesure où elle calme ces inquiétudes. Mais à partir du moment où l'un des partenaires est pleinement rassuré et maître de la situation, il va se sentir étouffé par ces mêmes marques d'attention. Peu lui importe que le dépendant promette de consacrer le reste de son existence à lui plaire. Ce que promet le dépendant, en fait, c'est de sacrifier son identité et sa vie à la relation. Sans le savoir, il installe le déséquilibre et sabote en lui-même les qualités qui permettraient à la passion du dominant de renaître.

Écho

Écho est une nymphe de la mythologie grecque qui commit l'erreur de mécontenter une déesse. Elle était célèbre pour ses talents de conversation, et la déesse la punit en la condamnant à répéter indéfiniment les mots des autres. Mais le vrai drame d'Écho commença lorsqu'elle tomba amoureuse du jeune et beau Narcisse. Un jour où Narcisse s'était perdu dans la forêt, elle voulut profiter de l'occasion pour l'aborder. Mais elle devait le laisser parler le premier. Il cria : « Y a-t-il quelqu'un ? » Elle répondit, depuis les fourrés où elle était cachée : « Quelqu'un ! », et continua à répéter tout ce qu'il disait. Au début, il s'en amusa. Écho s'approcha de lui mais quand il comprit qu'elle ne savait que restituer comme un perroquet les mots qu'elle entendait, il la repoussa en jurant : « Je mourrai plutôt que de t'appartenir ! » Écho reprit « t'appartenir ! » et, désespérée, se retira dans une grotte où elle se laissa mourir. Seule sa voix subsista.

Les mythes grecs vont toujours à l'essentiel de la nature humaine. L'histoire d'Écho illustre l'un des comportements universels des dépendants. Paul :

> Je suis considéré comme quelqu'un qui n'a pas peur d'afficher ses opinions, quoi qu'il lui en coûte. Mais avec Laura je suis devenu une sorte de béni-oui-oui absolument éhonté. Par exemple, *Le Monde selon Garp* est un des romans qu'elle préfère. Personnellement, je le trouve ennuyeux mais cela ne m'a pas empêché de lui dire que je le trouvais excellent. Même chose avec les films. Elle a toujours raison...

Paul précisa qu'avec les autres il restait toujours aussi acharné à défendre son point de vue. Mais avec Laura c'était différent. Sa peur de lui déplaire ou de révéler la moindre incompatibilité le poussait à abonder dans son sens. Il ne se rendait pas compte qu'elle l'aurait trouvé bien plus intéressant s'il avait affirmé ses propres opinions.

Sous l'effet de l'angoisse

Il existe en psychologie un principe connu sous le nom de loi Yerkes-Dodson : nous donnons le meilleur de nous-mêmes dans un léger état d'excitation sexuelle ou d'anxiété. Mais l'anxiété à haute dose, l'angoisse, est un handicap qui peut même nous empêcher de fonctionner normalement. Or c'est de l'angoisse que ressent le dépendant aux premières marques de désintérêt du dominant. Deborah décrit ses réactions, totalement inhabituelles, au moment où Jonas semblait lui échapper.

> Après le fiasco de Noël, les jours passèrent et Jonas n'appelait toujours pas. J'étais dans un état de désarroi total qui m'a fait perdre toute fierté. J'ai donc appelé moi-même mais je suis tombée sur son répondeur. Je m'étais préparée à lui parler à lui, pas à une machine. Après le « bip », j'ai paniqué. J'ai bafouillé. « Salut, c'est moi », et puis, ne trouvant rien d'autre à dire, j'ai raccroché. Mais c'était un message vraiment trop bizarre alors j'ai rappelé. Il fallait que j'explique le premier « non-message » et que j'en laisse un autre. J'avais la voix d'une vraie paumée. Bon Dieu, comme j'aurais aimé pouvoir grimper jusqu'à sa fenêtre pour entrer chez lui et effacer la bande avant son retour !

L'angoisse modifiait le comportement de Deborah dans tous les aspects de sa vie. Elle se montrait tellement distraite pendant ses cours que son directeur la fit appeler pour lui demander ce qui n'allait pas. Et Jonas put constater que son état lui avait fait perdre la réserve qu'il appréciait chez elle.

Pour se ressaisir

Les dépendants se rendent compte qu'ils « ne sont plus eux-mêmes ». Ils se demandent où est passée leur personnalité et qui est ce personnage malheureux qu'ils n'aiment ni ne respectent et qui a pris sa place. Le besoin de se ressaisir engage et justifie le combat du dépendant pour reconquérir le dominant. Car en retrouvant cet amour il se retrouvera du même coup. Mais, une fois de plus, ses efforts vont tourner à l'autodestruction.

« Sois naturel »

Deborah se réjouissait de déjeuner avec Jonas dans le bistrot où ils avaient des habitudes, au bord de l'océan. Instinctivement, elle sentait qu'elle devait se comporter comme si de rien n'était.

> Je me suis juré de ne pas lui montrer que je souffrais. Je serais comme d'habitude, spirituelle, ironique, un peu boudeuse, légèrement sarcastique. Je voulais lui raconter ma semaine comme si j'avais à peine pensé à lui, alors que je n'avais rien fait d'autre. J'ai préparé quelques anecdotes.

Jusque-là, tout allait bien. Deborah comprenait qu'en se montrant naturelle elle se mettrait sur un pied d'égalité avec Jonas. Mais voici comme les choses se sont passées :

> Dès que je l'ai vu, mon cœur s'est mis à cogner tellement fort que je ne m'entendais plus penser. Il s'est penché pour m'embrasser sur la joue et moi je l'ai embrassé sur le coin de la bouche. Il m'a pris la main, elle était froide et moite.

Je lui ai demandé ce qu'il devenait, d'un ton vraiment dégagé, et j'ai renversé mon verre. Il m'a dévisagée pendant quelques secondes et m'a demandé si je me sentais bien. J'ai répondu que j'étais un peu grippée depuis quelques jours.

La solution du « naturel » consiste à vouloir se montrer détendu. Mais le fait de s'imposer une telle épreuve ne peut que susciter une tension supplémentaire. Qui s'est déjà senti complètement paralysé par les mots « détends-toi » comprendra ce que je veux dire. Si Deborah avait accepté son ressentiment contre Jonas — c'est une émotion extrêmement difficile à dissimuler — elle se serait montrée *naturellement* désagréable, attitude beaucoup plus saine que de contrefaire la jovialité. Malheureusement, Jonas proposa ce jour-là qu'ils « prennent un peu d'air » pour voir où ils en seraient après quelques semaines.

L'image qui hante

Comme dans les émissions sportives où l'on repasse au ralenti les meilleurs moments d'un match, le dépendant va revoir le film des « gaffes » qu'il a faites en présence du dominant. Il va se critiquer sévèrement, décortiquer toutes ses erreurs et tenter d'élaborer un meilleur scénario pour la prochaine fois. Avant leur séparation, Béa avait systématiquement l'impression de tomber à côté chaque fois qu'elle voulait faire plaisir à Michel.

Je ne savais jamais quoi lui dire. Je supposais qu'en rentrant de son travail il aurait envie d'entendre les derniers exploits de sa fille, mais au bout d'un moment, ça l'énervait. Alors j'ai essayé de raconter plus brièvement, mais ça manquait de naturel. Petit à petit, j'ai cessé de lui raconter quoi que ce soit. Il prenait toujours un air excédé quand je lui demandais le moindre service, rapporter du lait, par exemple. Alors quand j'avais besoin de quelque chose, je faisais un effort pour formuler ma demande de manière à ne pas l'agacer. Mais j'avais beau faire, il était toujours désagréable. J'ai commencé à me dire que je n'étais vraiment pas à la hauteur.

Béa commençait à s'angoisser sérieusement. Malgré le soin qu'elle mettait à étudier chacun de ses mouvements et de ses faux pas, elle n'obtenait que des échecs. Elle n'avait pas encore compris que le meilleur moyen de reconquérir un dominant, c'est de ne pas essayer.

La passion du dépendant

Le dépendant qui a perdu ses moyens, sa personnalité et son bonheur n'a qu'une seule compensation, la passion. Il ressent pour le dominant des sentiments plus intenses que tout ce qu'il pouvait imaginer. Et la souffrance qui s'y mêle rend son amour plus fort encore. Cette passion démesurée et douloureuse donne à l'existence du dépendant un sens tragique, exaltant. Il tient à la vivre, même si le dominant n'y tient pas. Et il reste souvent persuadé, envers et contre tout, que l'amour finira par venir à bout de tous les problèmes du couple.

« *Je t'aime* »

Le dépendant peut avoir perdu toute spontanéité en présence du dominant, il n'en continue pas moins à lui dire « je t'aime » aussi naturellement qu'il respire. Il ne peut contenir le flot de son amour. Louise a remarqué qu'après son échec profesionnel Charles s'était mis à lui parler d'amour comme jamais auparavant.

Charles n'a jamais été du genre expansif. Il pouvait passer des mois sans me dire qu'il m'aimait, et encore fallait-il que j'insiste. Mais quand il a quitté son travail, il s'est mis à me dire des choses gentilles comme : « Je trouve que tu es vraiment devenue une femme remarquable, tu sais. Et je t'aime. » Au début je l'ai taquiné avec ça, mais il le prenait très mal.

Dire « je t'aime », c'est un pas vers l'autre, une invitation au rapprochement, à la tendresse. Au début de la relation, le dépendant a certainement remarqué qu'en disant « je t'aime » il obtenait effectivement rapprochement et tendresse. Mais avec le déséquilibre ces mêmes mots vont provoquer un résultat inverse. Le dominant redoute de les entendre, car il ne peut faire autrement que de les retourner, par gentillesse ou culpabilité. Mais sa réponse deviendra de plus en plus évasive puis purement formelle. Pour ne pas se montrer hypocrite, il peut préférer une réponse non verbale : pression de la main ou étreinte.

« Est-ce que tu m'aimes ? »

Sentant la tiédeur de son partenaire, le dépendant peut changer de tactique. Il se montre plus audacieux dans son besoin d'être rassuré et demande à brûle-pourpoint : « Est-ce que tu m'aimes ? » La réponse risque fort d'être décevante. Ce sera un : « Mais bien sûr » un peu impatient ou, pis : « A ton avis ? » Malgré l'ambiguïté du message, certains dépendants ont besoin, comme les drogués, de leur dose de sécurisation à intervalles réguliers. Et, comme toutes les stratégies élaborées par le dépendant, celle-ci va accentuer la sensation d'étouffement, l'éloignement, le désintérêt du dominant.

La passion sexuelle

La passion du dépendant n'est pas seulement sentimentale, elle est aussi sexuelle. La situation de dépendance peut être un aphrodisiaque puissant. La plupart des dépendants pensent sans arrêt à faire l'amour avec le dominant. Beaucoup sont même obligés de prendre sur eux pour ne pas le solliciter en permanence. Deborah raconte son expérience avec Jonas.

Ce n'était pas le meilleur amant que j'aie connu, et surtout pas le plus sexy, mais il m'excitait plus qu'aucun autre. Au cinéma, s'il me prenait la main, tout mon corps se mettait à vibrer. Quand il venait chez moi, je l'entraînais vers la chambre aussi vite qu'il était décemment possible. Jamais mon corps n'avait réagi avec autant d'ardeur. Il n'avait pratiquement rien à faire.

Pour Paul, la rencontre avec Laura avait même été une révélation.

Je n'avais jamais compris la différence entre « rapports sexuels » et « amour » jusqu'à ce que je tombe amoureux de Laura. Elle faisait l'amour avec plus d'imagination qu'aucune des femmes que j'avais connues. Elle m'a fait découvrir des sensations que j'ignorais. J'avais plus souvent envie de faire l'amour qu'elle, et cela posait un problème. Mon désir était tellement fort et fou que j'avais du mal à la satisfaire. Ça n'a pas arrangé les choses, naturellement.

La passion sexuelle du dépendant est à la fois un symptôme et une solution. Symptôme, elle donne la mesure de sa soumission car, assimilée à l'état amoureux, la perte de contrôle incite le cerveau à produire les sensations d'euphorie et de désir. Solution, elle permet au dépendant d'assouvir son besoin compulsif d'exercer un contrôle sur le dominant, tant il est vrai que l'acte sexuel est un moyen de posséder l'autre. Faire l'amour symbolise le plus grand désir du dépendant, la fusion avec le dominant. Enfin, sur le plan purement pratique, le sexe permet au dépendant d'avoir le dominant pour lui tout seul et au plus près.

Comme nous l'avons vu, les dominants peuvent utiliser la sexualité, si elle est harmonieuse, comme prétexte pour prolonger une relation qui ne les satisfait qu'à moitié. Les dépendants sont plus ambitieux : ils espèrent grâce à elle raviver la flamme du dominant et sauver la relation. Mais l'appétit sexuel du dépendant et l'intimité qu'il requiert risquent de porter la sensation d'étouffement du dominant à son maximum, surtout si c'est une femme. Toutefois, le dépendant répugne à abandonner cette solution qui lui apporte des satisfactions sublimes. Ne dit-on pas que la sexualité dans l'amour est une des expériences les plus extraordinaires que l'homme puisse connaître ? Certains dépendants masculins peuvent être tellement émus, excités, amoureux qu'ils auront des problèmes de « fonctionnement » dus à l'angoisse. C'est peut-être une des raisons qui poussent les hommes à rechercher la position de dominant.

Les souffrances de la passion

Une fois qu'il a épuisé toutes les solutions « amoureuses » que nous venons d'évoquer, le dépendant se retrouve, la plupart du temps, anxieux, paniqué, déprimé. Ses émotions sont douloureusement dissonantes : d'un côté il souffre profondément et de l'autre il aime, il désire avec d'autant plus de force qu'il se sent en danger.

L'ambivalence du dépendant

Déchiré par ces sentiments contradictoires, le dépendant va donc connaître sa propre version de l'ambivalence. Pour le dominant, le dilemme était : « Ma tête me dit de rester dans cette relation parce qu'elle est pratique et sûre, parce que mon partenaire m'aime tellement, mais mon cœur estime que je devrais partir au plus vite si je ne veux pas mourir étouffé. »

L'ambivalence du dépendant est inverse. Son esprit s'interroge : « Pourquoi rester dans cette relation ? je n'y trouve que souffrance, chagrin et humiliation. Ma vie est bouleversée. Je ne sais plus qui je suis. Je devrais partir tout de suite et chercher quelqu'un qui m'aime vraiment. » Mais son cœur répond : « Je ne peux pas partir. Je n'ai jamais été aussi amoureux, je n'ai jamais désiré quelqu'un avec autant de force. Avec lui, c'est peut-être la misère mais sans lui, ce serait le désert. »

La colère du dépendant

Si vous avez déjà occupé la position de dépendant, vous savez qu'en plus de l'amour, de la passion et de la souffrance, on y éprouve de la colère. Le dépendant est humilié, dérouté, réduit à l'impuissance, mal-aimé par le dominant, comment ne lui en voudrait-il pas ? Les premiers accès de cette colère passent souvent inaperçus, noyés qu'ils sont dans la passion. Mais avec le déséquilibre, la passion et l'amour du dépendant vont se trouver perpétuellement bafoués par le comportement du dominant. Alors la colère et le ressentiment peuvent s'inscrire de façon permanente dans le registre émotionnel du dépendant.

Je crois que toutes les émotions, y compris la colère, sont saines. Ce qui pose un problème, ce sont nos réactions à ces émotions. Si nous les gérons correctement, sans les sous-estimer ni les laisser dominer, colère, peur et culpabilité peuvent nous fournir des informations précieuses sur notre monde intérieur et notre vie extérieure. Mais quand elles sont refoulées ou vécues avec trop de violence, elles ne font que multiplier nos problèmes.

La colère refoulée

Les désirs contrariés finissent toujours par générer l'hostilité. Mais un dépendant qui éprouve de la colère se sent aussi extrêmement vulnérable. Son idée fixe, c'est de reconquérir l'amour du dominant. Il ne veut surtout pas se mettre doublement en danger en exprimant sa colère. Pour ne pas faire fuir le dominant, il va donc la refouler, comme le fit Deborah.

J'avais terriblement envie de remettre Jonas à sa place, pendant ce déjeuner, de lui montrer comment il m'avait manipulée en me faisant croire que je pouvais tomber amoureuse de lui pour me planter là. De lui dire qu'il n'avait aucun droit de décider seul de l'avenir de notre relation. Je crois que si nous étions restés plus longtemps ensemble, j'aurais parlé. Mais j'espérais encore un tout petit peu que les choses s'arrangeraient et je ne voulais pas prendre trop de risques.

Le dépendant se trouve face à un dilemme : que peut-il faire de sa colère sans indisposer le dominant et mettre en péril la relation ? Il voudrait continuer à la dissimuler derrière une façade agréable. Mais, comme Freud l'a montré, la technique de la tête dans le sable est inefficace. En refoulant une émotion encombrante, on peut croire qu'on l'a éliminée mais on a simplement aggravé le problème. La colère, en particulier, sait très bien s'accumuler, croître et se modifier dans les méandres de notre inconscient pour resurgir sous une forme altérée et destructrice.

Amour/haine

À force de refouler sa colère, le dépendant va s'engager dans un mode relationnel basé sur l'alternance amour/haine. Béa raconte un incident qui illustre bien cette dynamique.

Pour l'anniversaire de Michel, j'ai voulu préparer une paella très compliquée, son plat préféré. J'avais dans l'idée que si je la réussissais parfaitement, tous nos problèmes disparaîtraient. Croyez-moi, ce n'est pas facile d'épater un restaurateur en lui faisant la cuisine ! Mais ce matin-là nous

nous sommes disputés et il est parti fâché. Je n'arrêtais pas de l'insulter en coupant les légumes de cette paella qui était censée regagner son amour.

Tant que le dépendant reste prisonnier de sa peur d'être abandonné, il va privilégier les stratégies « amoureuses ». Mais son ressentiment trouvera le moyen de s'exprimer, soit dans d'autres domaines de sa vie, soit dans une attitude contradictoire vis-à-vis du dominant.

L'hostilité s'exprime

Nous savons tous qu'il est parfois difficile d'exprimer sa colère. Mais pour le dépendant c'est un problème qui va prendre une place considérable et absorber une grande quantité d'énergie. Ne voulant pas s'aliéner le dominant, il va détourner son hostilité vers d'autres cibles.

La colère détournée

Furieuse que Michel rentre de plus en plus tard, Béa évacuait sa colère en s'emportant contre son travail et même contre Chloé.

Je piquais de vraies crises de rage contre le restaurant qui le bouffait complètement et contre les commanditaires, avec leurs exigences extravagantes. Tout ça pour ne pas m'en prendre à Michel directement, lui demander comment il pouvait, lui, mon mari, rester si longtemps loin de moi et de sa fille. Mais le pire, c'était que je commençais à perdre patience avec Chloé. Je crois que quelque part je me disais que sans elle nous serions encore unis.

140

La colère autodestructrice

Charles avait toutes sortes d'idées pour modifier la gestion du magasin de Louise et il insista pour l'aider à les mettre en pratique. Par habitude, il voulait tenir les commandes et décider de tout. Très affectée, Louise s'était laissé supplanter jusqu'au jour où il s'était désintéressé de l'affaire.

Après, il a commencé à se laisser aller. Il passait ses journées à boire, devant la télé ou dans les bars. En général, il n'était pas là quand je rentrais. Il ne se lavait pas souvent et, comme je ne supportais plus sa présence dans mon lit, il a pris l'habitude de dormir sur le canapé, parfois sans se déshabiller. Un jour, j'ai lu les petites annonces et j'ai entouré celles qui pouvaient lui convenir, mais quand je lui ai donné le journal, il m'a regardée comme si j'étais dingue. Il a dit : « Non mais, franchement, qui voudrait d'un paumé, d'un clodo, d'une loque comme moi dans ses bureaux grand standing, hein ? » Quand je lui ai suggéré de se faire aider, il a dit : « À quoi bon » et il est parti. J'en étais malade de le voir comme ça. Je sais qu'il avait du mal à avaler non seulement le fait que je travaille et pas lui mais aussi le fait que j'aie créé ma propre affaire. De temps en temps, il parlait de fonder une société, mais ça ne dépassait jamais le stade du projet.

Charles exprimait sa rage sur un mode autodestructeur. C'est une des manifestations fréquentes et dangereuses de la perte d'estime de soi. Il est très naturel qu'une personne dont le partenaire s'éloigne se sente indigne d'être aimé, incapable, surtout quand la perte du pouvoir dans la relation est la conséquence d'une défaite professionnelle. Les conduites autodestructrices permet-

141

tent aux dépendants de punir ou de détruire ce moi qui a si peu de valeur.

La jalousie comme solution

Émotion particulièrement forte, pénible et destructrice, la jalousie devient la compagne inséparable du dépendant. Dans les relations équilibrées, une petite crise de jalousie apparaît comme le signe rassurant de l'importance que chacun donne à l'autre. Mais dans les relations déséquilibrées, la jalousie est l'apanage du seul dépendant. C'est une forme de colère particulière créée par la rage et l'impuissance de celui qui voit son partenaire se détourner de lui et s'intéresser à quelqu'un d'autre, signe de rejet absolu qui marque la défaite définitive du dépendant. Paul fut victime de la jalousie.

Je n'appréciais pas tellement que Laura passe le plus clair de son temps avec les trois hommes de l'équipe, mais je m'efforçais de l'accepter avec philosophie. Par contre, quand je l'ai vue avec Luc, j'ai perdu toute capacité de raisonnement. Elle m'a affirmé par la suite qu'il n'y avait rien entre eux, ce qui était peut-être techniquement exact. Quoi qu'il en soit, j'ai traîné Luc dans la boue. Il a une réputation d'homme à femmes et c'est malheureusement un excellent avoué. J'ai dit à Laura que je le considérais comme un type frivole, manipulateur, prétentieux et dépravé. À partir de ce moment-là, j'ai commencé à les imaginer ensemble et j'en ai perdu le sommeil.

Il peut paraître étrange de considérer la jalousie comme une solution, mais c'en est une, dans la mesure où elle permet au dépendant de détourner sa colère du dominant. Paul dirige toute son hostilité contre Luc et n'accuse jamais Laura d'avoir cherché à le séduire. Cela lui permet d'évacuer sa rage sans se poser en adversaire de sa bien-aimée. Mais le dépendant paie généralement au prix fort ce défoulement momentané. Car le dominant lui pardonnera difficilement d'avoir ainsi révélé l'ampleur de sa dépendance, de sa sujétion affective.

La possessivité comme solution

La première manifestation de colère du dépendant est souvent une demande d'attention. Dans la mesure où son comportement aimant et prévenant n'a pas été efficace, il va maintenant obliger le dominant à lui donner davantage de lui-même. Dictée par l'état d'insécurité permanent dans lequel il se trouve, sa revendication prendra d'abord un ton plaintif, avant de devenir franchement agressive. Voici ce que dit Michel à propos des conduites possessives de Béa :

L'une des choses que j'avais le plus de mal à supporter, c'était sa façon de vouloir réquisitionner le peu de loisirs qui me restait. Elle n'arrivait pas à comprendre que j'aie besoin d'autre chose que de bosser ou de rester à la maison. J'avais envie de voir des amis, de jouer au golf, de me distraire. Mais chaque fois que j'osais faire autre chose que rester à la maison avec elle et Chloé, ça la mettait en rage.

Même si le dominant se laisse faire, le dépendant ne remporte qu'une fausse victoire. Ses conduites possessives, son besoin de monopoliser l'autre manifestent en effet une avidité émotionnelle terrifiante pour le dominant qui n'aura plus qu'une idée : fuir.

La possessivité est une forme d'hostilité dans la mesure où elle exprime la colère du dépendant contre le dominant qui ne se comporte pas comme il le

« devrait ». Béa, par exemple, voulait que Michel soit là pour elle sans avoir à le lui demander. Ces manières possessives sont une façon de contraindre le dominant à se comporter en partenaire amoureux et elles suscitent généralement la résistance de l'intéressé.

Les solutions ultimes

Aussi désespéré et malheureux que soit le dépendant, son instinct de survie affective reste intact. Et, s'il est souvent incapable de discerner les causes de l'échec de la relation, il sent avec certitude que pour retrouver l'amour du dominant il va devoir employer de nouvelles tactiques. Il est maintenant disposé à risquer de perdre définitivement le dominant dans son effort de reconquête. Les stratégies qu'il va utiliser sont plus agressives et plus élaborées car il possède l'audace des désespérés.

Le jeu de l'indifférence

L'une des armes lourdes de ce nouvel arsenal, c'est le classique jeu de l'indifférence. L'universalité de cette solution indique que le paradoxe de la passion est compris intuitivement par tout le monde. Le dépendant qui joue l'indifférent espère montrer à son partenaire qu'il est encore capable d'échapper à son emprise. Il le fait à contrecœur et en sachant qu'il risque gros, mais il n'a plus grand-chose à perdre. C'était la position de Paul quand il a élaboré un plan pour rendre Laura jalouse après qu'elle eut mis fin à leur liaison, orageuse depuis plusieurs mois.

Quand Laura finit par admettre qu'elle sortait avec Luc, j'ai décidé de livrer une dernière bataille. La responsable de notre bibliothèque juridique locale m'avait toujours manifesté de l'intérêt mais je n'avais jamais donné suite. La boîte organisait un grand pique-nique avec jeux de plein air, et j'ai demandé à cette femme, Daphné, de m'y accompagner. Laura venait avec Luc, bien sûr. Mais j'ai vraiment jubilé en voyant son expression incrédule quand elle a compris que j'étais avec quelqu'un.

Dans une relation équilibrée, ce genre de petit jeu ajoute du piment au quotidien. Mais le dépendant l'utilise comme une procédure d'urgence. Il ne veut pas seulement étonner et impressionner le dominant par son indépendance, il veut aussi, bien souvent, se venger. Il fait alors rentrer dans son jeu une tierce personne innocente et vulnérable.

L'inconvénient de cette stratégie, c'est que, même quand elle réussit, elle n'élimine pas les raisons profondes du déséquilibre. C'est pourquoi son effet stabilisateur est de courte durée. Certains, comme Paul, n'en tirent même aucun bénéfice parce qu'ils ne peuvent pas s'empêcher de dévoiler leur jeu, comme le raconte Laura.

J'ai eu un choc en voyant Paul avec Daphné au pique-nique, mais j'ai très vite deviné qu'il s'agissait d'une mise en scène à mon intention. Paul en faisait vraiment trop, et je le voyais jeter des coups d'œil dans ma direction.

Le message non verbal de Paul manqua son but. Il fit comprendre à Laura que son intérêt pour Daphné n'était pas sincère. Peu après le départ de Laura et de Luc, Paul prétexta un problème de digestion pour raccompagner Daphné.

L'enfant

Chez les dépendants qui veulent des enfants et même chez ceux qui ne sont pas sûrs d'en vouloir, le paradoxe peut susciter le besoin urgent de faire un enfant avec le dominant. C'est ce qui est arrivé à Deborah.

À trente-trois ans, je savais qu'il ne me restait pas beaucoup de temps. C'est sans doute pour cela que l'idée d'avoir un enfant avec Jonas est devenue une véritable obsession. J'imaginais comment il serait, je voyais Jonas assister à l'accouchement. Une ou deux fois, j'ai évoqué le sujet avec lui et il a eu l'air tout à fait contre, mais je me suis dit que les hommes devaient tous réagir comme ça au début.

Avoir un enfant peut apparaître comme la solution idéale aux problèmes du dépendant. C'est l'engagement ultime qui lie irrévocablement deux partenaires par un contrat biologique et pas uniquement social. C'est d'ailleurs pour cette raison que les dominants peuvent être tout à fait contre. Quand un couple marié déséquilibré n'a pas d'enfant, le dépendant insiste souvent pour en avoir un, tandis que le dominant résiste. Mais il peut aussi arriver que l'homme dominant accepte l'enfant parce qu'il y voit une chance de détourner de lui-même la fixation affective de sa femme. Certaines femmes dépendantes, mariées ou non, se mettent à « oublier » toute précaution contraceptive en espérant, consciemment ou inconsciemment, que leur fantasme maternel va se réaliser. Cette solution est bien sûr dangereuse car la grossesse risque d'augmenter considérablement la demande affective de la femme et la sensation d'étouffement de l'homme.

Le dépendant explose

Quand l'hostilité du dépendant ne trouve pas à s'exprimer, quand sa frustration devient trop intense, il peut en résulter une violente explosion de colère. Louise raconte l'incident qui l'a poussée à entrer en thérapie.

Un soir, je suis rentrée tard de la boutique et Charles était sur le canapé devant la télé, en train de boire du whisky. Je lui ai dit bonsoir et me suis excusée d'aller me coucher. Tout à coup, je l'ai senti derrière moi. Il m'a attrapée par le bras, retournée vers lui en me disant : « Ne me parle jamais sur ce ton-là », et d'autres choses bien pires. Il était hors de lui et s'est mis à me gifler, à me gifler, sans s'arrêter. Comme il était soûl, j'ai pu lui échapper et me réfugier dans la salle de bains. Je me suis enfermée à clé mais il s'est mis à cogner contre la porte avec une telle violence que j'ai cru qu'il allait la démolir et me tuer pour de bon. Mais il a dû avoir envie d'un whisky parce que au bout d'un moment il est parti.

Le seul moyen qui restait à Charles pour affirmer son pouvoir sur Louise, c'était de l'attaquer physiquement. Elle avait tranquillement repris la direction de son affaire et la gérait à sa manière, pas selon les conseils de Charles. Son indépendance était vécue par son mari comme une négation de lui-même. La communication entre eux était devenue inexistante, si bien qu'il ne restait à Charles aucun moyen constructif d'exprimer sa rage ou de tenter une renégociation de leurs rapports. Sa violence était la manière la plus évidente de manifester non seulement son hostilité mais aussi une souffrance affective insupportable.

6.

TOUCHER LE FOND POUR REMONTER À LA SURFACE

La renaissance du dépendant

Le dépendant s'accroche farouchement à ses rêves d'amour brisés. Il ne devrait pas être surpris que le dominant parle de séparation, mais il l'est. La réaction de Deborah, quand Jonas proposa qu'ils « prennent un peu d'air », fut à la fois physique et émotionnelle.

En rentrant chez moi, j'avais la sensation très nette que le fond de mon estomac était tombé, me laissant une sorte de vide et de froid à l'intérieur. Je pleurais, bien sûr, mais le plus étrange, c'était ce spasme douloureux qui se creusait en moi. Et le froid. Je pense que j'étais physiquement en état de choc. Je m'y attendais, pourtant, mais cela ne m'a pas empêchée d'être complètement traumatisée. J'imagine que c'est la même chose avec la mort d'un être cher ; on a beau s'y attendre, on n'est jamais vraiment préparé quand ça arrive.

Deborah était effectivement bouleversée par une sorte de mort, une *mort psychologique*. Jonas était devenu tellement important pour elle, tellement central dans sa vie que son départ équivalait à une mort et provoquait un traumatisme aussi important. Elle parle d'état de choc et elle a raison. Physique, ce choc ralentit les processus corporels pour permettre à la guérison de commencer. Émotionnel, il prépare l'individu au difficile travail d'autoguérison.

C'est aussi dur que de jongler à cinq balles sur un fil mal tendu. Le dépendant doit trouver le moyen de combler le vide laissé par le dominant et de survivre à la douleur qui le terrasse. Il doit apprendre à se passer de l'être aimé dans le moment même où il désire le plus ardemment sa présence. C'est la configuration ultime du paradoxe de la passion : l'un des partenaires a repris sa liberté, emportant avec lui l'énorme investissement affectif de l'autre. Mais le processus de restructuration du dépendant commence alors même qu'il est encore sous le choc du rejet.

« Je n'y survivrai pas »

Le rejet amoureux provoque un sentiment de perte si intense que le dépendant peut se retrouver complètement anéanti. Il a des idées noires. On l'entendra dire : « Je n'y survivrai pas », « Le bonheur n'est pas pour moi », « Jamais plus je ne serai moi-même ». Ce qu'il ressent est violent, viscéral, et échappe au contrôle conscient, comme le dit Béa.

> Quand Michel a quitté la maison, je me répétais sans cesse : « Bon, calme-toi. Tout va s'arranger. Tu es au creux de la vague, mais tu vas t'en sortir, comme tu l'as toujours fait. » La minute d'après, je sanglotais éperdument, comme si c'était la fin du monde.

Bien des psychologues pensent que le rejet amoureux réveille en nous la peur de l'abandon. Le bébé éprouve

149

instinctivement cette peur parce que sa survie dépend des soins qu'on lui donne. Délaissés, nous sommes semblables à des bébés, sauf que notre peur est centrée sur nos besoins de survie émotionnelle. L'angoisse du rejet amoureux nous donne la mesure de la force de ces besoins.

Béa agissait sagement en laissant s'exprimer son chagrin et en se raisonnant. Conseils et encouragements n'auront peut-être pas un effet immédiat sur un cœur brisé, mais ils pénètrent l'inconscient et permettent d'accélérer la guérison.

Le dépendant victime

Il est naturel que le dépendant passe par une phase d'apitoiement sur lui-même. N'a-t-il pas fait au dominant le don ultime en lui offrant son amour ? N'a-t-il pas manifesté cet amour de mille manières ? Et le dominant l'a tout de même rejeté. C'est trop injuste !

Le dépendant se dit aussi qu'un être capable de tant de cruauté doit avoir une tare morale ou affective quelconque. Il se voit donc en victime offensée. Il considère le dominant comme un malade, un individu sans cœur ni âme, et ses amis l'approuvent généralement. Tous les proches de Deborah lui dirent que Jonas était bien trop « tordu » pour elle, y compris une voyante qu'elle n'avait jamais consultée.

... pas le genre diseuse de bonne aventure mais une femme recommandée par un couple d'amis. Avant la crise avec Jonas, je ne m'intéressais pas à ce genre de chose, mais là, j'étais prête à tout. Elle a commencé par me dire des choses assez stupéfiantes sur mon passé. Quand elle en est arrivée à ma vie amoureuse, mon visage a dû me trahir. Elle m'a dit que l'homme auquel je pensais était trop « égoïste » pour faire un bon partenaire.

Le dominant va apparaître comme le « salaud » et le dépendant comme sa victime innocente. Et, dans les premiers temps du processus de récupération, le dépendant va se trouver rasséréné par l'idée que ce n'est pas lui mais le dominant qui a causé la faillite de la relation.

Je m'efforce toujours d'inviter les dépendants à plus de discernement. Je les incite à dépasser leur vision simpliste — le dominant a tout pris, tandis que lui, le dépendant, donnait sans compter — pour se demander comment ils ont permis et même favorisé la conduite destructrice du dominant. Peut-être se sont-ils accrochés à une relation qui avait cessé de leur procurer des satisfactions et ne leur faisait plus que du mal ? En reconnaissant le rôle qui a été le sien, le dépendant se rend compte qu'il avait plus de pouvoir dans la relation qu'il ne le supposait. Je l'encourage aussi à comprendre que la faillite du couple n'est la faute ni de l'un ni de l'autre mais des puissantes dynamiques du paradoxe de la passion.

Le dépendant hypersensible

L'une des réactions de Béa après le départ de Michel est typique des dépendants rejetés.

Je m'apitoyais tellement sur moi-même, j'étais si triste et si révoltée par la conduite de Michel que j'avais l'impression que mes nerfs étaient à vif. Il m'est devenu pénible de regarder le journal télévisé avec toutes ses images violentes

151

ou scandaleuses. Je me souviens en particulier d'un reportage sur une femme qui avait perdu la garde de ses enfants à cause d'une dépression nerveuse. Je me suis mise à pleurer sans pouvoir m'arrêter.

Le dépendant abandonné projette souvent sa douleur et son drame sur le monde extérieur, de la même façon que l'amoureux y projette son bonheur. Il se sent proche de toutes les tragédies de l'existence. Il apprécie la musique triste, les films déprimants, la poésie mélancolique. Sa nouvelle sensibilité peut le convaincre qu'il est devenu plus profond, et il a souvent raison. Le bon côté du malheur, c'est qu'il donne à l'être la possibilité de progresser.

Pour combler le vide

Le choc du rejet amoureux est ressenti comme une forme d'anéantissement. Le dépendant va orienter sa conduite de façon à combler le vide qui est en lui. Les « solutions » qu'il utilise peuvent être bénéfiques, pourvu qu'il n'en abuse pas. Elles vont enclencher un processus subtil de restructuration intérieure et détourner l'attention du dépendant vers d'autres points de fixation que le dominant.

Notons que les comportements de compensation ne sont pas exclusivement réservés aux dépendants abandonnés. Ceux qui sont encore dans une relation déséquilibrée y ont également recours.

Spiritualité, charité, bonnes œuvres

Bien des dépendants trouvent un réconfort dans la recherche spirituelle. La spiritualité offre un substitut très satisfaisant à l'amour perdu, comme le prouvent de nombreux exemples d'amoureux déçus entrés en religion ou enrôlés dans des organisations de bienfaisance.

Nous associons la spiritualité aux notions de sacrifice, de fidélité, de dévouement, valeurs que le dépendant a l'impression d'incarner. Dans la dévotion religieuse ou le travail bénévole, il va trouver à la fois une nouvelle identité et un refuge sûr, culturellement reconnu, pour ses sentiments d'amour.

La spiritualité offre aussi « une voie ». Le fait d'adopter un ensemble de croyances pour restructurer une vie désorganisée par l'échec amoureux. Après avoir consulté la voyante, Deborah suivit quelques séances de développement spirituel.

> Cela m'a permis de voir que l'essentiel de la vie se passe ailleurs que dans les relations amoureuses. J'ai compris que je donnais beaucoup trop d'importance au fait de trouver un homme. J'aurais dû continuer ce travail, mais l'ambiance du groupe ne me convenait pas.

Acheter

Se sentant injustement punie par Jonas, Deborah estima qu'elle méritait de se faire plaisir. Elle se mit à acheter.

> D'habitude, je ne fais les magasins qu'une fois par saison, mais là, je me suis mise à fréquenter les centres

commerciaux les plus chics pendant des week-ends entiers. J'ai fait de véritables folies — une veste en cuir à deux mille cinq cents francs, une paire de bottes noires à mille cinq cents — moi qui achète toujours des vêtements en solde ou démarqués. Mais je me sentais comme neuve avec mes vêtements neufs et ça m'a fait du bien.

Rétrospectivement, Deborah comprit qu'elle avait choisi cette veste et ces bottes pour l'assurance qu'elles lui donnaient. C'était le genre de vêtement qui compense extérieurement une impuissance intérieure. Deborah pratiquait ainsi une technique bien connue en psychologie, l'achat compulsif comme remède à une dépression naissante.

Après un échec amoureux, se faire plaisir est une étape de l'autoguérison. Mais, comme toute stratégie, elle peut devenir dangereuse si elle est poussée à l'extrême. L'envie d'acheter fait place au désespoir quand arrive le relevé de compte bancaire. Le plaisir de Deborah avait été éphémère, la note de dix-huit mille francs ne l'était pas.

Boulimie

Le fait de compenser une crise émotionnelle en se remplissant l'estomac est sans doute un bon ressort comique dans les séries télévisées, mais des recherches récentes permettent de penser que la boulimie a les mêmes causes émotionnelles que la consommation de drogues. Depuis la petite enfance, la sensation de satiété est associée au bien-être. Elle combat l'angoisse et les pulsions négatives en procurant un apaisement profond. Les narcotiques agissent sensiblement de la même façon puisqu'ils insensibilisent à la douleur, intérieure comme extérieure, et produisent l'euphorie. Paul compensa par la nourriture le vide laissé par Laura.

> Je me suis rendu compte que je recherchais tous les plats que me préparait ma mère. Le genre pudding chaud, ragoût, poulet à la crème et tarte Tatin. Il y a un petit restaurant près de chez moi et j'ai commencé à y aller tous les jours, matin et soir. Je n'ai pas tardé à grossir.

Ce n'est pas un hasard si Paul recherchait le genre de cuisine que faisait sa mère. Il avait eu une enfance heureuse, protégée, et la nourriture de cette époque lui apportait un maximum de réconfort et de bien-être.

Il est intéressant de noter que Deborah, en s'achetant des vêtements, améliorait son apparence tandis que Paul, en mangeant, détériorait la sienne. Pourtant, ces deux manières de « combler le vide » reflètent la même absence d'estime de soi.

L'anorexie

Certains dépendants ont une réaction inverse par rapport à la nourriture et la refusent, comme le fit Béa.

> Je me suis mise à mépriser la nourriture, en partie parce que j'avais l'estomac noué en permanence, en partie parce que la nourriture m'apparaissait comme l'ennemi numéro un. Le fait que j'aie grossi avait certainement eu son importance dans nos problèmes, même s'il n'était pas déterminant. Et puis la nourriture, c'était le domaine de Michel. Ce n'est donc pas un hasard si j'ai réagi comme ça.

Tant que le dépendant est encore sous le choc du rejet, il est normal que se nourrir lui semble superflu ou même pénible. Mais l'anorexie participe, pour certains, d'un mépris de soi-même plus vaste, d'une démarche d'autopunition.

Les psychologues spécialisés dans les troubles de l'appétit proposent une autre interprétation. Selon eux, la contrainte que s'impose l'amoureux déçu en se restreignant sévèrement sur le plan alimentaire vise à compenser sa perte de contrôle sur sa vie amoureuse.

L'alcool et les drogues

D'après Louise, Charles avait toujours été légèrement porté sur la boisson. Mais ses problèmes de travail et de couple l'avaient précipité dans l'alcoolisme. Tout en refusant la thérapie commune proposée par Louise à la suite de sa crise de violence, il voulut faire les choses « à sa façon » et se mit à fréquenter les réunions d'alcooliques anonymes. Charles trouvait dans l'alcool un moyen d'oublier ses sentiments d'échec. Le succès des drogues, alcool et autres euphorisants comme le Valium, la cocaïne ou l'héroïne, s'explique par l'effet immédiat qu'elles ont sur la douleur, psychique et émotionnelle. Elles permettent par ailleurs de se punir d'être un « bon à rien », c'est pourquoi la tentation est si forte pour les dépendants de recourir à ces substances dangereuses pour la santé physique et mentale.

Petites vengeances

La colère du dépendant contre le dominant lui suggère souvent des rêves de vengeance, rêves qui sont parfois réalisés. Certains actes de ce que j'appelle « petite vengeance » peuvent effectivement aider le dépendant à exprimer directement sa rage, à la canaliser de façon positive et à retrouver un semblant de pouvoir. Certaines formes de vengeance offrent également une dernière chance de contact avec le dominant.

La lettre

Béa se sentit beaucoup mieux après avoir envoyé à Michel une lettre où elle lui disait : « Va te faire voir et crève », selon ses propres termes.

> Il y avait un tas de choses que je n'avais pas dites, que je n'avais pas eu le courage de dire au moment où il quittait la maison. C'était d'ailleurs un des trucs les plus horribles, de me sentir intimidée comme ça. Et puis, à force de réfléchir, j'avais fini par formuler les choses exactement comme je les sentais. Grâce à cette lettre, je retrouvais l'impression d'avoir mon mot à dire. Et je tenais à ce que Michel sache que moi non plus je ne le considérais pas comme une affaire, même si j'avais envie qu'il revienne au moment où j'écrivais.

La lettre vengeresse permet enfin au dépendant de s'exprimer, si le couple en était arrivé à l'absence totale de communication. Elle lui permet aussi d'avoir le « dernier mot », de reprendre le contrôle de la situation en étant celui qui met fin à la discussion. Ce genre de lettre contient souvent des attaques destinées à blesser l'amour-propre du dominant. Mais Béa reconnut aussi qu'elle se plaisait à imaginer Michel recevant la lettre et « la tenant dans ses mains comme j'aurais aimé qu'il me tienne ».

Le fantasme du veuvage

Cette vengeance n'existe souvent que dans l'esprit du dépendant qui s'imagine assistant à l'enterrement du dominant. Alors que ce même fantasme donnait au dominant une sensation de liberté sans culpabilité, il donne au dépendant une sensation de contrôle sans souffrance. Dans le roman de Nora Ephron, *C'est cuit, dit-elle**, l'héroïne trahie exprime ce fantasme en racontant l'infidélité de son mari à son groupe de thérapie.

« Que veux-tu au juste, dit Vanessa. Mark va rentrer et il va falloir que tu te décides. »
Je réfléchis.
« Je veux qu'il revienne, dis-je.
— Et pourquoi donc, demanda Dan, tu viens de dire que c'était un con.
— Je veux qu'il revienne pour pouvoir lui faire une scène, lui dire qu'il est con. Il est con, mais il est à moi. Et je veux qu'il cesse de voir cette femme. Je veux qu'il dise qu'il ne l'a jamais aimée. Je veux qu'il dise qu'il est devenu fou. Je veux qu'elle crève. Je veux qu'ils crèvent tous les deux.
— Je croyais que tu voulais qu'il revienne, dit Ellis.
— C'est vrai, dis-je, mais je voudrais qu'il revienne mort. »
Je souris. C'était la première fois que la situation me faisait sourire.

En tuant fantasmatiquement le dominant, le dépendant se réfugie dans l'idée que la souffrance de sa mort serait moindre que celle de son abandon.

---

* Éd. Robert Laffont, 1984.

J'apprécie également ce texte parce qu'il montre le rôle que peut jouer l'humour dans la guérison du dépendant.

« *Je vais te montrer qui je suis* »

De toutes les petites vengeances, c'est la plus productive et elle a inspiré pas mal de réussites professionnelles. En surpassant le dominant sur le plan professionnel, le dépendant espère s'assurer un plus grand pouvoir social, non seulement pour réduire le déséquilibre mais pour l'exagérer dans l'autre sens. Ainsi, le dominant passera le reste de ses jours à regretter d'avoir quitté son partenaire. Compenser son échec amoureux par une réussite professionnelle permettra au dépendant de retrouver plus rapidement son autonomie. La vengeance peut même tourner à son avantage en faisant revenir le dominant ou en séduisant un partenaire plus compatible. Dans un prochain chapitre, j'exposerai d'autres moyens positifs de canaliser la souffrance du dépendant.

Vengeances extrêmes

Dans un nombre de cas limité mais inquiétant, le rejet amoureux peut catalyser des tendances préexistantes à l'agressivité. On en trouve un excellent exemple dans le film *Fatal Attraction,* d'Adrian Lyne, sorti en 1987. Pour le dépendant abandonné, qui se sent dépossédé de tout pouvoir, nuire au dominant semble réaliser deux objectifs : retrouver la sensation de son pouvoir individuel et compenser le déséquilibre entre les deux partenaires. C'est pourquoi la vengeance est intimement liée au paradoxe de la passion. Plus le dépendant est agressif

159

dans d'autres domaines de sa vie, plus ses vengeances seront extrêmes.

Médisance

Cette forme de vengeance, très fréquente, consiste à faire courir des bruits, semi-vérités malveillantes, sur le compte du dominant et sur la relation. Si le dépendant est un homme, il racontera par exemple que sa partenaire était « frigide » ou une « pas-grand-chose ». En salissant sa réputation il croit se revaloriser lui-même. Il laisse entendre qu'elle n'était pas à la hauteur et suggère indirectement que c'est *lui* qui l'a rejetée.

Si le dépendant est une femme, elle parviendra au même but en accusant son « ex » d'être impuissant ou d'avoir la phobie de l'engagement. Les hommes et les femmes qui se vengent par ce moyen espèrent humilier le dominant comme ils ont été humiliés et saper son capital de séduction auprès d'autres partenaires possibles.

Coulage professionnel

Le milieu de travail est propice aux rencontres amoureuses mais également aux actes de vengeance. Paul reconnut qu'à sa grande honte il avait envisagé ce moyen de faire souffrir Laura.

Je faisais partie du comité directeur qui décide de l'avancement de nos collaborateurs, et nous avions une réunion où le cas de Laura devait être étudié. J'avais déjà envisagé toutes les conséquences mais je me disais que je pouvais peut-être faire une toute petite critique à son sujet. Je pensais employer le mot « instable ». Mais quand le nom de Laura a été prononcé, je n'ai pas pu. Je n'ai rien dit du tout, d'ailleurs. Je suppose que notre histoire était suffisamment connue pour lui faire du tort. Elle n'a obtenu qu'une maigre augmentation.

Comme l'attestent les nouvelles lois sur le harcèlement sexuel, nombreuses sont les femmes — et les hommes — qui pâtissent professionnellement d'une liaison entre collègues ou du refus de coucher avec un supérieur hiérarchique. Réussite amoureuse et réussite professionnelle étant considérées par bien des psychologues comme les clés du bonheur, il peut être particulièrement destructeur de s'en prendre à la carrière du dominant.

« Je vais te rendre la vie impossible »

Certains dépendants assaillent leur ex-partenaire de visites inopportunes, de jour comme de nuit, et de coups de fil intempestifs qui transforment le téléphone en un véritable instrument de torture. Ils peuvent aussi pratiquer des actes de vandalisme sur la voiture ou le domicile du dominant. Tout en sachant que cette tactique ruine définitivement toute possibilité de réconciliation, ils y renoncent difficilement.

Les enfants

L'une des formes de vengeance les plus pernicieuses implique les enfants du couple. Fort heureusement, la plupart des parents avec lesquels j'ai travaillé réussissaient tant bien que mal à tenir leurs enfants en dehors de leurs problèmes intimes. Mais certains couples utilisent les leurs comme des pions sur l'échiquier de leurs

161

affrontements. L'une des tactiques les plus courantes consiste pour l'un des parents à « monter » l'enfant contre l'autre parent. Il espère ainsi le priver de l'amour de son enfant pour lui montrer « ce que ça fait ». L'utilisation de l'enfant comme instrument de vengeance atteint sa forme extrême avec l'enlèvement pur et simple, qui n'est malheureusement pas rare.

Le suicide

Environ un mois après son déjeuner avec Jonas, Deborah était plus déprimée que jamais.

Je n'avais aucune nouvelle de lui depuis plusieurs semaines et je savais qu'il serait inutile et même humiliant de l'appeler. Et puis tout allait mal. J'avais envoyé des photos de mes tableaux à différentes galeries et elles me revenaient toutes avec un refus poli. J'ai voulu recommencer à peindre mais je me suis trouvée complètement bloquée. J'ai dû emprunter de l'argent à ma mère pour couvrir les frais de mes extravagances, et nous nous sommes disputées au téléphone. En raccrochant, je me sentais très peu aimée, très peu talentueuse, très inutile. J'ai bu du vin et j'ai pleuré à gros sanglots sur la futilité de mon existence. Tout d'un coup, je me suis retrouvée dans la salle de bains en train de vider un tube de comprimés dans le creux de ma main. En même temps, j'imaginais Jonas apprenant la nouvelle et s'écroulant complètement, tout le monde le considérant comme responsable.

Deborah eut de la chance. Sa meilleure amie lui téléphona au moment où elle avalait son troisième comprimé.

Je n'arrivais plus à articuler. Je hoquetais. Cathy m'a ordonné de ne rien faire, sinon elle appelait la police. Elle est arrivée très vite et m'a fait vomir les comprimés. Elle était furieuse et m'a sorti tout ce qu'elle avait sur le cœur. Cela m'a fait du bien de l'entendre dire que Jonas était un type sans envergure, tout juste bon pour une aventure, et qu'il serait ridicule de mourir pour lui. Elle a aussi insisté pour que je fasse une thérapie et c'est grâce à elle que je suis ici.

Les dépendants qui tentent de se suicider ont une compréhension intuitive du paradoxe de la passion. Ils savent qu'il existe une corrélation insidieuse entre leur attachement passionné pour le dominant et le détachement de celui-ci. S'ils ont un tempérament dépressif, constater qu'ils ne peuvent s'empêcher d'aimer celui qui les tourmente leur fait considérer le suicide comme la solution idéale.

Et les voilà soudain très calmes, très sûrs d'eux. Le suicide va résoudre tous leurs problèmes : mettre un terme à leur souffrance, les libérer de leur dépendance affective et obliger le dominant à payer tout le mal qu'il leur a fait en se trouvant affligé de la pire des culpabilités, une mort sur la conscience.

Les amoureux déçus sont nombreux à vouloir se suicider, mais ils restent presque tous conscients du fait que leur angoisse va s'estomper avec le temps. Deborah avoue qu'elle aurait probablement été trop lâche pour aller jusqu'au bout de son geste. Mais elle est heureuse que l'intervention de son amie l'ait empêchée de le savoir.

La vengeance ultime

Il n'est pas rare que le rejet de leur partenaire suscite dans l'imagination des dépendants des fantasmes de meurtre. Ces fantasmes ont même une fonction thérapeutique. Mais ce qui est inquiétant, c'est le nombre de dépendants délaissés qui assassinent effectivement leur partenaire. Selon les statistiques du F.B.I., environ 30 p. 100 des femmes assassinées le sont par un mari ou un amant rejeté. Et si le nombre d'hommes n'est que de 6 p. 100, il ne faut pas perdré de vue que seul un faible pourcentage de meurtres sont commis par des femmes.

Bien sûr, le meurtre est toujours la manifestation de problèmes psychologiques plus vastes, résultant d'une incapacité totale à gérer ses émotions, rage, frustration, impuissance. Le dépendant qui tue son partenaire utilise le seul moyen qui lui reste pour le contrôler. Il dit en fait : « Si je ne peux pas l'avoir, personne d'autre ne l'aura. » S'il est normal d'éprouver de la colère, il n'est jamais excusable ni justifiable d'en arriver à des actes de vengeance violents. Dans un prochain chapitre, nous évoquerons des façons plus saines d'exprimer sa colère.

Toucher le fond

Comme l'alcoolique ou le drogué, le dépendant se retrouve un jour au fond du gouffre. La violence éthylique de Charles et la tentative de suicide de Deborah sont des exemples de cette chute devenue soudain vertigineuse. Mais une fois au fond, on ne peut que remonter, entamer un processus de renaissance. Paul, quant à lui, atteignit ce point décisif d'une façon moins dramatique mais tout aussi nette peu de temps après l'épisode du pique-nique.

J'étais dans mon café préféré, en train de manger des gâteaux et d'écrire à Laura, quand j'ai soudain levé les yeux et aperçu mon reflet dans un miroir. J'avais le visage bouffi et le menton maculé de crème jaune. Répugnant, ce type de trente-cinq ans avec des bourrelets, les poches vides et le crâne dégarni! Et pour couronner le tout je venais de prouver que je pouvais me conduire comme un parfait crétin.

Ce jour-là, Paul décida de faire du sport et d'oublier Laura. Il téléphona le soir même à Daphné pour l'inviter à dîner et à un concert en fin de semaine.

Toucher le fond permet au dépendant de cesser de se conduire en dépendant car, ne pouvant pas tomber plus bas, il commence à remonter.

Tous les dépendants ne vivent pas ce genre de moment décisif. La plupart vont cesser de souffrir et se détourner du dominant progressivement, très progressivement. La victoire sera acquise quand le dépendant pourra passer une journée entière sans penser au dominant.

Renaissance : redevenir soi-même

À la première étape de la séparation, le dépendant est encore totalement focalisé sur le dominant et sur la souffrance qu'il endure. Ses émotions sont encore largement investies dans le couple. La deuxième étape commence quand son énergie se détourne du dominant et de la souffrance pour s'investir dans la recherche d'une vie nouvelle. C'est ce processus de désinvestissement qui marque l'entrée du dépendant dans la reconquête de son indépendance. Le moyen le plus rapide, mais pas nécessairement le meilleur, est souvent la rencontre avec un nouveau partenaire.

Nouveau départ

Qu'ils soient abandonnés ou encore accrochés à une relation déséquilibrée, les dépendants vont chercher l'aventure pour la même raison : la nécessité de retrouver leur intégrité personnelle.

Même persuadé intellectuellement qu'un nouveau partenaire le rendra plus heureux, le dépendant peut avoir du mal à s'intéresser à quelqu'un d'autre. C'est ce qui est arrivé à Béa lorsque Richard, l'interne avec qui elle sortait avant de rencontrer Michel, l'invita à dîner.

J'ai eu un moment de surprise quand il m'a appelée. Cela faisait un peu roman-photo, vous savez, quand les hommes se mettent à tourner comme des vautours autour de la jeune divorcée... Je n'en étais pas encore là, d'ailleurs. Avec Richard, j'avais eu l'impression que notre relation était assez superficielle, mais apparemment il n'avait pas apprécié que je le quitte. Il se prenait un peu trop au sérieux pour mon goût, mais je savais que Michel en avait peur et c'est sans doute en partie pour ça que j'ai accepté de le revoir. Sans compter qu'il est toujours agréable pour une femme d'être sollicitée. À la fin de notre premier rendez-vous, j'ai dû me forcer pour l'embrasser, mais au deuxième, je me suis laissé séduire. Pas facile d'avoir l'air aussi enthousiaste que lui, pourtant. Après, il m'a dit : « Au fond de toi-même, tu es toujours mariée. »

166

Aux yeux de Béa, Richard ne pouvait pas remplacer Michel, mais son irruption inopinée satisfaisait deux besoins immédiats : se sentir à nouveau désirable et se venger de Michel. Le dépendant espère souvent qu'une nouvelle liaison va détourner ses pensées du dominant, mais c'est rarement le cas.

Curieusement, le dépendant peut aussi avoir l'impression d'être déloyal et redouter de s'engager dans une autre relation. D'où une certaine réticence, comme le raconte Béa.

> Je sais que cela peut paraître idiot, considérant ce que Michel m'a fait, mais j'ai eu l'impression de le trahir en couchant avec Richard. En plus, j'avais peur que, s'il l'apprenait, nous n'ayons plus aucune chance de nous réconcilier.

Béa conserva donc ses distances avec Richard. (« Je n'en étais pas au point d'imposer à Chloé des pseudo-papas au petit déjeuner. ») Par contre, quand Paul reprit contact avec Daphné, ses motivations étaient différentes.

> Quand j'ai emmené Daphné au pique-nique, c'était pour me servir d'elle. Mais j'ai admiré la façon dont elle s'est comportée. Elle a compris ce qui se passait et, pour la convaincre de me revoir, j'ai dû user de persuasion. Mais quand elle a enfin accepté, j'ai eu l'impression que mon horizon s'éclairait. J'avais perdu tout intérêt pour les émotions violentes genre montagnes russes. Ce qui me plaisait chez Daphné, c'était qu'elle avait une personnalité déjà formée, pas en train de se chercher comme Laura. Mais elle était peut-être moins intéressante.

Tout en reconnaissant que Laura l'obsédait encore, Paul était déterminé à en finir une bonne fois avec sa dépendance passionnelle. La soirée au concert avec Daphné lui rendit le sens de sa dignité.

> Ce qui m'a fait chaud au cœur, c'est qu'elle me prenne le bras en sortant du concert. C'était tellement naturel, tellement simple et chaleureux. Je me suis senti fort à nouveau. Daphné avait très clairement exprimé qu'elle ne voulait pas s'engager à la légère, étant donné ma situation, et je respectais sa décision. Nous nous sommes vus encore plusieurs fois et, quand nous avons finalement fait l'amour, je n'ai pas pensé à Laura pendant au moins quatre heures d'affilée.

Paul vivait le plaisir de réinvestir ses émotions dans une nouvelle liaison. Ce faisant, il créait sans le savoir la possibilité d'inverser le cours de sa relation avec Laura.

L'effet boomerang

Sortant avec Daphné, Paul commença à éviter Laura. Mais la rumeur lui apprit que Luc l'avait laissée tomber après l'échec du procès qu'ils défendaient ensemble. Paul fut donc surpris mais sans excès de la voir entrer un jour dans son bureau.

> Elle prenait un air dégagé, mais je voyais bien qu'elle était anxieuse. Elle m'a demandé si elle pouvait toujours me considérer comme un ami parce qu'elle avait vraiment besoin d'un ami, quelqu'un qui la connaisse bien. Apparemment, elle s'était très vite éprise de Luc, mais « ça n'avait pas marché ». Elle dit aussi qu'elle se reprochait énormément de m'avoir délaissé et finit par me proposer de dîner avec elle. Je lui dis que je passais la soirée avec

Daphné mais que nous pouvions déjeuner ensemble le lendemain. Elle a eu l'air un peu déçu.

Paul était dérouté mais plutôt content. Il savait que Daphné ne serait pas enchantée d'apprendre qu'il déjeunait avec Laura, mais il était vraiment inquiet pour elle. Son air malheureux éveillait sa sympathie. Par ailleurs, ils déjeuneraient en amis et il n'avait pas à s'en cacher. Il préféra pourtant ne rien dire à Daphné.

Le pouvoir change de camp

La situation qui surprit Paul s'explique très bien à la lumière du paradoxe de la passion. Après avoir beaucoup souffert, Paul avait retrouvé un certain équilibre. Il avait entrepris une nouvelle relation qui, sans être passionnée, n'en était pas moins importante et construite sur des bases solides. Il avait repris le contrôle de lui-même et de tous les domaines de sa vie.

Laura, elle, s'en était beaucoup moins bien sortie. Elle avait cherché un partenaire plus romanesque et l'avait trouvé. Mais ce qui lui plaisait surtout dans leur relation, c'était que pour une fois elle occupait la position dépendante. Luc l'avait quittée, chose qui ne lui était pas arrivée « depuis le lycée ». Elle avait également essuyé un revers professionnel. Doublement blessée dans son amour-propre, elle était venue chercher du réconfort auprès d'un homme qu'elle croyait encore en son pouvoir. Mais son optique changea quand elle apprit que Paul sortait avec Daphné. À nouveau hors d'atteinte, Paul retrouvait son aura de partenaire à conquérir. La seule différence, dont elle ne tint pas compte, c'était qu'ils opéraient maintenant à des niveaux de pouvoir différents. En fait, leurs positions respectives étaient presque inversées. Pendant le déjeuner, Paul remarqua d'ailleurs qu'il n'avait plus affaire à une déesse.

Laura était mortelle ! Elle se comporta vraiment en amie et rien d'autre. Elle venait de passer un moment difficile, elle avait besoin d'une épaule pour pleurer. J'essayai d'imaginer que je l'aimais comme avant, mais tout ce que je voyais, c'était son égocentrisme et le petit bouton près de sa lèvre. C'était incroyable de la regarder autrement qu'avec les yeux de l'amour. Et ça m'a fait tout drôle quand elle s'est mise à vouloir flirter.

Paul ne savait que faire de ce pouvoir, nouveau et indéniablement plaisant, dont il disposait maintenant avec elle. Laura manifestait ouvertement son besoin de reconnaissance et d'amour. À la fin du repas, elle dit à Paul qu'à son avis Daphné n'était « pas assez bien » pour lui.

Blessure narcissique du dominant

Lorsqu'un dominant découvre que son ex-partenaire l'a remplacé, il n'est pas rare que leurs positions de pouvoir respectives s'inversent brusquement. Michel raconte comment il a réagi en s'apercevant que Béa sortait avec Richard.

Je suis devenu complètement dingo. Béa commençait à me manquer sérieusement et, un soir, je me suis mis en tête d'aller la voir. J'arrive à la maison, je sonne, et c'est la garde de Chloé qui m'ouvre la porte. Surprise de me voir, elle me dit que Béa est sortie. Je lui dis de s'en aller, que je vais rester avec Chloé, et je me rends compte qu'elle est très mal à l'aise. Brusquement, je comprends. Béa est sortie avec un mec ! Cela me poignarde sur place. Je reprends ma voiture, je tournique pendant une bonne heure, j'achète une bouteille de vodka et je me gare à proximité de la maison. Une vingtaine de minutes plus tard, une Jaguar s'arrête. Béa en descend et je vois qu'elle est avec son ancien amant, Richard. Quelle claque ! Je suis rentré chez moi et j'ai démoli un mur à coups de poing.

Michel avait reçu une blessure narcissique, choc capable de déclencher une rage animale, même chez les plus raisonnables. Il ne faisait aucun doute pour lui que Béa, même furieuse, serait disposée à reprendre la vie commune s'il le lui demandait. Son histoire avec Monique s'était dégradée — elle avait un goût excessif pour la cocaïne — et il commençait à regretter le « doux cocon » familial. Béa lui avait toujours dit n'être pas très amoureuse de Richard mais il en doutait, surtout maintenant.

Le lendemain, Michel s'efforça de voir le « bon » côté des choses. Puisque Béa sortait avec Richard, il n'avait plus à se sentir coupable de partir, de reprendre vraiment sa liberté. Mais son désir d'aventures était apparemment épuisé, tari. Béa lui échappait et le paradoxe de la passion la parait à nouveau de tous les attraits de l'inaccessible. C'était *elle* qu'il voulait.

Affolement du dominant

Avec naïveté et un brin d'arrogance, Laura considérait Daphné comme un danger négligeable. Mais la réserve de Paul à son égard l'avait plus que surprise.

Lors de leur précédente conversation, quand elle avait reconnu sa liaison avec Luc, Paul ne lui avait-il pas juré que si elle changeait d'avis il serait toujours là pour elle, que son amour était éternel?

Quand Luc m'a plaquée, et c'est le mot exact, je me suis sentie complètement stupide. J'avais lâché un type extraordinaire, Paul, et renoncé à tout ce qu'il pouvait m'offrir. On croit toujours qu'ailleurs l'herbe est plus verte. Mais maintenant j'ai l'impression d'avoir fait des progrès, de savoir ce que je veux, ce qui me convient. Et c'est Paul. Pendant notre déjeuner, il m'a dit qu'il ne pouvait pas me faire confiance... et ça m'a fait mal. Mais je ne peux pas lui en vouloir. Il me reste à lui prouver que j'ai changé, que nous sommes vraiment faits l'un pour l'autre, que Daphné n'est qu'une position de repli pour lui. J'ai vraiment l'intention de l'épouser. En fait, je crois que c'est la peur de m'investir qui m'a poussée dans les bras de Luc. Inconsciemment, je n'ai jamais cessé d'aimer Paul. On rencontre tellement peu d'hommes valables... J'ai été terrifiée à l'idée que je l'avais peut-être perdu et je vais me battre pour le récupérer.

Laura était maintenant en position de demandeur. Après avoir provoqué la séparation, elle démontra le sérieux de ses intentions en proposant qu'ils fassent une thérapie de couple. C'était un véritable défi lancé à Paul puisqu'il avait lui-même proposé cette solution au début de l'histoire avec Luc.

En découvrant la liaison de Béa, Michel s'était senti trahi et furieux. Mais une autre émotion le prit par surprise.

L'amour fou. On avait couché ensemble une fois, après mon départ, et c'était fantastique, mais là, j'étais plus amoureux que jamais. Je me suis arrangé pour la voir, quelques jours après l'épisode Richard, sans lui dire que j'étais au courant. Elle était superbe. Comme elle retravaillait à mi-temps, elle était élégante et bien maquillée. Mais son attitude était plutôt formelle et j'ai eu le trac de lui révéler mes sentiments. D'ailleurs, j'avais les mains moites.

Comme Laura, Michel faisait connaissance avec la « frousse du dépendant », la peur d'avoir perdu un partenaire par incapacité ou maladresse. Il ne savait pas trop comment se comporter et découvrait la distance des dominants dans la politesse de Béa. Ce qu'il ignorait, c'était si cette froideur était calculée pour le mettre à l'épreuve avant de le reprendre ou si sa femme avait vraiment cessé de l'aimer.

Reconquête : l'offensive du dominant

Peu après leur « réconciliation », Laura invita Paul à dîner.

Elle m'a dit qu'elle comprenait mon hésitation à lui faire de nouveau confiance et qu'elle respectait le fait que je sorte avec quelqu'un d'autre, mais que l'enjeu était trop important pour qu'elle abandonne sans combattre. Elle m'a invité à dîner chez elle. Contre toute logique, j'ai accepté. Elle venait de subir de sérieux revers et je n'avais pas le cœur de la faire souffrir davantage. Elle a préparé un dîner presque identique à celui de notre premier soir. Elle était très belle et portait un parfum capiteux. La magie de la première fois n'y était pas, mais on ne résiste pas à Laura. Nous avons fait l'amour.

En reconstituant l'atmosphère de leur première rencontre sexuelle, Laura passait évidemment à l'offensive de reconquête. D'après Paul, elle avait reconnu l'ironie de la situation en plaisantant sur son dîner et en prétendant qu'elle ne connaissait pas d'autre recette. Mais elle n'avait pas vu à quel point son comportement ressemblait à celui de Paul quand il avait senti sa froideur à elle. Elle croyait simplement vouloir séduire Paul mais en fait elle reconnaissait humblement s'être trompée en le laissant partir et s'efforçait de lui démontrer sa sincérité et sa loyauté. Elle pensait que cela suffirait pour regagner son amour, mais c'était ignorer le paradoxe de la passion.

Avant d'entreprendre son offensive de reconquête, Michel prit la peine de planter le décor. Il voulait convaincre Béa que celui qui était tellement désagréable avant la séparation n'était pas le vrai Michel, mais un être soumis à des tensions insupportables et que seules les circonstances les avaient éloignés l'un de l'autre. Béa reçut une lettre de lui.

Une lettre tellement mignonne. Michel écrivait que ses horaires prolongés l'avaient rendu irritable. Et les exigences de ses associés, bien sûr. Il disait aussi qu'il avait beaucoup de mal à concilier ses « deux identités », celle du « noceur impénitent » et celle du « père de famille ». Il ajoutait que pendant un moment il avait regretté de s'être « rangé », mais que c'était certainement la meilleure idée qu'il ait jamais eue.

Ensuite vinrent les fleurs, les petits cadeaux et, pour finir, un billet pour Hawaii au dos duquel il suggérait qu'ils devraient « mettre en chantier le bébé numéro deux ». Michel ne reculait devant rien pour reconquérir Béa.

L'ambivalence du dépendant

Quand le dépendant prend le contrôle de la relation, il hérite de l'ambivalence inhérente à la position de dominant. Voyant maintenant son partenaire plus clairement, il découvre un simple « mortel » et se demande parfois s'il l'a jamais vraiment aimé. Peut-être est-il tombé dans le piège de la dépendance dès le début. Après avoir goûté à la liberté, au plaisir et maintenant au pouvoir, il n'est pas sûr de vouloir revenir à son ancien partenaire. Ce serait peut-être un pas en arrière. Ses hésitations sont encore exagérées par l'hostilité qu'il a longtemps refoulée. Maintenant qu'il domine la situation, il peut exprimer sa rage sans crainte de s'aliéner l'ancien dominant. Son orgueil blessé lui souffle de le rejeter, ne serait-ce que pour lui donner une leçon. Il peut aussi craindre, s'il renoue la relation, de se retrouver en situation dépendante. C'est ce qu'exprime Béa.

> J'étais très tentée de partir pour Hawaii avec Michel, mais j'avais peur. Il me tenait à peu près le même discours qu'avant notre mariage, tout ce truc sur l'importance des valeurs familiales. Mais qu'est-ce qui nous empêchait de retomber dans les mêmes pièges ? Est-ce qu'il redeviendrait aussi monstrueux chaque fois qu'il aurait des soucis au restaurant ? Je désirais très fort avoir un autre enfant mais je craignais vraiment que cela nous fasse revivre les mêmes problèmes.

Les inquiétudes de Béa étaient effectivement justifiées. Bien des couples réconciliés reviennent à leurs anciens schémas relationnels destructeurs. Pourtant, la réconciliation peut aussi être le moment idéal pour que les deux partenaires apprennent à reconnaître les forces qui les agissent et mettent au point les stratégies qui leur permettront de les gérer au mieux. J'engage les couples ré-unis à profiter pleinement de leur seconde lune de miel, mais je les encourage aussi à se mettre au travail pour améliorer les bases de leur relation pendant qu'elle est encore égalitaire. Une fois ce travail réalisé, le couple sera en meilleure position pour affronter les inévitables visites du paradoxe de la passion.

Deuxième partie

Comment construire
un amour durable

7

BANNIR
LES SOLUTIONS HABITUELLES

Maintenant que vous connaissez les dynamiques émotionnelles qui détruisent l'amour dans un couple, nous allons étudier quelques manières de le reconstruire. Dans les chapitres suivants, nous effectuerons ensemble le parcours thérapeutique que je fais avec mes consultants. Ce faisant, nous examinerons certaines des prétendues solutions de « sauvetage » proposées pour résoudre les problèmes relationnels.

Les aventures d'un thérapeute

J'ai commencé à travailler sur le paradoxe de la passion parce que la thérapie de couple traditionnelle ne me satisfaisait plus. Comme bien des recherches, celle-ci m'a été inspirée par mon expérience personnelle.

Pendant la dernière partie de mes études, j'ai eu deux relations prolongées. Je n'avais pas encore formulé mes théories sur les déséquilibres du couple mais, rétrospectivement, il m'apparaît clairement que dans l'une des relations j'étais le dépendant, dans l'autre, le dominant. Bien évidemment, quand l'amour s'est transformé en souffrance, nous nous sommes tournés vers la thérapie de couple. Dans les deux cas, la relation n'a pas pu être sauvée, mais ce qui m'a surpris, c'est la différence absolue entre la position de dominant et celle de dépendant dans la situation thérapeutique.

En tant que dépendant, j'étais ravi. Le thérapeute faisait tous ses efforts pour « sauver » la relation, répondant ainsi à mes plus chers désirs. Mais ma partenaire dominante se lassa bien vite de la thérapie, comme elle s'était lassée de notre relation (à mon grand étonnement, puisque je l'aimais tant).

Ensuite je fis la même expérience en tant que dominant. Quel contraste ! Je fus enthousiasmé par les premières séances où la thérapeute examinait nos problèmes avec beaucoup de sympathie. Mais, dès qu'elle se mit à nous proposer des stratégies, quelque chose changea pour moi. Je sentis qu'elle exerçait une pression subtile mais insistante pour que je me montre plus présent, plus aimant avec ma partenaire. Exactement ce que faisait ladite partenaire. Paradoxalement, plus on insistait pour que je me rapproche, plus je ressentais le besoin de m'éloigner — de ma partenaire *et* de la thérapie.

Peu de temps après, je commençai à exercer moi-même. Et je constatai le même phénomène chez la plupart des couples que je recevais : progrès au début et désintérêt rapide du partenaire dominant. J'y gagnai une meilleure compréhension de ce qui s'était passé pour moi, et ma théorie commença à prendre forme.

Les solutions habituelles : culpabiliser le dominant

Considérons un exercice très classique souvent proposé par les conseillers conjugaux — celui que j'appelle la solution « souper aux chandelles » — où il est recommandé au couple de partager plus d' « intimité amoureuse ». Pour le dépendant, c'est un cadeau inespéré. Il va enfin recevoir l'attention qu'il désire, qui lui est nécessaire. Il reprend espoir. Ces moments d'intimité sont censés lui révéler tout l'amour latent que son partenaire a peur d'exprimer.

Quant au dominant, il va soit accepter bravement le contrat, soit se montrer sceptique ou récalcitrant. J'ai découvert que la plupart des dominants trouvent ce genre d'exercice forcé et artificiel, tout en souhaitant sincèrement qu'il serve à quelque chose. Dans la pratique ils ne font que remplir leur contrat en accomplissant les gestes requis mais avec l'impression de tricher, de se forcer, d'être hypocrites. Et j'affirme que cela n'est pas thérapeutique.

Si ces exercices d' « intimité amoureuse » provoquent souvent l'inverse du résultat escompté, c'est parce qu'ils véhiculent trois messages non dits mais négatifs pour le couple. Ils impliquent :

1. Que le problème essentiel est la résistance du partenaire distant à créer l'intimité.

2. Que ce problème peut s'arranger pour peu que le partenaire distant change et s'ouvre à l'amour.

3. Que le partenaire frustré est le « bon » puisqu'il milite en faveur de l'amour. Il devrait donc obtenir ce qu'il veut — plus d'intimité — sans avoir à faire le moindre travail sur lui-même.

Même subtilement communiqués, ces messages culpabilisent le dominant, qui se sent vexé, exclu et furieux de ne pas être compris. Cela risque de compromettre jusqu'à ses tentatives de réconciliation les plus sincères.

Ces exercices supposent aussi que le dominant doit

faire l'essentiel du travail. C'est lui qui a peur, qui est bloqué ou hostile, c'est lui qui doit « s'amender ». À force de s'entendre dire, par le thérapeute et par le dépendant, qu'il devrait éprouver de l'amour, il lui devient de plus en plus difficile de le faire. La thérapie de couple traditionnelle risque donc de donner au dominant la sensation d'être encore plus contraint, encore plus prisonnier qu'avant.

Mon expérience, tant personnelle que professionnelle, m'a fait comprendre une chose essentielle : *le partenaire distant est aussi victime de la dynamique destructrice de la relation que le partenaire aimant ; toute pression de la part du thérapeute pour l'inciter au rapprochement ne peut qu'invalider sa souffrance.*

Ma démarche ne consiste pas à *favoriser* le dominant, bien que ce soit lui qui risque de partir. J'ai découvert par ma pratique que le dominant se trouve infiniment soulagé lorsque je définis les problèmes du couple avec *neutralité,* en termes de dynamiques destructrices. Et il ne se dérobe pas quand je prescris au couple différents exercices. Je demande *aux deux partenaires* un gros travail sur eux-mêmes. La nature de ces exercices m'est dictée par la reconnaissance et le respect de la souffrance de chacun. Quand un dominant est compris plutôt que condamné, il se sent mieux, plus à l'aise par rapport à la relation. On peut alors raisonnablement espérer une renaissance de l'amour.

Les solutions habituelles : fatalisme morbide

Je préfère travailler sur le présent, sur ce que j'appelle les « problèmes nodaux » de la relation, c'est-à-dire les dynamiques qui la déséquilibrent. Je m'intéresse moins au passé, même aux problèmes d'enfance qui peuvent influer sur le présent. J'ai tout simplement constaté que cette approche était plus efficace, sauf dans les cas extrêmes. Je compromettrais certainement ma réputation au sein de l'Association des psychologues en affirmant que les expériences de l'enfant n'ont pas d'incidence profonde sur les réactions de l'adulte. Mais je suis persuadé que les bénéfices thérapeutiques du traitement des problèmes liés à l'enfance sont largement exagérés par la plupart des thérapeutes professionnels. En cherchant des solutions dans le passé, on risque fort d'oublier de résoudre les problèmes du présent. Pis, en exagérant la responsabilité du passé, on risque de décourager les deux partenaires. C'est ce que j'appelle le « fatalisme morbide ».

Le fatalisme morbide consiste à dire quelque chose comme : si vous avez des problèmes relationnels, c'est que vous avez grandi dans une famille dysfonctionnelle, avec des parents dysfonctionnels qui vous ont donné un modèle faussé de ce que doivent être les relations d'amour. Vous êtes condamné, pour le reste de votre vie, à rencontrer des partenaires qui vous rendront aussi malheureux que vos parents. Si vous réussissez finalement à vous libérer d'un de ces partenaires, je suis désolé, mais vous allez vous précipiter dans les bras d'un autre exactement semblable. Ce nouveau partenaire peut vous *paraître* différent du premier, mais vous constaterez très vite qu'il se cachait seulement derrière un habile déguisement.

Cela vous rappelle quelque chose ?

Dans *C'est cuit, dit-elle,* Nora Ephron donne un bon exemple de ce fatalisme morbide. L'héroïne du roman, Rachel, s'entend expliquer par sa thérapeute, Véra, pourquoi elle a épousé un homme qui ne pouvait que la quitter.

« Tu as choisi cet homme, dit Véra, parce que sa névrose rimait avec la tienne. » J'aime Véra, je l'aime sincèrement, *mais ne nous arrive-t-il jamais rien que nous n'ayons souhaité?* « Tu l'as choisi parce que tu savais que ça ne marcherait pas entre vous », « Tu savais que ses névroses correspondaient parfaitement aux tiennes », « Tu le fréquentes parce que tu savais qu'il te frustrerait comme ta mère ou ton père ». C'est ce que vous disent tous les analystes. Mais en vérité, quoi que vous fassiez, rien ne va jamais ; vos névroses s'accordent monstrueusement bien ; l'homme que vous élirez vous frustrera comme votre père et votre mère. « Vous avez choisi la personne au monde qui vous convient le moins. » Mais ça n'a rien d'extraordinaire — c'est la vie. Chaque fois que vous vous retournez, vous tombez dans les bras de la personne au monde qui vous convient le moins... Regardons les choses en face, celui ou celle qui vous attire est justement celui ou celle que vous devriez éviter.

Avec humour, ce passage montre bien comment le fait d'exagérer l'importance du passé peut encourager le pessimisme. Pareille optique risque aussi de nous éloigner des problèmes normaux, prévisibles de l'amour, problèmes qui peuvent être compris et résolus.

Cela ne veut pas dire que j'exclue systématiquement toute référence à l'enfance. Certains problèmes de couple sont évidemment causés par des schémas relationnels défectueux. Ces schémas, essentiellement formés dans l'enfance, peuvent prédisposer un individu à se retrouver toujours en position dominante ou toujours en position dépendante. Quand c'est le cas, nous exhumons les influences du passé pour trouver la meilleure façon d'améliorer les relations du patient avec son partenaire et tout son entourage. Je reviendrai sur cette question dans un prochain chapitre. La deuxième partie de ce livre présente mon approche thérapeutique personnelle. Les premiers chapitres sont consacrés à la transformation des dynamiques relationnelles présentes ; les suivants montreront comment certains types de personnalité peuvent engendrer ces dynamiques et comment les équilibrer.

Les hommes sont-ils tous des salauds ?

Une autre forme de fatalisme morbide consiste à mettre tous les hommes dans le même sac en les taxant de froideur et de méchanceté, pour plaindre toutes les femmes, pauvres victimes hypersensibles. C'est la tendance exprimée par Béa quand elle définit, à ma demande, le plus grand problème de Michel.

Finalement, je crois qu'il est comme tous les autres et que je me berçais d'illusions en le croyant différent. L'histoire est tellement banale. Le type fait comme s'il s'intéressait vraiment aux mêmes choses que vous et il se révèle un beau jour tel qu'il est, uniquement préoccupé de paraître aux yeux des autres et de faire ce qu'il veut. C'est triste mais c'est vrai. Les hommes sont incapables de s'investir vraiment dans une relation de couple.

Je lui demandai ensuite si elle s'était déjà sentie distante dans une relation.

Voyons... Pas vraiment. Un peu. Au moment où j'ai rencontré Michel, je fréquentais deux hommes. Je pense que Richard prenait notre relation au sérieux. Nous sortions ensemble depuis près d'un an, mais pour moi il était hors de question que les choses aillent plus loin et nous n'en avons même pas discuté. Après avoir rencontré Michel, j'ai un peu snobé Richard.

Je lui ai demandé si elle voyait un parallèle entre son attitude et celle de Michel. Après avoir protesté que « la situation était complètement différente », elle reconnut qu'effectivement les femmes peuvent, elles aussi, « éviter de s'engager ».

Les stéréotypes habituels tendent à placer les hommes en situation dominante et les femmes en situation de dépendance. De l'homme, nous attendons qu'il soit ambitieux et fort, de la femme qu'elle soit maternante et douce, images que nous transmettons à nos enfants de façon subtile. Et il existe encore un gouffre de différence entre les pouvoirs respectifs des hommes et des femmes sur le marché du travail ainsi que dans les tâches domestiques. (Les déséquilibres provoqués par les stéréotypes sexuels sont signifiants et j'en parlerai plus tard.)

Mais la tendance généralisée à « enfoncer » les hommes est dangereuse pour plusieurs raisons.

Elle encourage les femmes à se prendre pour des victimes innocentes qui n'ont aucun besoin de reconsidérer leur rôle dans la relation.

En polarisant les rôles sexuels, elle entretient la dynamique du paradoxe.

Elle détourne les femmes du meilleur moyen d'échapper au schéma de la dépendance, c'est-à-dire affronter et démonter avec leur partenaire les dynamiques du paradoxe de la passion.

Elle détourne les femmes vers le pathologique. Une étude récemment réalisée à l'université de Yale a trouvé 36 p. 100 de femmes « moins investies que leur parte-

186

naire » — donc dominantes — et 45 p. 100 d'hommes moins investis. Les femmes sont peut-être plus enclines à devenir dépendantes mais elles ont souvent plus de pouvoir qu'elles ne l'imaginent dans le couple. En accusant les hommes d'être phobiques de l'engagement amoureux, elles risquent de se croire anormales si elles se retrouvent dominantes dans le couple.

J'expliquai à Béa combien il est important de comprendre que les stéréotypes sexuels peuvent influencer nos réactions. Mais j'insistai sur le fait qu'il était à la fois fataliste et improductif de régler son compte à Michel en le traitant de « macho ». C'est une attitude qui empêche la femme de trouver ou de retrouver l'égalité dans la relation parce qu'elle équivaut à une reddition sans condition.

Le paradoxe de la passion contient un message : l'espoir

Quand j'ai commencé à formuler mes idées sur les déséquilibres relationnels, je désespérais de construire un amour durable. Mes amis, mes consultants et moi-même avions du mal à maintenir nos relations à flot, et voilà que je découvrais une dynamique qui condamnait l'amour à l'échec.

Au début, je ne parlai pas à mes clients du paradoxe de la passion mais j'en discutai avec mes amis et mes collègues. Et, à ma grande surprise, au lieu de nous déprimer davantage, mes idées sur le paradoxe nous réconfortèrent.

Savoir, c'est pouvoir

Jacques, avocat de trente-cinq ans, marié à Jeanne depuis six ans, est un de mes meilleurs amis. Diplômée d'une grande école d'administration, Jeanne venait de décrocher un poste de responsabilité dans une grosse société au moment où je fis lire à Jacques la première mouture du présent ouvrage. Ses commentaires de lecture m'ont littéralement stupéfié.

Quand Jeanne a été engagée, j'ai compris qu'elle allait travailler avec un tas de jeunes cadres dynamiques, et cela ne m'enchantait guère. Rétrospectivement, je dirais que les « forces de la relation » me poussaient à des comportements parfaitement dépendants. L'appeler plusieurs fois par jour au bureau, par exemple, et insister pour qu'elle n'accepte aucun dîner d'affaires. Je lui rendais la vie insupportable. On se disputait constamment, pour des riens, et elle ne me racontait plus autant de choses qu'avant. J'ai commencé à me dire, très bien, si elle doit s'envoyer en l'air avec tous ces types, pourquoi ne pas m'y mettre moi aussi et trouver quelqu'un.

J'en étais là quand tu m'as passé ton manuscrit. Et j'ai eu le choc de ma vie. J'ai pu me dire, allons, calme-toi, tu réagis tout à fait normalement à une alternance de pouvoir entre nous. N'aggrave pas les choses en essayant d'étouffer Jeanne ou de la punir en faisant une bêtise quelconque. Et le simple fait d'avoir compris ça m'a permis de changer de comportement et de donner à Jeanne le soutien dont elle avait besoin. Mais le plus incroyable (ou peut-être était-ce prévisible) c'est que très rapidement elle est redevenue beaucoup plus tendre avec moi.

Ce sont des réactions comme celle-là qui m'ont aidé à voir le potentiel thérapeutique du paradoxe. J'ai compris que mes idées permettaient aux couples de gérer des problèmes qui, auparavant, les dépassaient. Après avoir été manipulé comme une marionnette par les forces centripètes du paradoxe, chacun pouvait maintenant se dire : « Ma réaction vis-à-vis de mon partenaire était parfaitement prévisible mais elle ne fait qu'aggraver la situation. Essayons de faire le point et de trouver l'attitude juste. »

Mes amis et moi-même avons ensuite découvert que notre connaissance du paradoxe ne nous mettait pas à l'abri de ses dynamiques, elle nous permettait simplement de nous rattraper avant de tomber. Nous apprîmes donc à repérer et à objectiver ces dynamiques pour nous-mêmes (et plus facilement encore les autres ; cela devint une sorte de jeu). Cette connaissance nous permit alors de trouver des comportements mieux adaptés. Dans le cas de Jacques, il lui suffit de faire taire ses angoisses et de donner à Jeanne la confiance dont elle avait besoin.

L'amour phénix

Le couple peut donc retrouver équilibre et harmonie, mais la magie des premiers moments peut-elle renaître alors qu'elle semble envolée pour toujours ? Le paradoxe de la passion permet de penser que oui.

L'état amoureux n'est pas exclusivement réservé aux premiers temps de la relation. Ce n'est pas non plus un état absolu où l'on est amoureux d'une personne ou pas. *L'amour est un sentiment relatif qui peut disparaître et réapparaître en fonction des dynamiques relationnelles qui opèrent entre les partenaires.*

Laura et Michel, par exemple, retombèrent amoureux de partenaires qu'ils croyaient ne plus aimer. Bien des dominants — vous-même, peut-être — recommencent à désirer un partenaire qu'ils ont volontairement quitté. (Le film *Shoot the Moon*, d'Alan Parker, donnait un exemple parfait de ce phénomène.) Le potentiel amoureux était toujours là, il disparaissait seulement sous le poids des mécanismes destructeurs.

Malheureusement, quand on ne connaît pas le paradoxe, on peut mettre sa relation gravement en danger avant de retomber amoureux de son partenaire. C'est le cas de Michel après son aventure avec Monique. Son infidélité avait amoindri la confiance de sa femme et réduit leurs chances de réconciliation.

L'expérience m'a prouvé que si l'on réussit à modifier les forces destructrices qui déséquilibrent un couple, on peut provoquer des revirements de situation inattendus. Le dépendant devient plus autonome et donc plus attirant pour le dominant. Celui-ci retrouve alors des sentiments amoureux qui n'étaient pas morts mais endormis. Et s'il est vrai que la passion haletante des premiers rendez-vous ne dure pas, les sentiments partagés dans un nouvel équilibre relationnel ont un charme et une fraîcheur indéniables.

Mon propos n'est pas de vous offrir « dix recettes infaillibles pour ranimer la passion », mais plutôt de vous montrer comment modifier vos modes relationnels pour donner à l'amour une chance de renaître.

Peut-on (et doit-on) sauver toutes les relations en péril ?

Certainement pas. Et ce serait une erreur de considérer comme un échec le fait de ne pas réussir à sauver une relation. Pour assurer notre survie, la nature a fait de l'amour un sentiment à la fois compulsif et aveuglant. Poussés par des forces primaires, nous pouvons très bien nous retrouver avec une personne qui satisfait nos désirs superficiels mais pas nos besoins profonds. Même si les deux partenaires étaient bien assortis au départ, ils peuvent avoir changé. L'un des deux a parfois évolué bien au-delà de l'autre, ce qui met la relation dans un déséquilibre pénible. Ils peuvent aussi avoir évolué de manière égale mais différente. C'est souvent le cas des couples mariés très jeunes, et cela m'a convaincu qu'il valait mieux se marier plus tard. (Aux chapitres 15 et 16, j'étudierai certaines caractéristiques déterminantes des relations qui marchent et de celles qui ne marchent pas.)

Je crois que presque toutes les relations méritent d'être améliorées. Le but de cet ouvrage n'est pas de sauver une relation en soi, mais d'aider chacun à trouver la satisfaction dans l'amour. Le distinguo est subtil mais important. Selon moi, la première chose à faire, c'est de déployer tous ses efforts pour alléger les mécanismes destructeurs à l'œuvre et faire revivre l'amour dans la relation. Si vous y réussissez, soyez heureux. Mais si la relation se déséquilibre de façon chronique et ne donne plus de satisfactions ni à vous ni à votre partenaire, n'y voyez pas un échec. C'est plutôt une réussite que de se libérer d'une relation frustrante. Attendez-vous à faire toutes sortes de découvertes sur vous-même et sur vos besoins en travaillant sur votre relation de couple. Elle ne marche pas bien ? Cela vous donnera une meilleure connaissance du type de partenaire que vous devez rechercher (ou éviter) à l'avenir. Rester dans l'ignorance des mécanismes qui régissent les relations vous précipitera au contraire vers la faillite qui consiste à passer d'un partenaire à l'autre sans jamais tirer profit de ses erreurs.

Certaines relations s'installent dans la violence et l'affrontement physique, ce qui les rend difficiles à sauver. Si vous êtes dans ce cas, faites appel à une assistance professionnelle aussi vite que possible, je vous en conjure. Que vous vous sentiez menacé ou capable de maltraiter votre partenaire, éloignez-vous physiquement de ce danger. Il existe quantité d'associations d'entraide, répertoriées dans les pages jaunes de l'annuaire à la rubrique : « Associations humanitaires, d'entraide et d'action sociale ».

Faites votre « plan de carrière » amoureux

Les spécialistes du comportement humain, de Freud à Ann Landers, affirment que l'individu psychologique-menbt sain est celui qui trouve le bonheur dans sa vie professionnelle et dans sa vie amoureuse. Les gens qui entreprennent une thérapie sont d'ailleurs presque toujours motivés par des problèmes d'ordre professionnel ou relationnel.

Cependant, il existe un déséquilibre étrange entre la façon dont nous envisageons vie professionnelle et vie affective. Considérez les années d'efforts que nous consacrons à notre profession. Études secondaires, examens, tests d'orientation et stages de formation ne sont que le prélude à la lutte permanente pour rester compétitifs et gagner de l'avancement.

Considérez maintenant la façon dont nous envisageons l'autre moitié de notre vie. Quels efforts faisons-nous pour acquérir les connaissances qui nous permettront de construire une relation forte ? Notre apprentissage se fait « sur le tas », à force de chercher l'aventure, nous impliquer, souffrir, prendre des distances, nous venger, chercher de nouvelles aventures, faire souffrir nos partenaires, etc.

J'aimerais vous convaincre d'entreprendre votre éducation sentimentale avec autant de sérieux que n'importe quel apprentissage difficile. Mettez-vous dans l'état d'esprit d'un chercheur et expérimentez les stratégies que je vous propose. Comme dans n'importe quel travail expérimental, vous obtiendrez des résultats encourageants et des résultats décevants. Mais jamais vous ne connaîtrez l'échec car vous apprendrez au moins la valeur de l'expérience et du discernement. Ne perdez pas de vue le but qui doit être le vôtre : découvrir les dynamiques relationnelles et les utiliser pour construire avec votre partenaire un amour fort et durable.

Efforcez-vous d'adopter une attitude active et responsable. Imaginons par exemple que vous soyez dans une soirée complètement ratée. Vous pouvez vous contenter de faire des commentaires désobligeants ou mettre un disque de rock et faire danser tout le monde. Si vous assistez à une conférence ennuyeuse, allez-vous subir votre supplice en silence ou poser les questions qui provoqueront une discussion intéressante ? Pour reprendre l'exemple du travail, si vous êtes confronté à une situation difficile, un problème qui dépasse votre compétence, vous pouvez refuser d'affronter l'obstacle ou adopter une attitude active et décidée, sérier les problèmes, consulter des experts et prendre des risques en essayant diverses solutions. Je vous engage à lire ce livre dans cet état d'esprit déterminé et positif de façon à profiter de ce qu'il peut vous enseigner.

Mais n'oubliez pas que ce qui compte, c'est la satisfaction d'avoir essayé, quel que soit le résultat de vos efforts pour améliorer la relation.

8.

COMMUNIQUER

Comment rééquilibrer la relation
par le dialogue

Au début de sa thérapie, l'une des premières choses qu'a mentionnées Louise c'est qu'elle ne savait plus comment parler à Charles. Quand elle lui racontait sa journée à la boutique, cela le renvoyait durement à sa propre inactivité, quand elle faisait la moindre réflexion sur sa conduite, il se mettait en colère, claquait la porte et disparaissait pendant des heures. Elle finit par renoncer. « Je me suis dit que s'il avait envie de parler, il n'avait qu'à venir me trouver », dit-elle. Elle savait, au fond, qu'il n'en ferait rien et cela la soulageait.

Quand une relation se détériore, la capacité des partenaires à communiquer se détériore également. Un mur de silence s'élève entre eux comme entre Louise et Charles ou bien leurs échanges deviennent incessants et négatifs : cris, reproches, accusations, critiques.

C'est un cliché, mais comme la plupart des clichés, il est vrai, la clé d'une bonne relation réside dans une bonne communication. En reconnaissant la valeur curative de la communication, je partage l'avis de tous les thérapeutes. Mais je me démarque de la plupart d'entre eux sur la nature et le contenu des échanges.

Les effets du déséquilibre sur la communication

Tous les couples victimes du paradoxe ont un point commun : l'un des partenaires a de plus en plus besoin de la relation tandis que l'autre en a de moins en moins besoin. Cela ne veut pas dire que tous les couples déséquilibrés partagent les mêmes difficultés de communication. Dans ma pratique, j'ai pu observer trois catégories de communication défectueuse. Si vous avez régulièrement des difficultés d'échanges (tout le monde en a par moments), il vous sera utile de savoir à laquelle de ces catégories appartient votre couple.

Le mur du silence

Le déséquilibre avait réduit Louise et Charles au silence ; Louise avait honte des sentiments hostiles qu'elle vouait à Charles et dépensait une énergie considérable à les dissimuler, tant à ses propres yeux qu'à ceux de son mari. Il lui restait donc peu de choses à partager avec lui.

Le silence de Charles était plus complexe. C'était, comme chez beaucoup de dépendants, une façon de masquer la profondeur de sa souffrance et de sa frustration. Les hommes préfèrent souvent souffrir en silence plutôt que de reconnaître leur vulnérabilité et manifester leur faiblesse. Mais le mutisme de Charles ne lui apportait rien.

Certains dépendants se taisent dans le but inconscient de profiter des dynamiques du paradoxe de la passion. En jouant les distants, ils espèrent attirer le dominant de la même façon que la distance du dominant les aimante.

D'autres se censurent par peur d'être rejetés. Ils ne

veulent pas faire de remous ni risquer d'indisposer le dominant. Bien des gens — et même des dominants comme Louise — ont horreur des conflits et préfèrent adopter une attitude conciliante qui leur assure la « paix à tout prix ».

Le silence peut aussi être un moyen de coercition. Par vengeance, les dépendants se refusent à tout échange comme à toute manifestation d'intérêt ou de tendresse. Sachant combien il est pénible de se sentir dédaigné, ils s'enferment dans une attitude « pseudo-dominante » de distance et de silence.

Le « mur du silence » caractérise donc un certain type de déséquilibre où le dominant est très ambivalent et culpabilisé par ses sentiments négatifs, tandis que le dépendant, comme Charles, se retire dans une indifférence vengeresse. Louise prononça une phrase que j'entends souvent dans des cas semblables : « Je ne savais plus quoi faire. Je ne voyais aucun moyen de modifier la situation sans l'aggraver. »

Les couples bloqués dans leur silence ont parfois des échanges violents et destructeurs. Ils se laissent aussi aller à des comportements extrêmes tels que l'alcoolisme, le travail forcé ou l'infidélité, pour manifester leur désespoir.

L'affrontement verbal

Le déséquilibre transforma les échanges de Béa et de Michel en affrontement verbal.

> Nous n'arrêtions pas de parler mais c'était pour nous disputer. Je lui faisais des reproches, il contre-attaquait. Ou c'est lui qui m'attaquait et moi qui me défendais. Nos disputes se terminaient souvent en règlements de comptes.

197

Après, nous avions quelques jours de calme avant de recommencer le même cycle.

Les dépendants ne sont pas tous des agneaux. Béa, par exemple, disait toujours ce qu'elle avait sur le cœur, sans en être toujours très fière.

Je pense qu'il y avait deux choses en jeu. D'abord j'étais blessée dans mon orgueil par la désertion de Michel. Je ne me sentais plus ni reconnue ni appréciée. Cela m'a rendue un peu... belliqueuse. Peut-être pour compenser mon sentiment d'impuissance. Et puis je crois que je voulais faire mal à Michel. Lui qui me faisait tellement souffrir avait l'air invulnérable. J'arrivais à le mettre en colère mais jamais à le blesser. Je suppose que c'est cela, vouloir se venger...

Michel éprouvait également sa part de rage et de frustration. Comme Béa, il s'exprimait volontiers, n'étant pas du genre à se contenir.

J'étais perpétuellement au bord de l'explosion, et pour des vétilles. Une lampe restée allumée pouvait me mettre en rage. J'avais l'impression que Béa faisait exprès de m'irriter. Alors je me laissais aller à lui faire des vacheries, des trucs personnels. En fait, je lui reprochais d'être ce qu'elle était. J'aurais voulu qu'elle soit différente, comme si cela pouvait nous sortir de l'enfer qu'était devenue notre vie.

En s'attaquant aux symptômes et non aux causes, Michel ne faisait qu'entretenir sa colère. Il appliquait la solution : « Tu ne pourrais pas être plus... » dans une tentative agressive de faire changer Béa. Mais ce genre de solution bloque la communication, entretient le déséquilibre et ne provoque jamais le résultat escompté.

On ne s'étonnera pas que l'affrontement verbal augmente le déséquilibre dans un couple. En effet, les récriminations et les exigences du dépendant provoquent la hargne et les critiques du dominant qui, à leur tour, entretiennent le dépendant dans son sentiment d'être mal-aimé, peu apprécié et impuissant, ce qui l'incitera à exprimer d'autres revendications et exigences.

L'un parle, l'autre pas

La troisième configuration est celle où l'un des partenaires devient silencieux tandis que l'autre pratique l'hypercommunication. Paul s'est mis à « parler pour deux » au moment où Laura s'investissait dans son travail (et dans sa liaison avec Luc).

> Laura commençait à prendre des airs distraits. Je me souviens m'être répété des listes de choses à lui dire avant nos rendez-vous. Rien ne paraissait l'intéresser. Certains jours où j'étais angoissé, j'avais envie de parler de nous pour m'assurer qu'elle m'aimait encore, mais c'était le sujet qui l'agaçait et l'ennuyait le plus. Elle détournait vite la conversation vers des choses moins personnelles comme le travail, par exemple. Ou alors elle s'impatientait et inventait un prétexte pour partir.

Confronté à l'indifférence de Laura, Paul utilisait des tactiques de reconquête. Ses tentatives d'ouverture visaient à la convaincre de revenir vers lui. Suivant les dynamiques du paradoxe, Laura sentit cette pression, se retira davantage, non sans culpabiliser d'avoir déjoué les tentatives de communication de Paul.

Dans la plupart des cas, c'est plutôt la femme qui s'exprime et l'homme qui se tait. Un autre couple en thérapie avec moi appartenait à cette catégorie. Raoul, mécanicien spécialisé, gardait ses distances et communiquait essentiellement sur le mode ironique. Sa femme, Marie, coiffeuse, était pétrie de sensibilité et d'émotion. Lui, le dominant, détestait les « scènes » et n'hésitait pas à y mettre fin en disparaissant au volant de sa voiture. Elle, la dépendante, s'emportait contre lui parce qu'il donnait si peu de lui-même. Son angoisse était encore aggravée par le fait que Raoul était « beau comme un dieu ».

Ce genre de schéma est difficile à modifier parce qu'il est enraciné dans un conditionnement sexuel qui recoupe la personnalité des partenaires — sujet dont il sera question dans les chapitres suivants. Pourtant, dès qu'ils se mettent à manier de nouveaux outils de communication, même les couples aussi mal partis que celui-là peuvent en tirer des bénéfices quasi immédiats.

De la difficulté de parler du paradoxe

Parler du paradoxe est difficile parce que cela oblige à reconnaître le déséquilibre dans le couple. Le dominant devra admettre qu'il doute et le dépendant devra en tenir compte. Mais le dépendant devra également admettre ses exigences et le dominant en tenir compte. Il s'agit donc pour les deux partenaires de voir et de donner à voir leurs peurs les plus soigneusement dissimulées.

Je ne recommande à personne de se lancer dans ce type de discussion sans savoir *comment* aborder ces questions. Oui, il est très dur d'exposer la vulnérabilité ou la force qui nous situe dans une relation. C'est pourtant une nécessité, mais il ne faut pas que cela soit une torture. Si ça l'est, dites-vous que votre méthode de communication est mauvaise.

On a tellement peur de révéler la « vérité vraie » de ses sentiments que l'on devient très habile à les dissimuler. Pour les dominants, c'est une question de délicatesse. Ils ne veulent pas accabler le dépendant en lui disant tout net qu'ils ne l'aiment plus. Ils préfèrent s'accuser eux-mêmes (« je ne sais pas ce que j'ai... ») ou se réfugier derrière leurs soucis extérieurs, le travail par exemple. Ces excuses deviendront le centre des discussions du couple — et de la thérapie traditionnelle — à la place des vrais problèmes.

Les dépendants ont leur fierté. Beaucoup se comportent en dominants (comme Charles) pour éviter de dévoiler leur faiblesse. D'autres feront chorus avec le dominant pour accuser ses défauts — surtout sa « peur de l'engagement » — d'avoir déstabilisé le couple.

Dominant et dépendant se sentent protégés par leurs techniques d'esquive. Mais si elles leur procurent effectivement une protection à court terme, à long terme elles mettent la relation en danger à force d'occulter les vrais problèmes. En discutant de ces vérités douloureuses à l'aide d'une bonne méthode, vous verrez qu'il est possible de se sentir beaucoup mieux.

Dire sans accuser

Après avoir travaillé avec des centaines de couples, j'ai trouvé un mode de communication qui allège la souffrance, unit les partenaires dans la recherche d'un nouvel équilibre et favorise leur intimité. Il modifie leur façon de parler et de penser et leur permet d'accéder aux causes profondes de la crise.

J'ai appelé cette méthode « dire sans accuser ». Son

but est de permettre au couple de sortir des discussions stériles pour s'attaquer au vrai problème : les dynamiques néfastes de la relation. Elle met en jeu différentes stratégies. Grâce à ces stratégies, vous pourrez ramener l'équilibre dans la relation par le dialogue. Même si un seul des partenaires pratique cette méthode, les bénéfices en seront considérables.

Apprendre à dire sans faire de procès, c'est un peu comme apprendre une langue étrangère : cela nécessite du travail et de la pratique. Je vous recommande de lire attentivement ce qui suit et de faire tous les exercices proposés. Même si votre relation n'est pas en crise, cela l'aidera à rester équilibrée.

Stratégie 1
Réécrivez le dialogue de vos conflits

Nous savons tous ce qui se passe quand un couple essaie de discuter calmement, intelligemment de ses problèmes. La discussion tourne rapidement à l'affrontement verbal suivi d'un silence polaire. Il est difficile de rester objectif quand la conversation est plus ou moins ouvertement fondée sur des accusations. Chacun en arrive très vite à vouloir défendre sa position et démontrer que l'autre a tous les torts.

Au début de leur thérapie, j'ai demandé à Béa et à Michel de raconter un incident qui illustre bien la rechute de leur couple après la réconciliation. Voici ce qu'ils m'ont dit et comment j'ai traduit les messages culpabilisants qu'ils s'envoyaient réciproquement :

Affirmation	*Message accusateur*
Béa : Il me semble que la soirée d'hier est un bon exemple. Tu es rentré avec deux heures de retard sans me prévenir. Cela prouve bien que j'ai raison quand je dis que tu t'intéresses au restaurant et à ta réussite professionnelle plus qu'à moi et à ta fille.	Égocentrique, tu ne penses qu'à toi. Tu manques totalement d'égards pour les autres.
Michel : Je t'ai dit que la machine à laver la vaisselle était tombée en panne. Qu'est-ce que je devais faire ? Laisser l'eau envahir toute la cuisine et aller prévenir ma femme pour ne pas avoir de scène en rentrant ? Tu sais pourquoi je n'ai pas téléphoné ? Parce qu'il était déjà tellement tard quand j'en ai eu l'occasion que tu m'aurais engueulé de toute façon.	Tu es possessive, casse-pieds et soupçonneuse. Tu trouves à redire à tout ce que je fais.
Béa : C'est merveilleux. J'adore ce genre d'excuse qui te blanchit complètement et qui m'accuse, moi. Tu sais pourtant bien que je déteste attendre et que j'ai des raisons de me méfier. J'aimerais que tu tiennes un peu plus compte de moi, c'est tout.	Tu dirais n'importe quoi pour te justifier. Je ne serais pas surprise que tu aies une nouvelle maîtresse.

203

Michel : Si tu oubliais d'être parano, de temps en temps, ça nous faciliterait l'existence.	Tu n'es vraiment pas sûre de toi.

Remarquez avec quelle rapidité cette discussion s'est transformée en dispute et comme cette dispute paraît ordinaire. Le fait est que quand on se sent blessé ou menacé on emploie plus facilement des mots agressifs que des mots apaisants. Même les disputes les plus « ordinaires » sont décourageantes parce qu'elles semblent confirmer l'inadéquation du couple.

Apprenons maintenant à réécrire le dialogue de nos conflits.

Identifier ses tactiques accusatrices

La nécessité de nous défendre et de nous justifier dresse entre nous des barrières de langage. Retranchés derrière une attitude accusatrice, nous cessons de nous battre loyalement. Il est possible d'abattre ces barrières en prenant conscience des armes que nous utilisons.

La prochaine fois que vous vous disputerez avec votre partenaire, notez par écrit ce qui s'est dit. Efforcez-vous de reconstituer la discussion aussi fidèlement que possible. Cochez ensuite les phrases contenant des accusations, directes ou détournées. Béa et Michel furent surpris de constater que toutes les phrases échangées pendant cette prise de bec étaient accusatrices. C'est souvent le cas.

Relisez votre compte rendu pour voir si le paradoxe de la passion orchestre vos disputes. Le choix des termes employés vous permettra de le savoir. L'arsenal verbal du dépendant contient des qualificatifs comme

« égoïste », « cruel », « insensible », « indifférent », « sans cœur » ; des insultes comme « tu es un vrai salaud » et des accusations comme « tu es totalement incapable de te donner ».

Retenus par la culpabilité, les dominants seront peut-être moins libres dans le registre de l'insulte. Mais leurs reproches iront de « possessif », « exigeant », « casse-pieds », « jaloux », « collant » à des phrases comme « tu ne pourrais pas être un peu plus... ».

Cherchez ensuite de quelle façon vous-même et votre partenaire vous arrangez pour « avoir » l'autre ou éviter toute communication. Voici quelques exemples de tactiques agressives employées, tant par des dominants que par les dépendants, en période de crise.

- Faire « le coup du silence ».
- Jouer les thérapeutes en expliquant à l'autre, soi-disant pour l'aider, ce qui ne va pas chez lui. (Exemple : « C'est à cause de tes parents que tu es tellement taré. »)
- Généraliser, c'est-à-dire accuser l'autre de faire « toujours » les mêmes erreurs quand vous savez fort bien qu'il ne les fait que de temps en temps.
- Culpabiliser l'autre. (« Tu aimes ton travail plus que moi. »)
- « Chercher » l'autre, c'est-à-dire ressortir de vieux griefs en sachant qu'ils vont le faire souffrir.
- Manifester son hostilité et répondre que « tout va bien » quand l'autre insiste pour savoir ce qui ne va pas. Saper l'assurance de l'autre par des critiques perpétuelles.

Presque tout le monde utilise ces tactiques à certains moments. Ce sont des défenses qui nous aident à nous sentir moins vulnérables. Mais plus vous apprendrez à les reconnaître, plus il vous sera facile de les circonvenir et de les tempérer.

Dédramatiser

C'est facile à comprendre, difficile à faire mais extrêmement efficace. Quand vous sentez monter votre colère, essayez la méthode de la « formulation distanciée » pour exposer vos griefs.

Prenons pour exemple la première phrase de Béa dans sa discussion avec Michel. Elle l'accuse de ne pas avoir prévenu qu'il rentrerait tard et de s'intéresser à son travail plus qu'à sa femme et à sa fille. En rappelant qu'elle a des « raisons de se méfier », elle insinue qu'il la trompe peut-être. Cueilli dès son arrivée par une série d'accusations, directes ou voilées, Michel réagit bien sûr par la contre-attaque.

Si Béa avait dédramatisé son propos, elle aurait pu dire quelque chose comme :

> Écoute, Michel, j'ai vraiment envie de te voler dans les plumes quand tu rentres aussi tard sans prévenir. Mais je ne veux pas reprendre cette habitude, alors je crois qu'on devrait en discuter.

Remarquez la différence. Elle n'accuse pas, elle dit qu'elle a *envie* de se mettre en colère. Elle n'évacue pas le problème, elle l'évoque de façon non provocante et pose les bases d'une discussion constructive.

Michel aurait pu répondre, sur le même mode :

> Je dois admettre que je m'attendais à ta réaction. Je m'étais même préparé à une dispute. Mais tu as raison, il faut en parler.

206

La « formulation distanciée » permet de désamorcer les disputes, avant qu'elles n'éclatent, en créant un tampon verbal entre la pulsion agressive et l'agressivité. La communication ainsi établie permet un vrai dialogue. Il est parfois difficile de prendre de la distance quand on est sous le coup de la colère. C'est pourquoi il est bon de s'exercer à dédramatiser ses problèmes pendant qu'on est calme. Reprenons par exemple la liste des tactiques agressives énumérées plus haut en les formulant de façon plus neutre.

- Je suis tenté de te faire le coup du silence.
- Je me sens très critique envers toi.
- Je suis tellement fâché que j'ai envie de te provoquer.

Terminez chacune de ces propositions par une formule comme : « ... et je pense que nous devrions en parler ». La méthode n'est pas garantie à cent pour cent, bien sûr. Toutes les disputes ne pourront pas êtres évitées. C'est pourquoi il faut apprendre à accepter les conflits et à s'en remettre.

Accepter et récupérer

Le but est d'apprendre à mieux exprimer sa colère et à affronter ses problèmes. Sous le coup de l'émotion, il est presque impossible d'avoir une discussion calme et productive. La colère, comme la vapeur d'une Cocotte-minute, doit être lâchée. Tant que vous êtes sous son empire, vous ne pensez ni à « analyser vos relations », ni à appliquer les techniques de communication recommandées par un quelconque thérapeute. La colère est là

207

et doit sortir. La recherche de l'équilibre dans un couple passe souvent par des disputes. Il faut les considérer comme normales si l'on veut pouvoir s'en remettre facilement. Une fois l'agressivité défoulée, les problèmes qui l'ont causée seront envisagés plus calmement.

Soyez donc prêt à passer par une phase violente mais ne vous y laissez pas enfermer et passez ensuite à la phase de récupération par l'exercice de la « formulation distanciée ». Pour amorcer le dialogue, on dira par exemple : « Je suis désolé de t'avoir dit tout ça, mais j'avais peut-être besoin de m'en libérer. Maintenant, voyons ce qui ne va pas entre nous. »

Stratégie 2
Étudiez les constantes de vos problèmes

Les relations difficiles sont caractérisées par des conduites destructrices et une communication défectueuse. Un des objectifs essentiels de ma thérapie consiste à attirer l'attention du couple sur la répétition des schémas destructeurs que sont, en fait, leurs « problèmes ».

En commençant à étudier vos schémas de comportement, n'oubliez pas, surtout, qu'*ils doivent être formulés en termes non culpabilisants, non accusateurs, en termes qui reconnaissent leur nature partagée*. Vous pourrez dire par exemple :

« J'ai l'impression que nous sommes pris dans un cycle répétitif. »

« J'ai l'impression que nous ne sommes plus synchrones. »

« On dirait qu'on joue au chat et à la souris, tous les deux. »

L'idée de base étant toujours : « Il me semble que nous sommes enfermés dans un schéma répétitif où tu as telle réaction, compréhensible, qui provoque chez moi telle réaction, compréhensible, qui provoque chez toi... » Si vous réussissez à définir et à objectiver avec votre partenaire le schéma répétitif de vos interactions, vous serez capable d'en comprendre le pouvoir. Vous verrez aussi que vos reproches réciproques ne sont que perte de temps, et vous pourrez commencer à sortir votre couple de l'ornière où il est tombé.

Dégagez vos schémas répétitifs

Les discussions de couple en restent souvent au niveau superficiel. On évoque un grief particulier sans rechercher les causes profondes de ces comportements.

Béa et Michel, par exemple, sont venus me trouver parce qu'ils n'arrivaient pas à décider lequel des deux avait raison. Ils avaient longuement disséqué leurs conflits et chacun se posait en victime innocente de la situation. Ils s'accrochaient aux détails.

Nous avons cherché la base de leur mésentente en partant du principe que leurs querelles étaient fondées sur des réactions compréhensibles. Puis nous avons déterminé les causes de ces réactions. Et nous avons ainsi éliminé une à une toutes les strates qui dissimulaient leur schéma conflictuel, pour en arriver à une dynamique constante : chaque fois que Michel se montrait distant, Béa était furieuse et sa colère éloignait Michel qui s'énervait contre elle, etc.

Devant un schéma de ce genre, n'essayez surtout pas de déterminer « qui a commencé ». C'est un débat épuisant et stérile, jamais vous n'arriverez à repérer le début de ce « pas de deux ».

209

Discuter de ces schémas

Après les retrouvailles avec Laura, Paul dut expliquer à Daphné qu'il ne savait plus où il en était avec Laura et qu'il avait besoin de le savoir. Daphné préféra rompre. De son côté, Laura fut bientôt reprise par son incertitude et ses manières ambiguës. Bien qu'averti, Paul perdit à nouveau le contrôle de lui-même et de la situation. Le paradoxe s'était réinstallé dans leur relation parce que ni l'un ni l'autre n'avait changé. Au cours d'une séance conjointe, j'ai demandé à Paul de définir la nature de son insécurité face à Laura. Il réfléchit un moment et se tourna vers elle.

> Bien. Il semble évident que nous sommes en train de retomber dans nos anciennes habitudes, moi qui essaie de vendre et toi qui ne veux pas acheter. C'est toujours moi qui fais des projets, qui veux être avec toi et je te sens toujours à la limite du refus. C'est à peu près ce que doit ressentir un courtier en assurances. Il me semble que nous devons prendre du recul, voir comment ce scénario s'est installé et discuter des moyens de le changer.

Laura comprit immédiatement de quoi il parlait et acquiesça.

Ce que le dépendant peut y gagner

Le fait d'aborder la discussion en termes objectifs redonne instantanément au dépendant un pouvoir sur la relation. La « formulation distanciée » lui permet en effet de distinguer ses impulsions dépendantes de sa *conduite* dépendante, comme elle permet au dominant de se sentir moins coupable d'être distant, donc moins dominant et plus proche du dépendant. La « formulation distanciée » implique, par sa nature même, que le dépendant assume sa part de responsabilité dans le déséquilibre, et cela aussi lui donne de la force. Enfin, le travail des deux partenaires sur leurs schémas de comportement donne au dépendant des objectifs concrets pour modifier son attitude face au dominant.

Ce que le dominant peut y gagner

Grâce à la « formulation distanciée », le dominant va enfin pouvoir exprimer ce qu'il ressent sans avoir l'impression d'être un monstre. Quand Béa eut défini leur problème central, Michel put aborder la délicate question de ses retards sans provoquer d'esclandre.

Oui, il me semble que nous sommes enfermés dans un cycle qui démarre chaque fois que je suis retardé au restaurant. Tu t'énerves et c'est compréhensible. Moi, je tarde d'autant plus à rentrer que je n'ai pas envie d'affronter ta colère. Plus le temps passe, plus tu es furieuse. Comme je n'ai pas envie de t'appeler, nous sommes à peu près certains d'en arriver à l'affrontement. Et à ce moment-là, j'ai vraiment envie de m'en aller. Nous devons absolument trouver le moyen de briser ce cycle infernal.

Michel avait pu exprimer et expliquer l'un de ses comportements les plus provocants sans s'accuser ni accuser Béa. En proposant à Béa de l'aider à « briser ce cycle infernal », il calmait leur antagonisme. Béa redevenait sa partenaire dans le travail qu'ils allaient entreprendre sur leur relation.

Stratégie 3
Laissez l'amour de côté

C'est un des aspects non orthodoxes de ma thérapie. Je demande aux couples de ne pas faire intervenir l'amour dans leurs discussions. Le simple fait d'utiliser le mot « amour » embrouille considérablement les choses. Michel m'a expliqué à quel point il se sentait coincé quand Béa y faisait allusion.

> Quand les problèmes ont commencé entre nous, nous en avons discuté une ou deux fois. Béa me demandait : « Pourquoi te conduis-tu comme ça ? Tu ne m'aimes donc plus ? » et ça me coupait tous mes moyens. Je répondais : « Mais si, bien sûr » et je mettais le malaise sur le compte de mes soucis professionnels. Après, je ne savais plus du tout où j'en étais ni ce qui m'arrivait.

La question de Béa poussait Michel dans ses retranchements. Il avait le choix entre mentir, biaiser et avouer la vérité, à savoir qu'il n'était plus sûr de ses sentiments. La majorité des dominants sont, comme Michel, vraiment ambivalents en ce sens qu'ils ne savent plus exactement ce qu'ils ressentent pour leur partenaire.

Le problème de l'amour

Le dominant pense tout naturellement : « Si je prends de la distance par rapport à mon partenaire, c'est que je l'aime moins. » Il explique « logiquement » son ambivalence par le fait qu'il n'est plus amoureux. Mais c'est une logique dangereuse dans la mesure où elle fait de son manque d'amour *le* problème à résoudre.

212

Je conseille à tous les dominants d'inverser les termes de leur raisonnement et de penser : « Il se passe quelque chose dans notre relation qui me fait prendre des distances et me sentir moins amoureux. » Le manque d'amour est alors considéré comme un *symptôme* du déséquilibre, non comme sa cause. Et c'est une perspective plus encourageante car le déséquilibre peut être réparé et permettre à l'amour de renaître.

Dès que vous cesserez de vous demander si votre partenaire vous aime plus ou moins, vous pourrez discuter efficacement des problèmes qui vous préoccupent. La faculté de communiquer est un meilleur indice de réussite du couple que l'amour.

Stratégie 4
Avouez vos sentiments négatifs

Les couples les plus équilibrés éprouvent parfois des sentiments négatifs, jalousie, doute, culpabilité, angoisse, colère. Mais dans les relations déséquilibrées, ces sentiments prennent une place prépondérante.

Celui qui les ressent a tendance à se demander s'il s'agit d'une réaction exagérée ou d'un vrai problème. La question peut tourner à l'obsession et devenir paralysante, entravant gravement la communication dans le couple.

Observez la règle des 50/50

Tâchez de ne pas vous laisser enfermer dans le dilemme de savoir si vous avez tort ou raison de ressentir ce que vous ressentez. Dites-vous plutôt que votre sentiment contient à peu près 50 p. 100 de vérité et 50 p.

100 d'exagération. Cela vous permettra de penser :
« Oui, j'exagère peut-être, mais il se passe quelque
chose entre mon partenaire et moi qui me fait réagir
comme ça. » Si j'ai appris quelque chose dans mon
travail clinique, c'est que, *à la base de tout sentiment, il y
a une raison importante.*

Indices de déséquilibre

Au cours d'une séance individuelle, Paul me dit :

> Je recommence à être jaloux. Pourtant, je suis certain
> que Laura ne me trompe pas. Alors je me dis que c'est en
> moi et j'essaie de ne pas y penser. Mais je n'arrive pas à me
> débarrasser de cette obsession.

Il est très difficile de parler d'un sentiment comme la
jalousie. Le simple fait de l'évoquer peut apparaître
comme une preuve de vulnérabilié. Mais bien des gens,
même persuadés, comme Paul, que leur partenaire est
fidèle, ont du mal à s'en défaire. J'ai demandé à Paul
quand il était redevenu jaloux.

> La première fois que j'en ai pris conscience, c'était
> quelque temps après notre réconciliation. Je me suis arrêté
> devant son bureau pour lui dire un petit bonjour mais elle
> n'était pas là. Au lieu de me dire : « Tiens, elle n'est pas
> là », j'ai pensé : « Hum, avec qui est-elle ? » J'ai su par la
> suite qu'elle assistait à une réunion mais il a fallu qu'elle me
> dise exactement qui était présent et tout ça...

Puisque Paul ne soupçonnait pas Laura d'infidélité,
j'ai proposé que nous cherchions pourquoi cette jalousie
était si tenace. Nous avons découvert une explication

importante : sa jalousie était le premier signe qu'un schéma relationnel déséquilibré se réinstallait entre eux.

Les sentiments négatifs sont les baromètres des changements subtils qui s'opèrent dans le couple. Pouvez-vous établir une corrélation entre tel sentiment négatif et tel type d'interaction avec votre partenaire ? Le phénomène est-il répétitif ? Souvenez-vous que vous n'êtes pas à la recherche d'un coupable mais des dynamiques sous-jacentes qui engendrent des comportements destructeurs.

Je demandai à Paul si sa jalousie pouvait être l'indice d'un problème de fond entre Laura et lui. Il a dit : « Absolument... J'ai toujours peur de perdre Laura. » Une fois que vous aurez compris l'origine de vos sentiments négatifs, vous pourrez en discuter.

Relativisez

Il existe une façon de parler de vos sentiments négatifs sans accuser ni votre partenaire ni vous-même. Il suffit de les envisager comme les symptômes de vos problèmes profonds. Vous pouvez entamer la discussion par une « formule distanciée », par exemple : « Ces derniers temps je me sens jaloux, coupable, déprimé, angoissé, furieux... » et ajouter : « J'ai l'impression que c'est parce que nous recommençons à... Qu'en penses-tu ? »

Pour établir ou préserver une bonne communication dans le couple, il est important de connaître et de faire connaître ses sentiments dans mon système, ces échanges ne constituent pas une fin mais un moyen, une fenêtre permettant de découvrir les dynamiques profondes de la relation.

Stratégie 5
Mettez-vous à la place de l'autre

Se mettre à la place de l'autre aide à comprendre ce qu'il ressent. Si les deux partenaires font cet effort, ils multiplient leurs chances de découvrir les racines de leurs problèmes. Pendant une séance avec Louise et Charles, j'ai expliqué l'importance de cette démarche empathique. Charles commençait à s'investir sérieusement dans la thérapie et il a pu dire à Louise comment il imaginait qu'elle avait vécu leur crise.

> Je sais que tu étais un peu gênée que ta boutique marche si bien au moment où on m'a refusé mon avancement. Mais je peux comprendre que tu te sois tellement investie dans ton travail. J'ai fait la même chose pendant toutes ces années où je consacrais l'essentiel de mon énergie à la banque et à ma réussite professionnelle. C'était plus intéressant et plus gratifiant que nos problèmes domestiques, je suppose. Je sais aussi combien tu as dû souffrir en me voyant boire et me conduire comme un imbécile. Et chaque fois que tu essayais de m'aider, je te repoussais. Je supportais très mal d'être en demande.

Puis Louise a parlé.

> J'ai du mal à imaginer ce que tu as pu ressentir quand ils t'ont fait cette vacherie. Moi, au lycée, quand j'ai perdu l'élection au conseil de classe j'ai été anéantie. Je sais que tu as travaillé dur pendant toutes ces années pour donner à ta famille ce qu'il y avait de mieux. Je suis certaine que j'aurais réagi beaucoup plus mal que toi.

Les problèmes relationnels nous fournissent une occasion rare d'approfondir nos relations. Les gens qui vivent un drame ensemble et qui en réchappent, que ce soit un naufrage ou n'importe quelle crise, sortent de l'expérience plus proches et plus unis. Je sais qu'il n'est pas facile, dans un couple déchiré, de s'identifier l'un à l'autre. Les deux partenaires sont généralement braqués sur des positions hostiles, accusatrices. Certains sont très désorientés quand je leur suggère d'imaginer ce que ressent l'autre. Mais c'est un défi qui mérite d'être relevé. Exprimer son empathie est un acte profondément intime et une expérience gratifiante.

Pour démarrer

S'apprêter à discuter de problèmes relationnels, même en termes distanciés, est à peu près aussi tentant que de s'asseoir sur le fauteuil du dentiste. On préférerait faire *n'importe quoi* d'autre. Voici quelques lignes directrices qui ont aidé mes clients à dépasser cette appréhension.

Première étape :
Mettez-vous d'accord

Il faut d'abord se mettre d'accord sur le fait de discuter, comme le feraient les États-Unis et l'Union soviétique en vue d'une rencontre au sommet. Si votre couple est en crise, cette discussion préliminaire peut rompre la glace et vous donner à tous deux le temps de vous préparer. Commencez par reconnaître la difficulté de l'entreprise. Voici une bonne phrase d'introduction : « J'ai du mal à parler de ce genre de chose mais il me semble que nous avons des problèmes et qu'il serait bon

217

d'en discuter prochainement. » Choisissez ensuite le moment et l'endroit qui vous conviennent le mieux à tous les deux.

Deuxième étape :
Prévoyez des réactions violentes

Vous savez certainement, avant de commencer, comment votre partenaire et vous-même allez réagir dans le feu de la discussion. Pour tempérer vos réactions, il n'est pas inutile d'en parler dès le début, d'une façon distanciée. Louise dit par exemple à Charles : « Je me doute que cette discussion va nous mettre tous les deux en colère, qu'en penses-tu ? » En s'exprimant ainsi, les deux partenaires se trouvent réunis par la même anxiété et par un objectif commun, faire quelque chose pour leur couple malade.

Troisième étape :
Parlez d'abord de vos comportements répétitifs

Exposez votre point de vue mais en tant que réaction aux schémas de comportement destructeurs qui existent entre vous (en laissant l'amour de côté). Si votre partenaire commence par rejeter la faute sur vous, ne le critiquez pas. Essayez plutôt de reformuler ce qu'il dit en termes non accusateurs. Il est parfois malaisé de cerner le répétitif dès la première approche, mais ne vous inquiétez pas. Vous pourrez en parler plus tard, après avoir pris le temps d'y penser. Si vous ne pouvez pas éviter le « procès », souvenez-vous qu'il est important de ne pas garder de rancune et que la « formulation distanciée » vous aidera à remettre la situation en perspective.

Cette formulation a un autre avantage, elle vous fait éprouver un véritable sentiment de complicité. Je l'ai souvent constaté. Dès lors qu'on ne se demande plus « à qui la faute ? », on libère une énergie positive que l'on consacre, ensemble, aux vrais problèmes.

Affinez votre communication

Nous avons posé les bases essentielles de la communication non culpabilisante. Voici maintenant quelques conseils qui vous aideront à affiner vos talents de discussion.

Ne craignez pas de dissiper le mystère

Certains couples craignent, en parlant franchement de leurs problèmes, de faire disparaître le charme et le mystère de la relation. La vérité, c'est que le charme et le mystère s'évaporent de toute façon quand la relation se détériore. En discutant de vos problèmes sans blâmer ni accuser, vous sentirez renaître entre vous la complicité et la confiance. Et vous savez certainement ce que ces sentiments peuvent avoir de troublant. D'ailleurs, quand vous aurez débarrassé la relation de tous ses aspects destructeurs, vous constaterez qu'elle est aussi fraîche et idyllique qu'au premier jour.

Quand le couple est récent

Le paradoxe de la passion peut frapper un couple à n'importe quel moment, même au tout début. Mais il n'est jamais trop tôt pour « dire sans accuser ». Si vous sentez qu'un déséquilibre s'installe rapidement dans la relation, dites quelque chose comme : « Nous ne nous connaissons pas depuis longtemps mais il me semble que nous avons déjà des comportements répétitifs. Moi j'avance trop vite et toi, tu recules (ou le contraire). Qu'en penses-tu ? »

Méfiez-vous des comportements négatifs déguisés en solutions

Le paradoxe de la passion peut se glisser entre deux partenaires même s'ils sont sur leurs gardes. Exemple, le déséquilibre dans la communication non accusatrice : l'un des partenaires veut tout le temps parler des problèmes du couple, laissant peu de place à la spontanéité, tandis que l'autre n'en a pas envie et se sent coupable de sa résistance. Je conseille aux couples qui sont dans ce cas de discuter (sans procès) de la communication non accusatrice, de dire : « J'ai l'impression que nous sommes dans un cercle vicieux. Toi, tu veux toujours discuter et moi pas. Qu'en penses-tu ? » L'empathie peut également être utilisée de travers. Le dominant s'en servira de façon condescendante : « Tu ne peux pas t'empêcher d'être collant parce que mon attitude te renvoie à ton insécurité profonde. » Le dépendant y trouvera le moyen de culpabiliser l'autre : « Je comprends très bien que tu n'aies pas envie d'être avec moi, je ne suis pas marrant. Alors laisse-moi, je ne souhaite que ton bonheur. » Méfiez-vous de ces « solutions » déguisées et, si elles surviennent, profitez-en pour reconnaître et vaincre le déséquilibre.

N'hésitez pas à faire appel à un tiers

Il peut être extrêmement difficile de réformer des habitudes de comportement bien installées et de se mettre à communiquer efficacement. Si vous n'y arrivez pas, ne vous considérez pas comme un cas désespéré, vous avez simplement besoin de l'aide d'un professionnel.

Pour ceux qui font le travail seuls

Certains partenaires refusent obstinément tout ce qui peut ressembler à une thérapie, surtout les « discussions de fond » sur les problèmes du couple. Je vous engage à ne pas critiquer votre partenaire s'il se montre récalcitrant. Utilisez vous-même la communication non culpabilisante et vous constaterez que votre relation s'en trouve améliorée. Dès que vous maîtriserez cette méthode (cela représente du temps et du travail), vous verrez qu'elle peut faire sortir votre partenaire de sa réserve ou au contraire le calmer s'il est agressif.

À un partenaire sceptique, vous commencerez par expliquer comment on peut dire sans accuser. Rappelez-lui que la plupart des gens ont tellement l'habitude de parler et de penser sur un mode accusateur qu'ils ignorent qu'on puisse faire autrement. Expliquez la différence entre terminologie accusatrice et non accusatrice en reformulant une de vos accusations récentes. Dites que vous allez vous efforcer, à l'avenir, de discuter de vos problèmes avec plus de recul et que vous espérez qu'il fera de même. Mais assurez-le aussi qu'il est presque impossible d'éliminer toute trace d'accusation. Ce qui compte, c'est de savoir récupérer après un conflit et avant de reprendre les négociations. Votre relation peut s'améliorer comme elle peut ne pas s'améliorer. Souvenez-vous que votre but est d'être en accord avec vous-même parce que vous aurez donné tout ce que vous pouviez donner.

Ayez de l'humour

Michel et Béa sont arrivés à une de leurs séances en disant qu'ils avaient passé une semaine difficile. « Comment cela ? » demandai-je. « À cause d'une attaque de M.S. », répondit Béa. Vaguement inquiet, ces choses-là pouvant être contagieuses, je demandai une explication. « Mauvais sentiments », dit Michel, nous faisant tous rire.

J'étais heureux de voir ce couple retrouver son humour. Il a été prouvé cliniquement que le rire accélère la guérison des maux physiques, et il a le même effet sur les problèmes relationnels. L'humour, comme la passion, est une manifestation spontanée, on ne peut donc pas décider d'en avoir ou pas. Mais quand il est là, acceptez-le. Car en traitant sur un mode humoristique les dynamiques du paradoxe de la passion (qui peuvent être comiques autant que dramatiques) vous minimisez leur emprise sur votre couple.

Établissez un plan

Une fois que vous aurez repéré et analysé un comportement destructeur, élaborez une stratégie qui vous permettra de le réduire. Michel et Béa ont par exemple décidé du plan suivant : à partir d'une demi-heure de retard sur l'horaire prévu, Michel s'engageait à prévenir

Béa. Celle-ci devait, pour sa part, résister à la tentation d'accueillir Michel par une réflexion acide ou des nouvelles désagréables. « Peut-être même que j'irai jusqu'à l'embrasser », dit-elle.

Si, après avoir établi un plan, vous le trouvez mauvais, parlez-en à votre partenaire. Demandez-lui de vous aider à comprendre pourquoi il ne vous convient pas. Considérez chaque plan comme une expérience, une occasion d'avancer. Si le plan fonctionne, bravo, s'il échoue, il vous aura tout de même appris qu'il faut changer de tactique et, en ce sens, c'est encore un succès. Mais il est essentiel de continuer à « dire sans accuser », que ce soit pour évaluer l'efficacité de vos plans ou pour en formuler de nouveaux.

Si votre relation n'est pas trop déséquilibrée, la communication ainsi rétablie suffira peut-être à l'harmoniser. Mais les couples gravement atteints ont encore beaucoup à faire. Tout en continuant à rechercher et à maintenir une bonne communication, les partenaires devront peut-être apprendre à penser et à agir de manière à casser leurs schémas dominants ou dépendants trop rigides. Voyons pour commencer ce que peuvent faire les dépendants.

9.

CE QUE LE DÉPENDANT
PEUT FAIRE

Sept stratégies de rééquilibrage

Deborah était très mal en point la première fois qu'elle vint me consulter. Sans me regarder, elle me raconta son histoire avec Jonas sur un ton de nonchalance visiblement affecté. Mais elle ne put s'empêcher de craquer en évoquant le fait qu'elle avait espéré l'épouser. Toute sa douleur, son humiliation et sa déception d'avoir été rejetée s'exprimaient enfin. Je lui tendis une boîte de mouchoirs en papier en lui assurant qu'elle pouvait pleurer tout son soûl avant de continuer à parler. Car elle était en train d'accomplir un travail essentiel : faire son deuil de la relation.

Stratégie 1
Ménagez-vous

Les psychothérapeutes apprennent très vite qu'il y a un temps pour chaque chose. Il est toujours difficile de travailler sur soi-même mais en pleine crise émotionnelle, c'est pratiquement impossible. Si votre monde vient d'être bouleversé par un partenaire qui menace de vous quitter (ou qui l'a déjà fait), je vous conseille de n'entreprendre aucun changement décisif dans votre vie.

224

La première chose à faire, c'est de dépasser la phase aiguë de votre douleur.

Un peu plus tard, Deborah reconnut qu'elle avait de la chance d'être soutenue moralement par son amie Cathy.

Quand c'est devenu vraiment sérieux avec Jonas, j'ai un peu laissé tomber tout le reste, y compris les amis. Je sais que Cathy en a particulièrement souffert parce que j'annulais systématiquement nos projets quand Jonas m'appelait. C'est même étonnant qu'elle ait continué à me téléphoner. En fait, elle sentait depuis le début qu'il y aurait des problèmes.

Les gens comptent souvent sur leurs relations amoureuses pour satisfaire l'essentiel de leurs besoins affectifs. Mais quand la relation se déséquilibre, le dépendant se trouve pris dans un véritable piège : il ne peut plus attendre grand-chose d'un partenaire dont l'éloignement le fait souffrir. Et nous retrouvons le paradoxe : si le dépendant tente de se rapprocher du dominant, il risque de l'éloigner davantage. Dans ces moments de crise, il faut pouvoir compter sur ses amis. Voilà pourquoi je demande toujours à mes clients dépendants s'ils soignent leurs amitiés.

Les amis (et les parents) sont à même d'offrir le soutien et l'empathie nécessaires en phase de récupération. Un ami vous rendra l'estime de vous-même. Ceux que vous avez aidés dans un moment difficile vont à leur tour vous aider.

Psychothérapie et soutien spirituel peuvent aussi contribuer à votre guérison. Dernier point : on se sent rarement aussi seul que dans les moments de crise sentimentale. Or, s'il est essentiel de se laisser aider par des amis, des parents et des spécialistes, on guérit plus vite quand on ne combat pas son sentiment de solitude. Il faut au contraire essayer de le vivre pleinement. Certains auront peut-être du mal à s'isoler mais c'est toujours possible. Vous en avez besoin, ne vous le refusez pas. Prenez une demi-journée de congé et passez-la au bord de la mer, à la campagne, dans un jardin public. La nature est toujours source de réconfort. Passez une soirée seul, allez au concert, au cinéma, lisez de la poésie, écrivez ou pleurez tant que vous voudrez.

Ne niez pas votre tristesse, n'essayez pas d'y échapper en multipliant les distractions, du moins au début. Apitoyez-vous sur vous-même, sans honte ni retenue. C'est la méthode la plus rapide pour traverser une période de deuil et récupérer des forces émotionnelles.

Stratégie 2
Accrochez-vous à la réalité

Toute crise affective brouille les perceptions et quand on cesse de penser clairement on n'agit plus au mieux de ses intérêts.

Avec mes clients dépendants, je travaille d'abord sur leurs façons de penser, ensuite sur leurs façons d'agir. Examinons les pièges mentaux dans lesquels nous tombons tous dès que notre relation nous paraît menacée.

Le catastrophisme

Voici quelques affirmations faites par Deborah au cours de sa première séance.

- « Jamais je ne pourrais aimer quelqu'un comme j'ai aimé Jonas. »
- « Je ne veux plus jamais m'attacher à un homme. »
- « Jamais je ne me marierai. Jamais je n'aurai d'enfant. »

Le catastrophisme consiste à voir tout en noir. Du point de vue du dépendant, la relation amoureuse a une telle importance qu'elle apparaît comme indispensable à la survie. La perspective de la perdre provoque donc un pessimisme proche de la panique.

La position de dépendant semble mettre les individus dans un état d'hypnose qui les rend sourds à toute raison. Leurs amis, leurs parents et souvent la partie rationnelle d'eux-mêmes tentent de secouer leur apathie, mais ils se sentent trop menacés pour comprendre. Et plus la relation s'enfonce dans le déséquilibre, les condamnant au négatif et à la frustration, moins ils se sentent capables de survivre à une rupture.

Deborah comprit que son comportement désespéré était en grande partie dû à sa tendance catastrophiste. Voici, appliquée à son cas, la méthode que j'utilise pour faire mesurer à mes clients les dangers du catastrophisme et autres pièges mentaux.

Perception : Jonas s'éloigne.

Réaction initiale : anxiété, insécurité normales.

Réaction exagérée typiquement dépendante : panique et catastrophisme. A trente-trois ans, elle est « bientôt bonne pour le rebut ». L'angoisse du rejet et la peur de « tout gâcher » avec Jonas deviennent irrépressibles. Jonas apparaît aussitôt comme sa dernière chance d'aimer, de se marier, d'avoir des enfants, d'être heureuse.

Solution dépendante : comportements dépendants extrêmes tels que la soumission et les tentatives de reconquête : elle répète tout ce que dit Jonas comme un perroquet et lui donne toujours raison ; elle se fait belle pour lui ; elle se montre maladroite, en gestes comme en paroles ; elle s'efforce de lui extorquer des mots réconfortants.

Résultat final : Jonas perçoit la détresse de Deborah. Deborah l'étouffe, ne lui accordant pas l'« espace » qu'il souhaite conserver dans une relation. Il s'éloigne donc de plus en plus, avant de mettre fin à la relation.

Les accès de catastrophisme sont inhérents à la position de dépendant de la même façon que le paradoxe est inséparable de la nature humaine. S'il est donc impossible de les supprimer, apprenons à les gérer.

Quand vous vous surprenez à dire ou à penser quelque chose comme : « Plus jamais je n'aimerai », faites attention. Notez par écrit toutes vos idées de ce genre, cela vous aidera à les objectiver. Dites-vous que votre faculté de raisonnement est amoindrie et déformée par le paradoxe de la passion. Attaquez-vous à la « logique » de votre catastrophisme. Avez-vous déjà éprouvé les mêmes angoisses ? Oui, bien sûr, comme tout le monde. Se sont-elles révélées exactes ? Connaissez-vous quelqu'un qui n'ait effectivement pas survécu à la fin d'une relation ? Qui n'ait jamais retrouvé l'amour ni le bonheur ? Avez-vous déjà été quitté par quelqu'un que vous croyiez irremplaçable ? Pareille approche vous permettra de réduire l'aspect terrifiant, irrationnel de votre pensée. Vous n'aurez donc plus besoin de recourir à des solutions désespérées. N'oubliez pas que, si votre situation est effectivement difficile, elle n'a rien de catastrophique, et cessez de dramatiser.

Autosabotage

Il est dans la nature humaine de connaître des moments d'insécurité. Mais certains d'entre nous semblent posséder un outil interne de sabotage qui mine leur estime d'eux-mêmes et les incite à se comporter en dépendants chaque fois qu'ils sont angoissés. Ce « saboteur intérieur » est un allié du paradoxe de la passion.

Charles reçut le coup le plus dur de sa vie au moment précis où il croyait arriver au sommet de sa carrière. Et le choc fut d'autant plus terrible qu'il se produisait parallèlement à la réussite de sa femme. S'il avait eu plus de confiance en lui, il aurait de toute façon accusé le coup ; mais, comme beaucoup d'hommes traditionnels, il se trouva désarmé devant cette crise émotionnelle. Ne disposant d'aucun système de défense, il devint la victime de son mécanisme d'autosabotage qui exagéra son sentiment d'échec, réduisit sa confiance en lui, le poussa vers l'alcoolisme, la violence et la dépression.

Grâce à Louise et à son groupe d'Alcooliques anonymes, il commença à retrouver un certain équilibre émotionnel, mais ce n'est que plus tard, après plusieurs séances individuelles de thérapie, qu'il put parler de la perte de son emploi. Je lui demandais d'évoquer le moment où le découragement l'avait saisi.

Je me réveillais le matin avec le poids de l'échec comme une enclume sur la poitrine. Je pensais aux mecs qui avaient réussi. Je devais avoir un défaut énorme que tout le monde voyait sauf moi. Je crois que j'étais habité par la haine. Je haïssais Louise, je me haïssais surtout moi-même. Je me fichais complètement de vivre ou de mourir. L'alcool me faisait oublier ma haine, et je ne voyais aucun inconvénient à ce qu'il me tue.

Je lui demandai ensuite de reformuler ses pensées négatives, autodestructrices, comme s'il avait été son propre ami, pas son ennemi.

Dans mon groupe d'Alcooliques anonymes nous sommes nombreux à avoir subi des échecs graves et à nous être détruits, avec l'aide de l'alcool. Je pourrais dire de moi que je suis un être humain normal, faillible, qui peux subir des revers comme tout le monde. Après tout, il y a des gens qui se font virer tous les jours, moi j'ai seulement été « recalé ». Je crois qu'il ne faut pas essayer de se venger des gens qui nous font du mal en devenant l'ennemi de soi-même et de sa propre famille. Pas même en détruisant ces gens-là (encore que j'y aie souvent pensé). Il faut plutôt essayer de tourner la chose à son avantage. C'est la meilleure façon de se venger et c'est ce que je veux faire.

Charles avait l'intention de reprendre une activité dans un domaine qui le passionnait, le bateau. Il ne voulait pas que son mécanisme autodestructeur l'empêche de réaliser son rêve. La meilleure façon de réduire au silence un « saboteur interne », c'est de combattre sa logique autodestructrice par des pensées positives, constructives. Rappelez-vous la dernière fois où vos pensées ont sapé votre confiance en vous et notez ces pensées. Voici quelques exemples d'autosabotage typique du dépendant :

- Je suis trop... (gros, maigre, grand, petit, etc.).
- Je ne suis pas marrant à fréquenter.
- Je n'ai pas assez bien réussi.

- Je suis trop vieux.
- Je manque d'assurance.
- Je ne suis pas assez intelligent.

Je vous invite à combattre vos pensées destructrices en devenant votre meilleur ami. Reconnaissez que certaines dynamiques justifient la distance prise par votre partenaire et cessez d'incriminer vos prétendues imperfections. Admettez que ces mécanismes vous ont plongé dans une période d'insécurité où vous avez cru être indigne d'amour et où vous avez agi d'une façon qui peut vous paraître détestable. Cela arrive à tout le monde. Ne faites pas l'erreur de croire que cela va durer toujours.

Prenez hardiment position : vous êtes ce que vous êtes et si quelqu'un essaie de vous diminuer, c'est son problème, pas le vôtre. Soyez lucide et motivé, pas négatif et déprimé.

Le réflexe du dépendant

L'une des premières réactions de panique du dépendant en temps de crise, c'est l'exagération de ses comportements dépendants. Très liée au catastrophisme et à l'autosabotage, cette tendance s'exprime de façon réflexe, sans qu'on puisse l'empêcher. Ce qu'on peut faire, par contre, c'est apprendre à repérer et à contrer ses manifestations. Commencez par faire une liste de vos réflexes dépendants les plus fréquents et les plus dangereux. Voici ce qu'a noté Paul :

Toujours être d'accord avec Laura.
Ne jamais lui avouer que je suis fâché ou déçu.
L'appeler ou passer à son bureau chaque fois que je suis inquiet ou jaloux.

Tout faire pour lui être agréable dans l'espoir qu'elle m'aimera davantage.

Toujours faire ce qui lui plaît, même quand je n'en ai pas envie.

Paul me dit qu'il détestait passer pour le « brave garçon un peu collant », mais qu'il ne pouvait pas faire autrement dès qu'il se trouvait en présence de Laura. Je lui dis de bien étudier la liste qu'il avait préparée pour ne pas retomber dans les mêmes pièges. Je lui dis aussi d'*entretenir un dialogue avec lui-même* à ce propos.

Voici ce qui s'est passé un jour où il a appliqué cette méthode.

C'était un vendredi après-midi et Laura m'a téléphoné pour me parler d'une soirée à laquelle elle était invitée. Elle voulait savoir si j'avais envie d'y aller. J'étais vraiment crevé et je me proposais de passer une soirée tranquille à la maison, mais j'ai dit oui, sans réfléchir. Après avoir raccroché, je m'en suis voulu. Encore une fois, je m'étais laissé avoir par mon désir d'accompagner Laura partout pour pouvoir la « garder », pour qu'elle ne me prenne pas pour un rabat-joie. Alors je l'ai rappelée et je lui ai dit que, finalement, je n'avais pas envie de sortir mais qu'elle pouvait très bien y aller sans moi. Je vous prie de croire que j'étais content de moi, même si j'avais un peu peur de la laisser sortir seule. Mais le plus drôle, c'est qu'elle a quitté cette soirée assez tôt pour venir me rejoindre chez moi. Je n'étais pas peu fier de mon coup !

Soyez toujours prêt à retenir vos réflexes dépendants et à vous raisonner pour les combattre. Avec le temps, vous deviendrez tellement habile à cet exercice que vous saurez les « étouffer dans l'œuf ».

Plus vous apprendrez à maîtriser vos réactions exagérées et vos réflexes négatifs, plus votre pensée y gagnera en clarté et plus votre tendance à agir en dépendant s'atténuera. N'espérez pas vous libérer totalement de ces pièges mentaux, ils font partie de l'expérience humaine. Attendez-vous, en revanche, à avoir envie de vous comporter autrement, de façon plus saine, envers vous-même et envers la relation.

Stratégie 3
Pensez positif

Certains dépendants ont tendance à perdre patience quand ils voient échouer leurs efforts d'amélioration de la relation. Ils se trouvent devant l'obligation de changer de tactique. Cela implique de prendre des risques et de changer soi-même, entreprise à la fois périlleuse et terrifiante. Ils se trouvent aussi face au désir, issu du paradoxe de la passion, de ne pas changer de tactique et de continuer à se comporter en dépendants.

Voici quelques conseils pour vous aider à retrouver l'esprit positif qui vous permettra de modifier votre situation.

C'est vous qui devez changer

Vous désirez que votre partenaire change, qu'il soit plus aimant, plus attentif et plus investi. Vous commencez à vous rendre compte que l'amour, la gentillesse, les prières, le chantage et les récriminations sont inutiles. Vous ne pouvez pas changer votre partenaire. Plus vous insistez, plus il résiste. Mais vous pouvez *vous* changer, surtout dans vos attitudes intérieures et vos comportements dépendants. C'est une entreprise difficile et effrayante, mais c'est le meilleur moyen de changer votre partenaire puisque, en changeant vous-même, vous modifiez les dynamiques de la relation.

N'ayez pas peur de rompre

Le dépendant a toujours peur de perdre son partenaire. Il est convaincu que son amour et sa dévotion constants vont finir par le rapprocher de lui, même si tout lui prouve le contraire. Quand cette peur vous habite, elle inhibe vos comportements et tue votre spontanéité. Votre frustration, votre détresse deviennent difficiles à cacher et jouent en votre défaveur. Mais la conséquence la plus nuisible de cette crainte de perdre l'autre, c'est sans doute qu'elle vous empêche d'avoir des activités extérieures à la relation.

Paradoxalement, plus vous prendrez des risques par rapport à elle, plus vous aurez des chances de la sauver. Mon intention n'est pas de vous inciter à adopter un comportement provocateur. Je ne vous conseillerais pas de prendre des risques pour le seul plaisir de mettre votre union en péril. Je veux que vous preniez des risques pour redevenir la personne que vous voulez être avec votre partenaire.

Chaque fois que vos tendances catastrophistes vous empêchent de prendre des risques positifs, faites-les taire. Et si votre couple n'y résiste pas ? Bien sûr, vous souffrirez. Mais vous survivrez et vous serez plus fort, plus sage et mieux armé pour construire une relation équilibrée, satisfaisante, dans laquelle vous serez enfin en accord avec vous-même.

Au moment de prendre de vrais risques, dites-vous qu'il serait anormal de ne pas vous sentir inquiet et tendu. La tension est compagne de l'évolution et doit être considérée comme un signe de progrès.

La colère comme source d'énergie

Vous aurez besoin de force et de courage pour vous arracher à votre position de dépendant. J'aimerais que vous puisiez votre énergie à une source que vous ignorez peut-être posséder : la colère.

La plupart des dépendants sont en colère parce qu'un grand nombre de leurs besoins ne sont pas satisfaits. Ils n'osent pas l'exprimer directement, de peur d'éloigner encore un partenaire déjà distant. Ils refoulent donc cette réaction si efficacement qu'ils finissent par l'oublier. Mais la colère refoulée ne fait que croître et se durcir en hostilité amère. Sous cette forme, elle peut être dirigée soit contre le dominant, soit contre le dépendant lui-même, soit contre le couple. Et c'est un véritable gaspillage d'énergie.

Je vous engage à ne pas gaspiller votre colère en la retournant contre vous-même ou contre votre partenaire. Elle sera bien mieux utilisée comme facteur de changement. Vous pouvez la positiver en vous disant : « Bon, j'en ai vraiment marre d'être dépendant ! Il est temps de devenir la personne que je veux vraiment être dans un couple. »

Voyons maintenant le meilleur moyen que je connaisse pour y arriver.

235

Stratégie 4
Prenez de la distance

La clé de mon programme thérapeutique pour les dépendants repose sur une seule idée : *le meilleur moyen pour le dépendant de renforcer la relation consiste à investir son énergie émotionnelle ailleurs.* Le but est donc de prendre ce que j'appelle une « juste distance ».

Cela ne veut pas dire cesser d'aimer votre partenaire ou jouer le jeu de l'indifférence, cela veut dire essayer de rééquilibrer votre vie. Pour certains, cela implique de retrouver les forces intérieures qui semblent avoir été englouties dans l'accumulation des problèmes. Pour d'autres, cela implique de trouver des forces neuves. Dans les deux cas, cela signifie se démarquer consciemment de la relation. Vous visez deux objectifs importants : vous libérer de votre statut dépendant et retrouver votre charme aux yeux du dominant.

Chercher la juste distance peut vous sembler artificiel, à première vue. En effet, je vous conseille de vous éloigner au moment où vous avez l'impression de ne plus pouvoir vous passer de l'autre. Vous trouverez certainement une foule de bonnes raisons pour ne pas le faire. Mais j'insiste pour que vous les écartiez, ne serait-ce qu'à titre d'expérience. Il faudra aussi vous ôter de l'idée que la seule façon de sauver votre couple, c'est de rechercher la présence de votre partenaire. Pour retrouver une véritable complicité avec lui, gardez la plus juste distance possible.

236

Rassembler vos forces

Au début de sa thérapie, Béa décrivit les effets négatifs de ses problèmes de couple sur la qualité de sa vie.

Tant que je me sentais en sécurité avec Michel et, bien sûr, avant de le rencontrer, j'étais moi-même et j'étais libre. Je sortais, j'allais au cinéma avec des amis, je courais les magasins, je voyageais, je lisais de bons livres, je prenais même des cours du soir de temps en temps. Le fait d'avoir un enfant a eu son importance, certainement, mais ce n'est pas la seule raison. J'ai l'impression que le champ de mon existence s'est rétréci comme une peau de chagrin. Tout me paraît « suspendu » à mon incertitude de l'avenir. Cette vie intéressante que je menais autrefois, j'ai parfois l'impression de l'avoir rêvée.

J'ai dit à Béa qu'il me paraissait normal mais dangereux, tant pour elle que pour le couple, de se laisser anéantir par l'angoisse. Dès que vous commencez à repérer chez vous des symptômes de dépendance, il faut immédiatement penser à deux choses : alléger la pression que vous exercez sur votre partenaire et récupérer des forces. En réaffirmant votre personnalité en dehors de la relation, vous atteindrez d'un coup ces deux objectifs.

Faites votre inventaire

Avant de prendre des mesures concrètes pour vous rééquilibrer, faites l'inventaire de vos ressources personnelles. Posez-vous les questions suivantes.

• Quelles étaient mes activités préférées avant d'être investi dans cette relation (ou quand nous n'avions pas de problème) ?
• En dehors de la relation, quels sont mes objectifs personnels ? Suis-je sur la bonne voie pour les atteindre ?
• Où en est ma vie sociale ?
• Quelles sont les forces dont je dispose ? À quoi servent-elles en ce moment ?

Plus vous répondrez précisément à ces questions, plus cet inventaire vous sera profitable. Par exemple, dans la rubrique « objectifs personnels », ne vous contentez pas d'écrire « changer de travail » ; précisez ce que serait votre nouveau travail, quelles démarches vous comptez faire pour le trouver et donnez-vous des délais pour y parvenir.

Prenez des mesures concrètes

Après avoir fait son inventaire personnel, Béa se rendit compte qu'elle négligeait totalement certains aspects importants de sa vie. Elle prit donc des mesures concrètes pour corriger cette tendance.

• Rester employée à mi-temps mais viser un statut libéral. Établir un dossier (avril). Envoyer ce dossier à des employeurs sélectionnés (juin). Téléphoner et prendre rendez-vous avec les boîtes intéressées (juillet).
• Laisser tomber l'aérobic et retourner à la piscine. Nager au moins un kilomètre deux fois par semaine. Chercher des activités pour Chloé (tout de suite).

- Déjeuner avec quelqu'un au moins une fois par semaine (dès maintenant).
- Me renseigner sur les possibilités de travail bénévole à assurer une fois par semaine (dès maintenant).
- Aller faire un tour dans la nature au moins une fois par mois (dès maintenant).

Un mois plus tard, je demandai à Béa où elle en était de son programme.

> Cela n'a pas été facile. On a beau se dire qu'on devrait le faire, on se réfugie toujours derrière ses problèmes pour rester passif. Je démarre très fort en m'obligeant à faire de l'exercice, par exemple. Mais je me décourage facilement et ça donne à tout le reste une tonalité négative. Si je relâche mes efforts pendant quelques jours, je sens que tout recommence à aller mal, alors je m'oblige à m'y remettre.

J'ai rassuré Béa en lui disant que les faux départs et les hésitations étaient normaux, qu'il fallait les accepter et ne pas se les reprocher. Je l'ai encouragée à persévérer. Deux mois plus tard, elle avait visiblement changé. Elle m'a expliqué comment les mesures concrètes qu'elle avait prises modifiaient ses comportements et ses rapports avec Michel.

> Je me sens bien plus tonique. Mais j'ai surtout l'impression de mieux gérer ma vie. Et avec Michel je suis beaucoup plus détendue. Les choses qui m'exaspéraient tellement avant ne m'atteignent plus. Je sais que cela améliore beaucoup nos relations. J'ai parfois l'impression que nous réapprenons à nous connaître.

Béa était plus occupée, plus équilibrée et plus sûre d'elle-même, donc moins dépendante, moins hargneuse et moins frustrée. Elle cessait progressivement de centrer toute son attention sur la conduite de Michel. La dynamique de leur couple évoluait positivement.

Trouvez des forces neuves

Charles sentait que sa plus grande erreur avait été de se laisser, comme il le dit lui-même, « obséder par l'image de ce qu'on attendait de moi au lieu de me centrer sur ce qui m'intéressait vraiment ». Il reconnaissait que la banque ne l'avait jamais vraiment passionné.

Je crois qu'une des raisons pour lesquelles j'en voulais tellement à Louise, c'est qu'elle aimait son travail à la boutique. Ma carrière ne m'avait jamais donné de joie et je suppose que cela se voyait. C'est peut-être pour ça que ça a mal tourné, d'ailleurs.

Charles aimait la voile depuis l'enfance. Il avait participé à plusieurs régates et effectué quelques croisières, mais jamais il n'avait pensé à faire de sa passion un métier. Après son mariage, il se contenta de renouveler son abonnement à une revue spécialisée et de faire quelques sorties en mer avec sa famille sur un voilier de location. Mais il réalisait maintenant qu'avec sa retraite, leurs économies et les revenus de Louise il pouvait envisager de faire quelque chose qu'il aimerait et transformer ainsi en victoire personnelle une défaite apparente. Avec l'assentiment de sa femme, il acheta un ketch de dix mètres à retaper (il ferait les travaux lui-même). À cette occasion, il se fit quelques relations parmi les marchands de bateaux et il se lia d'amitié avec celui qui lui avait vendu son ketch, un ancien alcoolique nommé Jack. Jack lui proposa de rester avec lui au bureau et de s'initier au métier.

J'ai demandé à Charles comment tout cela affectait le reste de sa vie.

C'est le jour et la nuit. J'adore travailler sur le bateau et Louise y prend goût, elle aussi. Elle m'aide à gratter la peinture le dimanche. Nous allons bientôt faire notre première sortie. En attendant, je travaille à mi-temps chez Jack, sans être payé, mais j'apprends. Je l'aide à sortir les bateaux qu'il veut vendre et il m'apprend les ficelles du métier. Il dit que j'ai ça dans le sang ! Vous ne pouvez pas imaginer comme je m'amuse

Le fait de développer ses connaissances et son habileté porte un rude coup aux forces de la dépendance. Le désir de se trouver sur un pied d'égalité avec son partenaire est une des motivations qui incitent le plus fortement à se dépasser. C'est la « vengeance par la réussite » et une façon de sublimer ses émotions négatives.

Juste distance et intimité

Peu après notre conversation sur la juste distance, Béa me téléphona pour me poser « une petite question ». Elle et Michel avaient l'intention de s'offrir un week-end « en amoureux » et elle se demandait...

... comment je dois me comporter avec cette histoire de juste distance. Jouer la froideur ? Emporter quelques bouquins ou du travail à faire ? Demander des lits séparés ?

J'expliquai à Béa que le but n'est pas de jouer la froideur avec son partenaire. En fait, il ne faut jouer à rien et surtout ne rien préméditer, cela tue toute spontanéité. Laissez-vous aller à faire ce que vous avez envie de faire. Lire au lit ou même travailler en présence de votre partenaire ? pourquoi pas ? Si vous vous sentez très amoureux, n'hésitez pas non plus à le manifester.

Mais si vous vous sentez à la fois amoureux et inquiet des réactions de votre partenaire, dites quelque chose comme : « Je me sens vraiment bien avec toi et je voudrais que ça dure, alors, si tu as besoin de te retrouver seul un moment, dis-le-moi. D'accord ? » C'est une façon élégante de combiner autonomie et intimité.

J'ai su par la suite que le week-end de Béa et Michel avait été un succès.

Et ça marche !

Michel m'a dit à propos de Béa :

> Quand je rentre à la maison, ce n'est plus en me demandant : « Quelle connerie ai-je encore pu faire aujourd'hui ? » Béa est toujours ravie de ses activités et cela me rend heureux. C'est vraiment une fille bien. Je suis content de l'aider quand elle a un problème de boulot parce que c'est une chose que je sais faire. Cela nous a beaucoup rapprochés.

L'investissement émotionnel exclusif de l'un des partenaires emprisonne les deux. Mais la juste distance vous permet de cultiver les qualités, les forces suivantes.

• *L'autonomie.* En vous libérant émotionnellement du dominant et en vous livrant à des activités enrichissantes, vous redevenez une personne solide, équilibrée et autonome. L'autonomie — personnalité et liberté — est un des contrepoids les plus puissants du paradoxe de la passion. Et quand elle s'équilibre avec la complicité, la réussite totale des couples exemplaires n'est pas loin.

• *La spontanéité.* Nous avons vu que le « sois naturel » du dépendant se retourne généralement contre lui en lui donnant un trac fou. Mais vous retrouverez votre spontanéité dès que vous cesserez de croire que chacun de vos gestes est déterminant pour l'avenir de la relation. En reprenant des activités gratifiantes, vous retrouverez votre confiance en vous et vous serez moins angoissé, moins inhibé, donc plus spontané.

• *L'estime de soi.* La position de dépendant va souvent de pair avec une piètre estime de soi. Celui qui s'estime peu se sent indigne d'être aimé et son insécurité devient difficile à cacher. Or moins on se sent aimé, moins on s'aime. La clé de la juste distance consiste à trouver de nouvelles sources de confiance et d'estime de soi, capables de compenser le sentiment d'insécurité.

• *Le pouvoir.* La juste distance est efficace parce qu'elle utilise les dynamiques du paradoxe pour combattre le paradoxe. Nous savons que les élans du dépendant font fuir le dominant. En dirigeant ces élans vers d'autres cibles, vous retrouvez du pouvoir.

Il y aura des moments où vous douterez de l'utilité de la juste distance. Totalement absorbé par vos sentiments pour le dominant, vous aurez l'impression de le trahir en vous éloignant. Tâchez toutefois de ne pas abandonner. Si vous persistez, des résultats positifs ne tarderont pas à récompenser vos efforts.

La juste distance n'est pas un jeu

Certains de mes clients dépendants se sont refusés à essayer la juste distance parce qu'ils la voyaient comme un jeu. Mais je peux vous affirmer qu'il ne s'agit pas de cela. Je suis moi-même écœuré par le nombre de livres et d'articles qui recommandent de jouer les indifférents pour récupérer un partenaire ambivalent ou hésitant. Et le pire, c'est que ces conseils émanent pour la plupart de psychothérapeutes.

Le jeu qu'ils proposent consiste à manipuler les sentiments du dominant en singeant des comportements dominants, c'est-à-dire en feignant l'indifférence. J'en ai relevé quelques exemples.

- Ne pas répondre aux messages laissés sur répondeur.
- Draguer sous les yeux du dominant.
- « Disparaître » pendant plusieurs jours.
- Sortir avec d'autres pour narguer le dominant.
- Faire le coup du silence.
- Se refuser sexuellement.
- Feindre l'indifférence.

Le problème de ces « trucs », c'est que, même quand ils marchent, ils ne font qu'entretenir la colère et la défiance du dominant. Et ils ne peuvent pas améliorer la relation parce qu'ils ne modifient en rien l'investissement affectif du dépendant. Ces petits jeux manipulateurs sont donc de fausses solutions qui vont, au mieux, ramener provisoirement le dominant en titillant sa jalousie. La juste distance, en revanche, est un remède efficace, tant pour la relation que pour vous-même.

N'oubliez pas non plus que le jeu de l'indifférence ne peut pas abuser le dominant bien longtemps. Rappelez-vous les tentatives de Paul pour provoquer Laura pendant le pique-nique. Elles étaient tellement artificielles que Laura n'en a pas été dupe. Le dépendant qui utilise ce genre de manœuvre n'arrive pas à dissimuler qu'il y est poussé par un investissement excessif.

Stratégie 5
Expliquez ce que vous faites

Il est essentiel de maintenir une bonne communication avec votre partenaire quand vous pratiquez la juste distance.

Sinon, vous courez le même risque qu'en jouant les indifférents, dérouter votre partenaire, éveiller sa méfiance et son courroux.

Vous vous souvenez peut-être de Marie et Raoul, le couple dont j'ai parlé au chapitre 8. Marie en voulait terriblement à Raoul d'être distant et s'angoissait terriblement parce qu'il était bel homme. Quant à Raoul, il fuyait la maison. En séance individuelle, Marie et moi avons discuté des mesures concrètes qui lui permettraient de prendre une juste distance. Elle se montra enchantée à l'idée de faire enfin ce dont elle rêvait depuis toujours, prendre des cours de danse moderne et coiffer bénévolement, à domicile, des personnes âgées.

Elle mit ses projets à exécution avec beaucoup d'enthousiasme mais sans en parler à son mari. La réaction de Raoul ne se fit pas attendre.

Quand j'ai commencé à avoir des activités en dehors de la maison, il s'est mis à rentrer plus tard et à se soûler, ce

245

qui n'est pas dans ses habitudes. Je lui ai demandé ce qui se passait et il a répondu : « C'est à toi de me le dire. Tu as quelqu'un, non ? » Je lui ai dit qu'il se trompait mais il ne m'a pas crue et ça a dégénéré en bagarre. Après, il est parti...

Marie reconnut qu'elle aurait dû associer juste distance et dialogue. Mais elle pensait obtenir un meilleur résultat en ne parlant pas de ses nouvelles activités et elle craignait aussi que Raoul ne se moque de ce qu'elle faisait.

J'ai confirmé à Marie que la distance imposée à un partenaire sans explication donnait souvent le contraire du résultat escompté.

Puisque Raoul était parti, Marie choisit de lui écrire une lettre.

Cher Raoul

Je suis désolée que nous nous soyons si mal compris. Je t'assure que je n'ai personne d'autre — et que je n'en ai pas la moindre envie. Tu sais que je suis en thérapie et que je m'efforce de ne plus exercer de pression sur toi. Je sais bien que je t'ai irrité en insistant pour que tu fasses des choses avec moi. Mais je comprends maintenant que si tu me donnais aussi peu c'est que je t'en demandais beaucoup trop. Je fais donc ce que mon psy appelle « prendre une juste distance » par rapport à toi. C'est-à-dire que je fais des choses que j'ai toujours eu envie de faire (comme apprendre à danser), que je me rapproche de mes amies Suzanne et Élise, que je m'efforce d'être meilleure fille et meilleure sœur car j'ai le sentiment d'avoir longtemps négligé ma famille. Je suis obligée de me forcer, par moments, mais je commence déjà à me sentir mieux dans ma peau et j'ai moins besoin de te solliciter. Que penses-tu de tout cela ? Le temps des récriminations est terminé, je te le promets.

J'espère que tu me comprends. J'espère que nous pourrons parler de tout cela un jour. Je suis désolée de ne pas m'être expliquée plus tôt.

Tendresse.

Marie.

Elle adressa la lettre au garage, et le lendemain Raoul lui demanda en blaguant si la « juste distance » lui permettait encore de poser la main sur elle. Ils dînèrent au restaurant et passèrent « la soirée la plus tendre » qu'ils aient partagée depuis longtemps.

En informant leur partenaire des mesures qu'ils prennent pour trouver cette juste distance, les dépendants leur transmettent quelques messages importants.

• Ils reconnaissent leur part de responsabilité dans les problèmes du couple.

• Ils prennent des mesures pour relâcher la pression exercée sur le dominant afin de faire renaître l'amour et la confiance dans le couple.

• Le dominant n'a plus à se sentir coupable de son éloignement affectif.

• Le dominant n'est plus le centre de leur univers, il peut donc se sentir plus libre et apprécier l'autonomie croissante du dépendant.

Stratégie 6
Affrontez votre peur de la distance

Béa reconnut que la stratégie de la juste distance laissait intacte, et même encourageait une de ses peurs.

Je n'arrive pas à me sortir de l'idée que Michel va profiter du fait que je suis plus occupée pour me tromper. Il va se dire que je ne l'aime pas vraiment ou qu'il n'est pas pleinement satisfait et se servir de ces excuses pour recommencer ses bêtises.

Le dialogue atténue le danger de voir le dominant réagir comme le craignait Béa. Toutefois, à partir du moment où le dépendant affirme son autonomie, il doit accepter ce risque. Car en se laissant retenir par la crainte, il cède au paradoxe. Si la relation est trop fragile pour résister à ce recul présenté avec amour et franchise, c'est qu'elle n'aurait pas duré bien longtemps de toute façon.

Ce genre de peur doit pourtant être combattu. Voici un exercice qui a aidé Béa et d'autres dépendants à le faire.

Écrivez ce que vous redoutez le plus en prenant de la distance par rapport à votre partenaire.

BÉA : Que Michel recommence à me tromper.

Imaginez que cela se produise. Comment réagiriez-vous ?

BÉA : Je me sentirais doublement trahie. Désillusion, colère, chagrin surtout. Je m'en voudrais de lui avoir fourni une si belle occasion et de lui avoir fait confiance.

Reformulez votre pensée en termes non accusateurs.

BÉA : Je sais qu'il est important de donner une deuxième chance à Michel et à notre couple. Je crois vraiment que nous sommes faits l'un pour l'autre. Il vaudrait mieux pour Chloé que nous restions ensemble. Mais cette fois-ci je ne me laisserai pas prendre au piège de la colère ni du dégoût de moi-même et de Michel. Je suis sur le bon chemin, je le sais, et je me sens plus heureuse et plus forte. Si Michel me trompe une autre fois, je saurai qu'il n'est pas fait pour moi. Je saurai aussi que j'ai tout tenté pour sauver notre couple avant de renoncer.

Et voici la partie la plus difficile et la plus essentielle de l'exercice.

Discutez de votre peur et de sa reformulation avec votre partenaire. Mais soyez ferme. Dites-lui que, s'il fait ce que vous redoutez le plus, c'est en connaissance de cause qu'il mettra le couple en danger.

Béa choisit de franchir cette dernière étape en séance avec Michel. Michel semblait ému de l'entendre exprimer sa peur et respecta sa fermeté. Il affirma que son aventure avec Monique lui avait servi de leçon. Il reconnut également que la juste distance n'était pas sans lui causer des inquiétudes. Il se sentait malgré lui « vaguement menacé par Richard ». Constater qu'ils redoutaient tous les deux la même chose les rassura.

Et si le dominant est contre?

Michel avouait sa crainte de la juste distance. Certains dominants s'y opposent carrément. Si vous rencontrez ce genre de résistance, ne condamnez pas votre partenaire, essayez de comprendre les raisons de sa réaction. Il y a de bonnes chances pour qu'il ait besoin de vous contrôler à cause d'une insécurité profonde. Il se peut aussi que vous l'ayez choisi parce que vous avez besoin d'être dominé.

Le besoin de contrôler et d'être contrôlé est souvent le

fait de personnes qui connaissent de grandes difficultés relationnelles dues à une enfance malheureuse. (Je parlerai de ces questions aux chapitres 13 et 14.) Il faut néanmoins se persuader qu'en affrontant les réalités les plus déplaisantes du couple on se donne les meilleures chances d'améliorer les rapports.

Stratégie 7
Définissez vos limites

Marie et Raoul firent de réels progrès, mais la frustration affective de Marie ne tarda pas à resurgir.

Je suis bien plus contente de moi, et nous nous entendons beaucoup mieux, mais il reste un problème. Raoul n'est pas du genre câlin et cela me manque énormément.

La juste distance implique que le dépendant accepte des compromis dans le domaine sentimental. Mais il arrive que, pour une raison quelconque — dans le cas présent, l'inadéquation des deux personnalités —, la juste distance ne satisfasse pas les besoins du dépendant. Si votre partenaire se montre avare de la tendresse qui vous est nécessaire, votre relation mérite d'être sérieusement reconsidérée, même si votre entente est bonne.

Essayez la juste distance pendant plusieurs mois. Dites sans accuser ce que vous attendez de la relation. S'il vous semble que votre insatisfaction repose sur l'inadéquation des situations ou des personnalités, parlez-en. Négociez et acceptez des compromis. Recherchez un équilibre qui satisfasse au minimum vos besoins d'intimité et les besoins d'indépendance de votre partenaire.

Si, malgré tous ces efforts, vous êtes encore insatisfait, vous aurez une décision difficile à prendre. Avant de la prendre, ayez une conversation franche et non culpabilisante avec votre partenaire. Dites-lui honnêtement que vous craignez de ne pas être le partenaire idéal pour lui. En prenant cette initiative, vous affirmez votre pouvoir et vous rétablissez un certain équilibre. Cela suffit parfois à sauver la relation et à lui permettre de s'épanouir.

L'ultimatum

C'est le moyen ultime de définir vos justes limites. C'est une arme puissante, souvent utilisée — et souvent à mauvais escient — par les dépendants. On ne devrait recourir à l'ultimatum qu'avec prudence et parcimonie pour éviter le syndrome du garçon qui criait « au loup ». On ne devrait pas non plus l'utiliser pour renforcer sa position ou effrayer le dominant.

Avant d'en arriver à l'ultimatum, le dépendant doit savoir clairement ce qu'il ne peut plus tolérer dans la relation. Il doit centrer son attention sur la dynamique du couple et refuser de se poser en accusateur. L'ultimatum peut se formuler ainsi : « A moins que nous ne puissions tous les deux changer ce dont nous avons parlé, et rapidement, je crois qu'il vaudrait mieux nous séparer. » Ainsi posé, l'ultimatum permettra peut-être au couple d'avancer.

L'effet de choc risque de provoquer des résultats positifs, mais restez réaliste. Si un dominant très ambivalent, cédant à votre ultimatum, vous propose le mariage, vous en serez sans doute ravi, mais n'oubliez pas que vous avez utilisé un traitement de choc, pas un agent de transformation profonde. Un ultimatum peut vous

« gagner » l'engagement d'un partenaire qui, à la longue, se révélera incapable de vous donner l'amour sincère et la tendresse que vous souhaitez.

Marie finit par poser un ultimatum. Elle commença par affirmer à Raoul qu'elle ne lui en voulait pas mais que tous ses besoins n'étaient pas satisfaits dans leur relation. Elle espérait qu'ils arriveraient à dépasser leurs problèmes mais, dans le cas contraire, elle préférait partir. Elle fut bouleversée d'entendre Raoul, furieux, lui crier qu'elle pouvait bien faire ce qui lui plairait. Il partit en claquant la porte mais le lendemain il acceptait d'entreprendre une thérapie de couple.

Vous disposez maintenant de stratégies qui vont vous permettre de sortir de la position de dépendant. Considérez-les comme des atouts dans votre jeu, des outils à utiliser pour tirer de votre relation les bénéfices que vous en attendez. Les dépendants peuvent réaliser de grandes choses, tant dans leur vie personnelle que dans leur vie de couple, s'ils le désirent.

10.

CE QUE LE DOMINANT PEUT FAIRE

Sept façons de favoriser l'amour

Ambivalents, les dominants savent très bien se torturer eux-mêmes. Au cours de sa première séance individuelle, Laura exprima l'angoisse typique du dominant.

> Jamais je ne me suis autant détestée. Je n'ai pas l'habitude de me considérer comme une manipulatrice mais là, je commence à me poser des questions. Le pire, c'est que je ne me reconnais pas. Je commence par penser que Paul est l'homme de mes rêves. Et puis d'un seul coup me voilà agacée, irritée par sa présence. Je le trompe, je le plaque, et puis c'est mon tour d'être plaquée. La première idée qui me vient, c'est de récupérer Paul en l'éloignant d'une femme qui lui convient certainement mieux que moi. Et maintenant, tout ce que je veux c'est retrouver mes sentiments pour lui au lieu de cette incertitude horrible. Est-ce que vous pourriez faire quelque chose pour, disons, éclairer ma lanterne ?

Les dominants doutent facilement d'eux-mêmes. Ils se demandent si quelqu'un de « bien » pourrait ressentir ce qu'ils ressentent, faire ce qu'ils font et penser ce qu'ils pensent. Sans aucun doute, ils connaissent déjà la réponse. C'est non. Ils sont donc mauvais.

J'ai dit à Laura ce que je dis à la plupart de mes clients dominants : commencez par vous accorder un répit.

Stratégie 1
Réconciliez-vous avec vous-même

Vous réconcilier avec vous-même, c'est accepter vos sentiments tels qu'ils sont et cesser de vous les reprocher. Je pense notamment *à* la culpabilité, *à* la colère, *à* la froideur et *à* la frustration, *à* l'ennui et *à* l'impatience, *à* la sensation d'étouffer ou *au* désir d'un amour plus passionné. Ces sentiments sont à la fois normaux, étant donné le déséquilibre de votre relation, et nécessaires à la compréhension comme à la correction de ce déséquilibre.

Le fait est que les dominants sont tout aussi victimes du paradoxe de la passion que les dépendants. Ils sont troublés quand ils découvrent que les sentiments suscités en eux par le paradoxe leur donnent le pouvoir dans la relation. Ils ignorent que ce pouvoir leur ôte précisément *tout pouvoir* de rester amoureux. La première tâche du dominant, c'est donc d'admettre qu'il n'est pas responsable des problèmes du couple du fait qu'il n'est plus amoureux. Un déséquilibre s'est installé entre les partenaires et c'est *lui* qui suscite tous ces sentiments déplaisants. Car en vérité le dominant et le dépendant sont tous deux privés d'amour et de complicité.

Une fois admises par le dominant et considérées comme normales, culpabilité, colère et frustration tendent à diminuer. La relation peut alors être envisagée sous un meilleur jour. Il est donc essentiel que les dominants apprennent à se pardonner et à se désangoisser.

Soyez votre ami

Imaginez qu'un de vos amis vive une situation semblable à la vôtre. Il vous demande de l'aider. Qu'allez-vous lui dire pour le réconforter ? Écrivez les paroles que vous prononceriez. En vous aidant de ce que vous savez du paradoxe, faites la relation entre ce que ressent votre ami et les forces mises en jeu par le déséquilibre.

Louise, véritable championne de l'autoflagellation, avait bien besoin de cet exercice. Voici ce qu'elle écrivit.

> Tu sais bien que tu n'as jamais eu l'intention de blesser ton mari. Tout ce que tu voulais, c'était que vous soyez heureux ensemble. Mais vous n'avez pas eu de chance. Tu commençais à exister vraiment, pour la première fois, à quarante-quatre ans. Tu avais trouvé le truc qui te plaisait et te rendait fière de toi. Ce n'est tout de même pas ta faute si la boîte de ton mari a choisi ce moment-là pour lui jouer un sale tour. Que pouvais-tu faire ? Laisser tomber ta boutique pour faire plaisir à ton mari ? Cela n'aurait rien changé, sinon en pire. Cantonnés comme vous l'êtes dans vos rôles respectifs depuis des années, vous ne pouviez pas savoir comment réagir ni comment vous adapter à des changements aussi brutaux. L'un comme l'autre, vous avez fait des erreurs, vous avez souffert. Vous êtes humains, tout simplement. Et regarde tout ce que tu as appris, tous les efforts que tu as faits pour vous sortir de là. Tu ne peux pas savoir comme je t'admire. Je sais que c'est l'enfer et que tu es très seule...

En me lisant la dernière phrase de son texte, Louise n'a pu retenir ses larmes, de bonnes larmes libératrices. En se parlant comme à une amie, elle commençait à se déculpabiliser. Et cela lui a permis d'entreprendre un travail positif sur la relation.

Admettez que vous raisonnez de travers

Les dominants ont la même tendance que les dépendants à raisonner de travers, seul le résultat est différent. Le raisonnement des dépendants les pousse à s'accrocher à la relation, celui des dominants les jette dans la plus extrême confusion. Ils se trouvent devant une question insoluble : la pire des erreurs serait-elle de quitter cette relation ou d'y rester ?

Ambivalents, les dominants rêvent d'objectivité mais se trouvent dans l'incapacité de répondre aux questions les plus simples concernant leurs sentiments.

- Est-ce que j'aime mon partenaire ?
- Cette relation me convient-elle ?
- Suis-je plutôt heureux avec des moments difficiles ou plutôt malheureux avec de bons moments ?

En cherchant la réponse à ces questions, les dominants tournent en rond. Ils auraient tout intérêt à laisser ces problèmes de côté, aussi importants qu'ils puissent être, pour centrer leur attention sur les dynamiques qui les sous-tendent.

J'engage les dominants à ne prendre aucune décision importante tant qu'ils sont aux prises avec le syndrome d'ambivalence affective. Mon rôle est de vous aider à comprendre que vous raisonnez de travers et à corriger cette tendance. C'est seulement alors que vous aurez une conscience claire de ce que sont vos besoins affectifs.

Stratégie 2
Sachez écouter votre culpabilité

Quand ils se rendent compte qu'ils ne sont plus amoureux, les dominants commencent à se sentir coupables, surtout si leur partenaire est très amoureux et/ou très vulnérable. Laura était tourmentée par sa culpabilité, sans se rendre compte du rôle qu'elle jouait dans ses problèmes relationnels. Elle n'y voyait que la conséquence désagréable de son manque d'amour pour Paul. La culpabilité l'empêchait de comprendre qu'il était normal et même prévisible qu'elle veuille récupérer Paul. Il lui semblait plus naturel de s'accuser d'avoir des tendances manipulatrices. La culpabilité l'incitait à se considérer comme anormale et à vouloir se punir.

La culpabilité est un sujet complexe qui suscite les débats les plus vifs parmi les psychologues. Je ne suis absolument pas d'accord avec ceux de mes confrères qui voient dans la culpabilité une « émotion inutile ». Comme je l'ai déjà dit, j'estime que tout sentiment a nécessairement une raison d'être. Un sentiment de culpabilité modéré peut être le signal d'alarme qui nous avertit que nous traitons injustement notre prochain, ou même le guide qui nous aide à tirer profit de nos erreurs.

Mais les dominants sont souvent la proie d'une sorte de culpabilité que j'appelle « culpabilité de l'abandon ». Elle crée chez eux une mentalité de kamikaze qui peut les pousser à des comportements extrêmement destructeurs. Ils ont la sensation d'être tellement « moches » qu'ils ne méritent aucune rédemption et n'ont « plus rien à perdre ». Infidélité et cruauté sont les manifestations les plus fréquentes de cette culpabilité. Ils s'en veulent à mort de ne plus être amoureux et font précisément ce qu'ils se reprochent le plus : rendre leur partenaire malheureux. Il n'est pas rare que cette forme de culpabilité leur fasse prendre la décision ultime : abandonner la relation qui en est la cause.

Exercice de culpabilité

La culpabilité étant destructrice, je conseille vivement aux dominants de se livrer à cet exercice dès qu'ils en ressentent la nécessité. C'est une façon d'utiliser la culpabilité comme levier pour résoudre les problèmes profonds du couple.

Énumérez les reproches que vous vous faites

J'ai demandé à Laura de faire la liste de ce qu'elle considérait comme ses erreurs par rapport à la relation. Voici ce qu'elle a écrit.

Je suis immature. J'espère toujours trouver le partenaire idéal avec qui je vivrai une passion éternelle.

Je suis tellement frivole que quand je « tiens » quelqu'un j'ai immédiatement envie de le lâcher. C'est peut-être la preuve que j'ai peur de m'investir.

Je peux être extrêmement égoïste, surtout en ce qui concerne ma carrière. Entre faire quelque chose pour Paul et faire quelque chose pour mon travail, je choisis toujours mon travail.

Faites la part des choses

Déterminez, pour chacun de ces reproches, *la part d'exagération et la part qui reflète un vrai problème relationnel.* Voici ce qu'a écrit Laura.

Il m'arrive de me laisser aller à mes rêveries romanesques. Mais il semble que je sois assez adulte pour avoir pris un bon départ dans une profession difficile. J'ai énormément d'affection pour Paul mais il lui arrive d'être tellement possessif que même mes amis s'étonnent que je le supporte.

Je sais bien qu'il me faudra un jour dépasser ma peur de l'engagement affectif, surtout si elle me pousse à rechercher un certain type d'homme. Mais, d'un autre côté, il est *bon* de se méfier, quand on voit le nombre de gens qui n'ont *pas assez* peur de s'investir. Ils se jettent dans les bras du premier venu, se marient et passent le reste de leur vie à le regretter. Je suis contente que nous essayions de comprendre pourquoi mes sentiments sont ambigus. Cela nous aidera sans doute à prendre la bonne décision.

Là, j'exagère vraiment (90 p. 100 ?). Je sais que, parmi les couples qui travaillent, ceux qui s'en sortent le mieux sont ceux qui séparent nettement le domaine professionnel et le domaine affectif. Et c'est une des choses que je réussis le mieux avec Paul.

Posez-vous les vrais problèmes

À petite dose, la culpabilité est utile, mais évitez d'en rajouter. Voyez votre culpabilité comme une occasion de rechercher et d'étudier, avec votre partenaire, vos comportements négatifs. Reconnaissez que vous jouez un rôle dans la dynamique de la relation mais n'oubliez pas que vos problèmes sont essentiellement dus à un déséquilibre qui s'est produit à votre insu.

Même si vous avez fait souffrir votre partenaire, ne vous condamnez pas car en vous condamnant vous le feriez souffrir davantage. Dites-vous : « Oui, j'ai commis des erreurs. Voyons ce que je peux faire maintenant pour essayer de sauver notre histoire. »

La culpabilité donne à votre relation une forte charge

259

négative. Apprendre à gérer sa culpabilité, c'est diminuer cette charge. C'est pourquoi je préfère m'attaquer à la culpabilité de l'abandon dès le début de mon travail avec le dominant. Une fois débarrassé d'elle, le comportement du dominant dans la relation s'améliore très nettement.

Stratégie 3
Domptez votre colère

D'un côté, le dominant se sent coupable et se fait des reproches, de l'autre, il éprouve un sentiment de colère bien compréhensible. Il est furieux de se sentir prisonnier et insatisfait. Mais il a souvent du mal à justifier sa colère tellement le dépendant est aimant et vulnérable.

La colère est une émotion difficile à exprimer pour la plupart d'entre nous, quelles que soient les circonstances. Les dominants ne font pas exception à la règle. Quand leur colère s'intensifie, ils réagissent selon trois schémas principaux : adopter une attitude perpétuellement accusatrice envers le dépendant ; retourner leur colère contre eux-mêmes, la transformant en culpabilité et en condamnation ; trouver des façons directes de l'exprimer.

La colère détournée

Si vous êtes systématiquement irrité ou poussé à bout par des détails du comportement de votre partenaire, vous exprimez probablement de façon détournée la colère provoquée par des problèmes plus importants. Michel, par exemple, perdait patience pour les choses les plus insignifiantes, comme une lumière oubliée, et

Laura agressait Paul parce qu'il ronflait. Ce type de comportement a pour résultat immédiat de renforcer le paradoxe de la passion en dévalorisant le dépendant et en culpabilisant le dominant. Et la colère du dominant ne peut que croître tant que les problèmes de fond ne sont pas pris en compte.

La communication non culpabilisante est l'outil qui permet de diriger sa colère, de façon directe et constructive, sur les vrais problèmes. Si vous nourrissez une forte colère contre votre partenaire, relisez le chapitre 8. Je propose aussi à mes clients dominants une analogie qui leur permet de comprendre, d'accepter et de mieux canaliser leur colère.

Les personnes qui se trouvent contraintes de s'occuper d'un partenaire très malade ont tendance à lui en vouloir. Ils se trouvent soudain confrontés à des responsabilités écrasantes qui restreignent leur liberté. Ils sont furieux et incriminent souvent le malade tout en se reprochant d'accabler un être impuissant et vulnérable. En leur suggérant de diriger leur colère non contre le malade mais contre la situation nouvelle dans laquelle ils se trouvent tous deux, on leur offre la possibilité d'agir positivement sur cette situation.

De la même façon, les dominants doivent rejeter la faute sur les dynamiques destructrices de la relation. Ainsi orientée, leur colère est justifiable et même positive. Elle deviendra un moteur de changement à partir du moment où ils se diront : « Cette situation me rend furieux et je vais faire tout mon possible pour l'améliorer. »

Stratégie 4

Apprenez à voir votre partenaire tel qu'il est

Les dépendants qui dramatisent se persuadent qu'ils ne pourront pas vivre en dehors du couple. Les dominants qui dramatisent se persuadent qu'ils ne pourront pas vivre dans le couple, qu'ils seront à jamais les otages de quelqu'un qui a cessé de leur plaire et de les satisfaire. Ils perdent tout désir sexuel pour leur partenaire, se reprochent leurs tendances romanesques immatures et commencent à se demander s'ils ne sont pas trop exigeants.

Je vous conseille de ne pas négliger les impressions négatives que peut vous faire votre partenaire. Il est possible que sa personnalité, son intelligence, son apparence, son caractère, etc., ne répondent pas à votre attente. Mais n'oubliez pas non plus que la position de dominant peut vous pousser à exagérer ses défauts et à minimiser ses qualités. Soyez particulièrement sensible à ces distorsions si votre relation était harmonieuse avant d'être déséquilibrée.

Exercice d'objectivité

Cet exercice aide les dominants à voir objectivement leur situation et à se libérer de la peur de l'enfermement. Faites d'abord la liste des défauts qui vous gênent le plus chez votre partenaire. Laissez-vous guider par vos émotions viscérales et ne vous reprochez rien de ce que vous écrirez. Parallèlement à cette première liste, faites-en une autre avec ses qualités, que le déséquilibre de la relation vous a peut-être fait perdre de vue. Cela peut vous aider à retrouver ce qui vous a séduit en lui. Voici ce qu'a écrit Laura à propos de Paul.

Défauts	*Qualités*
• Il en fait trop	• Il est très respecté
• Il n'est pas sportif	• Il est très intelligent
• Il n'est plus tout jeune	• Il a du charme
• Il est maladroit en société	• Il est tendre et affectueux
• Il est possessif	• Il est généreux

Étudiez la liste des défauts et voyez dans quelle mesure ils sont imputables à la position de dépendant. Laura comprit par exemple que la maladresse de Paul en sa présence était probablement due à son insécurité. Elle comprit également que sa propre perception des défauts de Paul était influencée par sa position dominante.

Imaginez ensuite votre partenaire dans une situation où son insécurité vous semble particulièrement flagrante, une soirée, par exemple. Voyez son comportement inquiet, typiquement dépendant. Il ne vous quitte pas d'une semelle, insiste pour partir ou essaie d'éveiller votre jalousie en s'intéressant à d'autres. Constatez combien votre perception de son comportement devient de plus en plus négative. Maintenant, imaginez-le sûr de lui et de votre amour. Vous le cherchez des yeux et vous le découvrez en grande conversation avec un groupe de gens sympathiques ; il remarque votre regard et vous fait un clin d'œil. Ou bien un ancien amant s'approche pour vous saluer, et votre partenaire s'éclipse avec discrétion pour vous permettre de bavarder tranquillement. Quand vous prenez congé de votre « ex » pour rejoindre votre partenaire, il vous prend la main et vous dit : « Tu m'as manqué. »

C'est ainsi que Laura se représenta la scène avec un Paul confiant et sûr de lui. « C'est drôle, dit-elle, mais dans un contexte de travail il est exactement comme ça. » Elle comprit pourquoi : dans son contexte professionnel, il se sentait effectivement confiant et sûr de lui. Il n'était pas dépendant. J'assurai à Laura qu'il pouvait avoir la même assurance dans leur relation. Mais il fallait qu'ils travaillent tous les deux sur les dynamiques destructrices de leur couple. Je demandai ensuite à Laura si elle se sentait toujours aussi piégée. Comme beaucoup de mes clients dominants, elle répondit : « Pas du tout. La perspective me paraît au contraire intéressante et amusante. J'ai réellement envie de relever le défi. »

Stratégie 5

Gardez-vous une porte de sortie

L' « option liberté » est un concept qui a aidé un grand nombre de mes consultants à relativiser leur sensation de confinement dans la relation et à résoudre leur ambivalence.

L'impression d'être piégé peut avoir des origines diverses : la peur de ne pas trouver mieux, la peur de l'indépendance, le sens du devoir, la peur du qu'en-dira-t-on, la culpabilité envers le dépendant, les enfants, etc. Mais cette sensation vous garantit un triple résultat : vous serez effectivement piégé, vous serez malheureux et vous opposerez d'autant plus de résistance à votre partenaire. Tout ce que vous ferez pour échapper à votre malheur rendra vos sentiments plus nocifs encore. Vous en arriverez peut-être à exprimer votre frustration en abusant de substances nocives, en multipliant les aventures et en privant votre partenaire de toute affection.

Comme nous l'avons vu, les remèdes contre le paradoxe de la passion s'articulent souvent autour du paradoxe lui-même. C'est le cas de l'option liberté. Se garder une porte de sortie veut dire accepter l'éventualité de quitter la relation si elle continue à engendrer trop de frustrations. Dites-vous que vous avez absolument le droit de partir si vos besoins ne sont pas satisfaits et si rester représente un compromis inacceptable.

Vous convaincre de cette réalité augmente vos chances de sauver la relation. Sachant que vous pouvez partir, vous vous sentirez moins piégé et vous aurez moins besoin de tirer sur vos liens. Si vous cessez de fuir votre partenaire, il n'aura plus besoin de s'accrocher à vous.

L'option liberté vous permet donc de contrer les dynamiques du paradoxe en :

• modifiant l'appréhension négative, déformée, fondée sur la peur que vous avez de votre partenaire
• vous permettant d'envisager votre relation avec plus d'objectivité
• vous donnant plus de ressort pour améliorer la relation
• vous aidant à retrouver l'amour.

Exercice de libre arbitre

Quand Louise entreprit seule sa thérapie, elle se sentait non seulement piégée mais paralysée. La « solution » qu'elle s'était trouvée — un fantasme de veuvage récurrent — ne faisait qu'aggraver ses problèmes. Elle se laissait souvent aller à imaginer la mort (naturelle) de Charles et son propre soulagement d'être délivrée, sans déshonneur, du fardeau de leur union. Mais cette sensation de liberté ne tardait pas à être remplacée par une culpabilité et une dépression extrêmes. Quand Charles buvait ou la maltraitait, elle ne se sentait aucun droit de s'y opposer car la femme capable de supprimer son mari, même en imagination, mérite d'être maltraitée. C'est ainsi que son seul fantasme d'évasion en arrivait à entretenir son sentiment d'emprisonnement.

La thérapie consiste, en grande partie, à convaincre la personne que ses possibilités de choix sont plus nombreuses qu'elle ne l'imagine. Si l'objectif essentiel de mon travail avec Louise était de l'aider à sauver son ménage, il m'a semblé indispensable de lui faire faire cet exercice de libre arbitre dès le début. Je voulais lui montrer que, si elle se reconnaissait le droit de quitter Charles, elle se sentirait plus libre de l'obliger à discuter de leurs problèmes. Voici ce qu'elle a écrit.

Raisons de rester	*Raisons d'opter pour la liberté*
Charles a besoin de moi. Si je le quitte, il risque de dégringoler encore plus bas.	Charles est une grande personne qui doit assumer la responsabilité de ses actes. J'ai droit au respect et à l'amour.
Notre histoire commune.	Je chéris notre passé commun mais ce n'est pas une raison pour me laisser maltraiter, aujourd'hui ou à l'avenir.
Les garçons.	Tous les deux m'ont proposé de m'aider si je décidais de quitter Charles.
J'ai fait le serment de vivre avec Charles pour le meilleur et pour le pire.	Si j'arrive à trouver de meilleures façons de l'aider quand il va mal, mais je n'ai

	pas fait le serment de supporter sa violence.
Peur du divorce et de tout ce qu'il implique.	Je n'en mourrai pas et je serai probablement plus heureuse après.
Je suis trop vieille pour refaire ma vie.	Peut-être et peut-être pas. Je risque en tout cas d'être mieux toute seule qu'avec Charles tel qu'il est en ce moment.

Parce que, de son propre aveu, Louise était très attachée aux valeurs traditionnelles du mariage, elle eut du mal à se familiariser avec l'option liberté. Mais, à force de travailler cet exercice, elle se sentit moins prisonnière. Elle accepta peu à peu l'idée de revendiquer *ses* droits dans le mariage. Et, si Charles n'était pas disposé à remplir sa part du contrat, elle pouvait le quitter.

Réalités contraignantes

L'existence d'enfants à charge et l'absence de moyens financiers peuvent reléguer l'option liberté au rayon des fantasmes irréalisables. Mais ce serait une erreur. Fixez-vous des objectifs qui vous assureront, même à long terme, plus de liberté et d'indépendance, et poursuivez-les avec réalisme. Cela peut vouloir dire attendre que les enfants soient grands, apprendre un métier en suivant des cours du soir ou travailler à temps partiel. Mais toute démarche concrète pour modifier votre vie allégera votre sensation d'emprisonnement et vous redonnera courage. Cette bouffée de liberté peut même vous réconcilier avec votre situation actuelle.

Ne vous croyez pas obligé de partir

L'option liberté ne doit pas servir d'excuse au dominant pour partir dès la première alerte. Elle est plutôt destinée à aider ceux qui se sentent bridés par trop de scrupules ou de contraintes. Sa raison d'être essentielle, c'est de donner aux dominants ambivalents, paralysés, la conscience de leur libre arbitre et une soupape de sécurité. Dans ma pratique, j'ai vu un grand nombre de dominants s'atteler, grâce à cette option, à la résolution de leurs problèmes.

Stratégie 6
Tentative de rapprochement

C'est la clé de voûte de mon travail thérapeutique avec les dominants — l'équivalent « dominant » de la juste distance des dépendants — et c'est tout le contraire de la séparation temporaire.

Comme vous le savez, la dynamique du paradoxe tend à vous éloigner tandis que votre partenaire sollicite instamment votre présence. Mais ses efforts se retournent contre lui en vous poussant à vous éloigner davantage. Imaginez ce qui se passerait si vous faisiez un mouvement de retour vers votre partenaire.

Je l'ai vu faire, avec des résultats surprenants. Le dépendant se sent immédiatement rassuré et moins en demande. Il retrouve confiance, assurance, stabilité émotionnelle, spontanéité, au point qu'il en arrive parfois à réséduire le dominant. Évidemment, quand le déséquilibre est trop profond, la relation reste précaire, mais la tentative de rapprochement sert justement à éclaircir la situation, à réduire l'ambivalence du dominant.

Il s'agit bien d'une *tentative,* démarche qui vous libère de l'*obligation* de vous rapprocher et préserve votre option liberté. Le but n'est pas de vous investir davantage mais de voir si vous en êtes *capable.* C'est une approche diamétralement opposée à celle des thérapies traditionnelles qui vous considèrent comme incapable de vous investir et vous contraignent à corriger ce défaut. Pareille « solution » ne peut provoquer qu'un rapprochement superficiel et ne tient pas compte de la nature profonde des problèmes. Utilisez la tentative de rapprochement pour essayer de mettre fin à votre ambivalence. Quel que soit le résultat obtenu, regain d'amour pour votre partenaire ou désir accru de vous en éloigner, vous y aurez gagné perspective, compréhension et certitude concernant vos sentiments.

Vous vous sentez distant, frustré et, d'une façon générale, mécontent de votre relation. Pourtant, je vous demande de vous rapprocher de votre partenaire. Comment le pourriez-vous sans mauvaise grâce ou hypocrisie ?

Ce rapprochement passe par la communication. La communication est l'essence même de toute tentative de rapprochement. En faisant connaître vos sentiments, même négatifs, en termes non accusateurs, vous accomplissez le premier pas vers votre partenaire. Laura redoutait d'avouer à Paul sa culpabilité et sa frustration. Je lui ai conseillé de prendre son temps pour choisir les termes non accusateurs qui conviendraient. Comme Paul l'avait fait avant elle, elle se servit d'une analogie pour formuler ses remarques. C'est une façon très efficace d'obtenir un impact maximal avec le minimum de culpabilisation. Voici ce qu'elle a dit.

> Paul, tu te souviens quand tu m'as parlé de ta mère en me disant qu'elle était tellement excitée, tellement aux petits soins et en adoration devant toi quand tu allais la voir que tu étais mal à l'aise et que tu n'avais plus envie d'y aller ? Chaque fois, tu revenais déçu, frustré, parce que vous n'arriviez jamais à vous détendre et à être simplement vous-mêmes. Eh bien, j'ai parfois l'impression que toi et moi nous reproduisons le même schéma. Tu peux être tellement gentil, tellement généreux avec moi que j'en arrive à me sentir coupable et frustrée. Et, ensuite, j'ai du mal à ne pas faire marche arrière quand tu insistes davantage.

L'exposé de Laura fit de la peine à Paul mais il lui donna une perspective nouvelle sur son rôle dans leurs difficultés relationnelles. Laura se trouva, quant à elle, soulagée d'avoir pu exprimer ce qu'elle considérait comme le nœud du problème. En conséquence, elle se sentit plus proche de lui et désireuse de continuer.

Ce genre de discussion ne permet pas toujours d'éclaircir l'atmosphère et de se rapprocher, surtout la première fois. Il suffit que l'un de vous deux se sente menacé pour que la discussion dégénère en dispute et nécessite un repli défensif. Pourtant, c'est une étape cruciale. Car vous offrez au dépendant une véritable complicité en lui révélant vos sentiments véritables sans le culpabiliser. Vous lui communiquez aussi une information importante car il n'est peut-être pas au courant des problèmes qui vous préoccupent.

La réaction du dépendant à ces révélations douloureuses n'est pas toujours immédiate. Il peut se passer un jour ou deux avant qu'il ne vienne vous trouver en vous disant qu'il est heureux que ces questions aient été soulevées. Comme le dit Paul :

> J'en ai conclu que Laura tenait à notre relation. Cela m'a aussi donné des idées sur ce que je pouvais faire pour améliorer les choses. Je me sens un peu plus solide, maintenant.

Partagez les petites choses

Les dominants ont tendance à ne plus échanger avec leur partenaire les impressions, les idées, les anecdotes qui forment le tissu de toute intimité. Ce genre d'échange existe entre amis, et je conseille aux dominants d'essayer de rétablir des liens amicaux avec leur partenaire.

Au moment où Louise démarra son commerce, Charles travaillait encore et ils avaient des « conversations passionnantes » sur ses premiers pas de femme d'affaires. Mais les revers professionnels de Charles avaient mis fin à leur complicité et à leur amitié. Louise voulait maintenant réactiver cet aspect de leur relation.

> Quand il faisait beau, on s'asseyait sur la véranda, en fin d'après-midi, et on regardait le soleil se coucher en bavardant. Alors un soir, en rentrant, je l'ai invité à me rejoindre dehors. Je voulais simplement lui parler de ma journée. J'ai raconté une chose que j'avais entendue à la radio et la visite d'un vieil ami à la boutique. Au début, il n'a pas réagi, mais quand je lui ai parlé d'un problème que j'ai avec une employée, il a dressé l'oreille. La solution qu'il a trouvée était très astucieuse et je le lui ai dit. Ensuite, je lui ai posé des questions sur sa journée et il m'a raconté la conversation plutôt drolatique qu'il avait

271

eue avec un témoin de Jéhovah. Le soleil était couché depuis longtemps quand nous sommes rentrés dans la maison.

Louise montrait à Charles sa volonté de lui donner quelque chose, fût-ce une simple journée. En sollicitant son avis, elle reconnaissait sa valeur et sa compétence. Elle lui demandait son amitié. Pendant une bonne semaine, d'après Louise, « ça a marché comme ci comme ça ». Mais elle a persisté dans son idée jusqu'à ce que de nouveaux modes de communication et d'échange soient établis entre eux.

Essayez l'affection

Dans les moments où le dominant se sent favorable à la relation, je suggère qu'il essaie l'affection. Il suffit de faire un effort délibéré pour se montrer plus tendre qu'à l'ordinaire. Bien des dominants sont heureusement surpris de découvrir que plus ils manifestent d'affection, plus ils en éprouvent.

Le mécanisme qui explique ce phénomène n'est autre que le paradoxe de la passion. L'affection du dominant satisfait et rassure le dépendant qui, en conséquence, devient moins exigeant. Le résultat est un meilleur équilibre entre les partenaires.

Pensez aux gestes affectueux qui plairaient à votre partenaire. Michel a rédigé la liste suivante.

• Lui masser les pieds ; Béa adore ça.
• Organiser un week-end en tête à tête dans une auberge de campagne ou un hôtel de luxe.
• Lui faire des compliments.
• L'embrasser, la caresser plus souvent.

- La surprendre en l'invitant au cinéma, au théâtre, au concert, etc.
- Lui dire que je l'aime.

Je suggérai à Michel d'essayer une de ces idées chaque fois qu'ils se sentiraient bien ensemble. Quinze jours plus tard, je lui demandai des nouvelles de l'expérience.

> Au début, ça me paraissait un peu artificiel, même quand le courant passait entre nous. Mais je me suis rappelé ce que vous m'aviez dit, que mon but était de voir si je pouvais me sentir plus proche de Béa. J'ai même fini par lui en parler, par lui dire que je voulais me rapprocher d'elle. Elle a magnifiquement réagi. Elle m'a dit : « Eh bien, si c'est comme ça, viens me faire un câlin. » Nous avons toujours des hauts et des bas mais ça va mieux. Et c'est tellement chouette quand on se retrouve dans la tendresse que j'ai envie de continuer. »

Michel découvrit aussi que l'affection manifestée au quotidien rendait plus tendres leurs rapports sexuels. Et cela leur convenait à tous deux.

Essayez de montrer vos points faibles

Je demande à mes clients dominants de s'ouvrir à leur partenaire de leurs points faibles : souffrances, peurs, doutes, secrets qu'ils n'ont peut-être jamais confiés à personne. Aussi effrayant que cela puisse paraître, c'est un puissant levier de rééquilibrage. Le risque que vous prenez vous met en position de dépendance devant un partenaire momentanément dominant. Et je répète que le résultat peut être extrêmement positif. Vous trouverez agréable d'abaisser votre garde et de partager ce qui est peut-être un fardeau plus important que vous ne le croyez.

Laura mit cette stratégie en pratique. Pendant une séance conjointe, elle expliqua comment cela s'était passé.

> L'autre soir, j'ai dit à Paul une chose que je n'avais jamais révélée à personne, je veux dire que je lui ai dit toute la vérité sur une chose dont je gardais toujours une partie pour moi. Bref, c'est à propos de ma mère. Elle a toujours eu des problèmes de dépression mais en plus elle a dû être hospitalisée deux fois, dont une après une tentative de suicide. On nous a dit qu'elle partait voir sa sœur. Je n'ai appris la vérité que quand j'étais étudiante. Et je me suis rendu compte que j'avais peur d'en parler, peur qu'on ne me croit instable comme elle. Mais je me sens coupable et déloyale, comme si j'avais honte de cette femme qui m'aime tant et qui a renoncé à tant de choses — ses études, en particulier, alors qu'elle était brillante — pour se consacrer à ses enfants.

Laura s'interrompit et prit une grande inspiration, essayant de ne pas pleurer. Elle mit sa main dans celle de Paul avant de reprendre :

> Quoi qu'il en soit, quand j'en ai parlé à Paul, il a dit exactement ce qu'il fallait et il m'a prise dans ses bras. Je me suis sentie comprise, rassurée.

Avouer à son partenaire sa part de vulnérabilité et se laisser réconforter, c'est créer une complicité profonde. Certains dominants évitent ce genre de confidences précisément pour ne par perdre leur position de force. Mais ceux qui acceptent de prendre des risques dans la relation s'en trouvent bien. Laura dit qu'elle se sentait tellement mieux après avoir parlé à Paul qu'elle regrettait de ne pas l'avoir fait plus tôt. Quelques conseils de prudence à propos de cette stratégie : vous n'êtes pas obligé de tout dire de votre passé. Commencez par quelque chose qui vous paraît facile à aborder et voyez ce qui se passe. Ne lâchez pas vos confidences à brûle-pourpoint. Demandez à votre partenaire s'il est disposé à vous entendre évoquer des sujets personnels. Si le moment ne semble pas approprié, fixez-en un autre. Enfin, attendez-vous à être angoissé. C'est bon signe. Cela veut dire que vous vous mettez vraiment en position de faiblesse, que vous ne faites pas semblant.

Expliquez ce que vous faites

Si vous n'avertissez pas votre partenaire que vous tentez des manœuvres de rapprochement, vous en tirerez tout de même profit. Mais si vous lui en parlez, cela lui prouvera que la relation vous importe et que vous faites des efforts. Cela l'encouragera à faire sa part du travail.

Quand les deux partenaires coordonnent leur action, « tentative de rapprochement » et « juste distance », le paradoxe se trouvé attaqué sur deux fronts et perd de son pouvoir sur la relation. Les deux partenaires sont alors libérés des comportements extrêmes et du mode de pensée distordu qui caractérisaient le paradoxe. Avec calme et lucidité, ils peuvent travailler ensemble à résoudre les problèmes de fond.

La tentative de rapprochement n'est pas un jeu

Certains dominants ne veulent pas parler de leurs tentatives de rapprochement à leur partenaire parce qu'ils trouvent que cela ressemble trop à un jeu. Après tout, cela signifie que le dominant teste son partenaire, lui-même et la relation. Alors, pourquoi risquer de l'effrayer en le prévenant ?

Je réponds à cela que le dominant a déjà commencé à tester mentalement la relation en hésitant entre partir et rester. C'est une chose que sentent les dépendants et qui, de toute façon, se fait naturellement. Mais cette mise à l'épreuve du couple devient thérapeutique quand elle est consciente, décidée et orientée vers un but. Le dominant qui peut dire à son partenaire : « Nous avons des problèmes, voyons si nous pouvons les dépasser », a déjà entrepris de les dépasser.

Quantité ou qualité ?

Pendant cette tentative de rapprochement, les efforts du dominant doivent porter sur la qualité du temps qu'il consacre à son partenaire, pas sur la quantité. Si vous vous sentez obligé de passer tous vos moments de liberté avec votre partenaire, comment voulez-vous garder une attitude aimante ? D'ailleurs, vous avez certainement d'autres obligations, professionnelles ou familiales, à remplir. En ce cas, décidez ensemble des moments que vous passerez tous les deux.

Ne posez pas de conditions

Offrez votre tendresse *sans condition* pendant cette tentative de rapprochement. Louise avait par exemple prévu de préparer pour son mari un repas fin tous les samedis soir. Mais elle ne lui dit pas : « Je te ferai les plats que tu aimes si tu trouves du travail et si tu arrêtes de traîner à la maison. » Son acte était une preuve d'affection et d'acceptation de son mari tel qu'il était à ce moment-là. Et ce geste qui le valorisait aida Charles à redevenir l'homme dont elle pourrait retomber amoureuse.

Stratégie 7
Soyez patient

Les premières tentatives de rapprochement de Michel lui parurent « un peu artificielles », mais il ne laissa pas cette impression dégénérer en panique ou en culpabilité. Il persista, patiemment. Le temps et l'aide de Béa permirent à son amour de croître, de s'approfondir et de se stabiliser. Je peux garantir l'efficacité des techniques exposées dans ce chapitre, mais le résultat que vous en obtiendrez dépend entièrement de votre patience. Les dynamiques du déséquilibre sont puissantes et il faut parfois du temps pour déterminer si elles peuvent être surmontées. Certains de mes clients ont travaillé jusqu'à un an avant que l'équilibre — et l'amour — ne revienne dans leur couple. Ils ont essayé différentes tactiques et continué à employer les plus efficaces. Ils ont appris l'art de se remettre des conflits et d'accepter les inévitables rechutes.

Tous ces ex-dominants disent aujourd'hui que l'amour et la complicité réinstallés dans leur couple valaient largement la peine qu'ils se sont donnée. En effectuant ce genre de travail sur la relation, vous ne pouvez en effet que fortifier les sentiments et approfondir l'intimité qui vous lie.

Quant aux dominants qui ne parviennent pas à retrouver cet amour, ils y gagnent tout de même puisqu'ils ont eu la réponse à leurs questions, puisque leur ambivalence a pris fin. Ils ont aussi la satisfaction d'avoir tout tenté pour sauver leur relation, et cela peut rendre leur rupture moins douloureuse.

11.

LES RACINES DU DÉSÉQUILIBRE

Circonstances, rôles sexuels, pouvoir de séduction

Vous avez appris à parler de questions difficiles et à repérer les schémas destructeurs dans votre relation. Vous disposez de stratégies extrêmement efficaces pour contrer les manifestations de la dominance et de la dépendance. Allons plus loin, maintenant, et découvrons les racines mêmes du déséquilibre, ce qui vous a séparés, enfermés dans des comportements répétitifs et fait souffrir.

Au chapitre 2, j'énumérais trois causes principales : les circonstances, les rôles sexuels et les incompatibilités de styles personnels. Il n'est pas rare que plusieurs de ces causes concourent à déstabiliser une relation, encore que chaque couple possède sa zone de vulnérabilité, son talon d'Achille. Il est important de savoir où se trouve le vôtre pour mieux le protéger.

Le déséquilibre dû aux circonstances

Au départ, le couple Béa-Michel était très bien assorti. Mais le fait que Béa devienne mère, et une mère à temps plein, au moment où Michel ouvrait un nouveau restaurant, bouleversa leur relation. Leurs rôles changè-

rent et, avec eux, leurs positions de force. Le déséquilibre les jeta brutalement dans une confusion, une panique et une frustration extrêmes. Béa dit : « Je n'en
revenais pas de constater à quel point les choses avaient
changé entre nous. Ce qui me paraissait solide comme
le roc devenait tout à coup fragile et friable. »

Les déséquilibres circonstanciels obligent à reconnaître la fragilité de toute situation. C'est une erreur de
croire que les seuls dangers qui menacent une relation
sont les dangers internes, incompatibilité ou évolution
des personnalités. Les événements extérieurs peuvent
influencer fortement votre vie intime en puisant dans
vos réserves émotionnelles. Quand l'investissement
affectif change, les mécanismes interpersonnels sont
modifiés.

Pour en revenir à Béa, le fait de quitter son emploi la
privait de la valorisation professionnelle et personnelle
dont elle avait l'habitude. Dans son nouveau statut de
mère, elle était confrontée à une certaine insécurité,
aggravée d'une relative absence de valorisation. Mais
son état de manque affectif n'aurait pas existé sans ce
changement de situation.

Michel aussi se trouvait dans une situation nouvelle.
Jamais il n'avait été soumis à une telle pression des
circonstances, à un tel « quitte ou double ».

> J'étais sur la touche. Les financiers me jetaient l'argent
> à pleines mains en me faisant bien comprendre que si
> j'échouais, c'était fini pour moi. J'ai commis l'erreur de
> croire qu'à la maison tout se passerait bien.

Michel choisit donc de s'investir totalement dans son
travail aux dépens de sa relation. Si Béa avait travaillé
de son côté, le déséquilibre aurait certainement gardé

des proportions raisonnables. Mais, avec la demande affective accrue de Béa, le déséquilibre devint extrême.

La plupart des couples qui viennent me consulter sont aux prises avec un déséquilibre dû aux circonstances, même s'ils ne le savent pas. La tendance humaine à incriminer les personnes les empêche de mesurer les ravages que peuvent causer les circonstances. Il leur arrive parfois d'entrevoir l'impact d'une situation nouvelle : « Rien n'est plus pareil depuis que ma mère a été opérée » ou « ... depuis que nous avons déménagé ». Mais ils n'en tirent généralement pas toutes les conclusions, à savoir que n'importe quel couple soumis à des circonstances éprouvantes succombe aux forces destructrices ainsi libérées.

Chaque fois que je constate dans un couple des symptômes de déséquilibre dû aux circonstances, c'est un soulagement. Car c'est la forme de déséquilibre la plus facile à traiter. Il suffit parfois de l'expliquer aux intéressés pour qu'ils se rétablissent de façon spectaculaire.

Mais ce n'est pas toujours aussi simple. Découvrir un déséquilibre, c'est un peu comme ouvrir la boîte de Pandore. Des démons émotionnels sont libérés, qui devront être affrontés dans le même temps que les causes du déséquilibre.

Reconnaître la nature du déséquilibre

À l'époque où vos problèmes relationnels ont commencé, avez-vous, ou l'un de vous a-t-il :

- Connu un changement de statut professionnel ?
- Subi un stress momentané comme un déménagement, une grossesse, un mariage ou un deuil ?

281

● Traversé une crise familiale — révolte d'un adolescent, installation d'un parent âgé dans la maison, ou autre ?

● Accepté une tâche, une responsabilité, un rôle importants — militantisme politique, nomination à un poste responsable dans une activité sociale ou artistique ?

● Eu une maladie grave ou un accident ?

● Gagné ou perdu de fortes sommes d'argent ?

Si vous avez répondu oui à l'une de ces questions, votre relation souffre probablement d'un déséquilibre circonstanciel.

Souvenez-vous, par contre, du couple Deborah-Jonas. Leur situation personnelle, professeur de dessin et chef d'entreprise, était relativement équivalente et stable. Les dynamiques du paradoxe de la passion se sont déclenchées entre eux à cause d'une incompatibilité de personnalité (sujet que nous aborderons bientôt).

Béa et Michel, quant à eux, comprirent très vite que leurs problèmes étaient dus aux circonstances et non à quelque région brumeuse de leur psychologie. Certes, ils auraient dû travailler sur les attitudes dominant/dépendant engendrées par leur situation, mais s'attaquer en même temps à ces attitudes et à la situation elle-même leur permettait de faire d'une pierre deux coups

Agir sur les circonstances

Voici un programme en trois points pour sortir votre relation d'un déséquilibre circonstanciel. Vous constaterez qu'il reprend certaines des tactiques de la juste distance » et de la tentative de rapprochement proposées plus haut. Que cela ne vous pose aucune problème. Vous verrez qu'elles se conjuguent tout naturellement.

Primo : reconnaissez leur importance

Marianne et Steph, la quarantaine tous les deux, vinrent me trouver en sachant que leur couple était victime d'une situation particulière. Mais la façon dont ils vivaient cette situation — assez banale — révélait les pires aspects de leurs personnalités respectives. Chacun ayant découvert l' « horrible vérité » sur l'autre, ils ne se supportaient même plus. Tous deux étaient dans le commerce ; immobilier pour Marianne, équipement médical pour Steph. Ils avaient deux jeunes enfants. Tout se passait bien jusqu'au jour où la mère de Steph perdit son mari et vint s'installer près de chez eux. Bien qu'elle ait son propre appartement (« Dieu merci, elle n'a jamais envisagé de s'installer chez nous », dit Marianne), sa présence se fit durement sentir dans leur quotidien. Steph, préoccupé du bien-être de sa mère, passait beaucoup de temps avec elle, à faire des courses ou à lui montrer la ville. Marianne vivait très mal les visites de sa belle-mère parce qu'elle critiquait « tout », de la cuisine à l'éducation des enfants. Tout en s'efforçant de se montrer cordiale avec elle, Marianne avait, avant et après ses visites, des sautes d'humeur, des crises de larmes, des accès de rage. Elle se trouvait aussi...

... en compétition avec elle par rapport à Steph. Un soir où les gosses dormaient chez leurs cousins, je prépare un petit souper pour deux, je mets ce que j'ai de plus sexy, une petite chose en soie et, au moment où nous finissons de dîner, le téléphone sonne. C'est maman, affolée parce qu'elle a entendu un rôdeur. Je n'ai rien contre, sauf que ça arrive plusieurs fois par semaine. Mais Super-Steph est là et vole à son secours. Je finis la bouteille de champagne et je m'endors sur le canapé. Quand Steph est rentré, il est allé se coucher et, le lendemain, je me suis réveillée seule sur le canapé.

Pour Marianne, le problème venait de l'attachement « maladif » de Steph pour sa mère, Steph estimant quant à lui que Marianne réagissait comme une enfant gâtée et n'avait pas la moindre compassion pour sa mère. En d'autres termes, ils se rendaient mutuellement responsables de leurs problèmes. En plusieurs séances, je réussis à les convaincre que leur couple était fondamentalement bien assorti et équilibré mais qu'il souffrait d'un déséquilibre circonstanciel. Préoccupé par le sort de sa mère, Steph était le dominant tandis que Marianne, déterminée à garder son mari, se mettait en situation dépendante. L'épreuve qu'ils traversaient était extrêmement délicate. Tous deux avaient évidemment leurs sentiments particuliers par rapport à la mère qui, elle, avait des besoins exigeants et complexes.

Secundo : mettez-vous à la place de l'autre

L'étape suivante consiste, pour les deux partenaires, à se mettre à la place de l'autre. L'exercice fut très profitable à Steph et à Marianne. À la fin de leur deuxième séance, je leur demandai d'imaginer ce que ressentait l'autre et de se préparer à en parler lors de la séance suivante. Voici ce que dit Steph.

Du point de vue de Marianne, je conçois que l'arrivée de ma mère a bouleversé nos habitudes. C'est vrai que je lui suis très attaché et que je m'inquiète de la voir encore mal remise du deuil qui la frappe. Je sais que c'est difficile pour Marianne parce que, avant, nous étions toujours là l'un pour l'autre et que maintenant c'est différent. Malheureusement, ma mère n'est pas facile à vivre. Si elles s'entendaient mieux, toutes les deux, il n'y aurait pas de problème. Et je peux dire en toute honnêteté que Marianne a fait des efforts pour se rapprocher de ma mère.

Une fois leur entente réaffirmée, ils purent se mettre à chercher une solution.

Tertio : recherchez l'équilibre

Si les circonstances sont assez puissantes pour déséquilibrer un couple, c'est qu'elles sont aussi très complexes. C'est pourquoi j'engage mes clients à se méfier des « vagues promesses » de s'attaquer au problème. Il faut prendre la crise au sérieux et établir, pour la résoudre, des plans à court et à long terme, comme l'ont fait Steph et Marianne.

FAITES DES PLANS À COURT TERME

Steph et Marianne étaient bien d'accord pour penser qu'aucun changement réel ne pouvait se produire immédiatement. Marianne comprenait que sa belle-mère, étant donné son âge et son caractère difficile, mettrait du temps à s'adapter, si elle devait s'adapter un jour.

Mais Marianne décida de renouveler ses efforts. Aussi difficile que cela puisse être, elle ferait de nouvelles ouvertures à sa belle-mère, lui proposant de déjeuner ensemble ou de courir les antiquaires, chose qu'elle adorait. Steph s'engagea pour sa part à mettre des limites aux exigences de sa mère. Il lui proposerait de la voir à date fixe. Il serait gentil mais ferme, précisant

285

qu'il lui était impossible d'avoir deux vies de famille séparées et l'invitant à prendre sa place parmi eux.

PLANS À LONG TERME

Steph et Marianne étaient bien conscients du fait que, même si la mère faisait une trêve avec sa belle-fille, la situation ne changerait vraiment que le jour où elle aurait ses propres activités et ses propres amis. Leur plan à long terme consistait donc à la diriger vers des activités sociales. Au début, la mère résista de toutes ses forces, affirmant qu'elle voulait « rejoindre son époux ». Mais, à la fin de leur thérapie, elle commençait à apprécier ses après-midi au club de bridge, elle venait dîner chez eux deux fois par semaine et avait proposé de garder les enfants.

Et si la situation ne peut pas changer ?

Imaginons que la mère de Steph ait contracté la maladie d'Alzheimer. Imaginons aussi que Steph ait insisté pour qu'ils la gardent chez eux le plus longtemps possible.

Je crois qu'il y a *toujours* quelque chose à faire pour améliorer une situation, aussi pénible soit-elle. Autrement dit, vous avez toujours le choix. Mais, en refusant d'être le jouet impuissant des circonstances, vous devez aussi accepter de faire tous les efforts possibles pour tirer le meilleur parti d'une situation donnée.

Il est essentiel de continuer à communiquer en termes non accusateurs, de parler souvent de ce que vous ressentez dans cette situation stressante, pénible, déstabilisante. Il faut aussi que les deux partenaires restent à l'affût des schémas de comportement destructeurs qui risquent d'accentuer le déséquilibre du couple. Les pires situations peuvent nous ennoblir si nous acceptons de relever le défi qu'elles représentent. Dans un couple, c'est souvent une source d'empathie, de complicité et de respect mutuel, sentiments hautement équilibrants.

Anticipez le déséquilibre

Votre patron s'est mis en faillite, vous venez d'apprendre que vous attendez des jumeaux et la nouvelle assistante de votre mari est le sosie de Kim Bassinger. Attendez-vous à des répercussions sur votre vie de couple. Parlez à votre partenaire. Exprimez ce que vous ressentez et déjouez les attitudes destructrices qui pourraient s'installer. Pardonnez-vous mutuellement et par avance les inévitables moments de friction. Restez à l'affût des manifestations dépendantes et dominantes qui risquent de se produire et travaillez ensemble à les contrer. Sachez qu'il faut des mois et parfois des années pour dépasser valablement certains problèmes circonstanciels. Mais chacun de vos efforts accélérera le processus et approfondira votre relation.

Les rôles sexuels

En étudiant le déséquilibre circonstanciel dans un couple, il ne faut jamais négliger l'une des influences extérieures les plus déterminantes, pour l'homme comme pour la femme, les modèles sexuels socialement dominants. Je les considère comme essentiels dans la formation des situations et des personnalités.

Spécificité sexuelle et paradoxe

Les stéréotypes de l'homme et de la femme ont indéniablement changé au cours de ces dix dernières années. Il n'en reste pas moins que les rôles traditionnels continuent à nous influencer. Par exemple, nous avons encore tendance à considérer que la femme ambitieuse, tournée vers la réussite sociale, a rompu avec son rôle traditionnel et que l'homme qui préfère rester à la maison et s'occuper des enfants trahit sa condition de mâle. Il n'est pas inutile de rappeler ces conceptions profondes, tenaces, ainsi que les termes qui s'y rattachent.

Femme traditionnelle	*Homme traditionnel*
Suiviste	Chef
Passive	Actif
Dépendante	Indépendant
Soumise	Dominateur
Mère	Pourvoyeur
Foyer	Travail
Économiquement faible	Économiquement puissant

En se conformant à leur rôle traditionnel, il est bien évident que la femme devient « dépendante » et l'homme « dominant » dans le couple. L'homme investit son énergie émotionnelle en dehors de la relation pour gagner sa place dans le monde. La femme centre son univers émotionnel sur sa relation et sa famille. Plus l'homme se tourne vers l'extérieur, plus la femme réclame l'attention qui lui est nécessaire, et le cycle du paradoxe se met en marche. Tous deux se sentent prisonniers de leur rôle et tous deux risquent de chercher ailleurs la satisfaction de leurs besoins. Amis, enfants, amants ou maîtresses, travail, distractions deviennent des sources de satisfaction substitutives quand le déséquilibre a rompu le lien qui unissait les partenaires. Le cas de Béa et de Michel illustre bien l'influence des rôles sexuels dans le déclenchement des mécanismes destructeurs. Avant de devenir *momentanément* mère/femme au foyer, Béa était une femme indépendante. Elle avait un métier intéressant et gratifiant, elle était sûre d'elle, heureuse, elle s'assumait entièrement, y compris sur le plan financier. « Mais il me manquait quelque chose, dit-elle, et c'est ce que j'ai recherché en vivant avec Michel. » Il n'empêche que, plus tard :

> J'ai eu l'impression de devenir semblable à ma mère, à un niveau cellulaire, en quelque sorte. J'avais un instinct maternel très développé et, pendant les six premiers mois, l'idée de confier Chloé à quelqu'un d'autre m'horrifiait. Et j'ai perdu la notion de ce qui était juste et faux. Le ménage, par exemple. J'estime que ce n'est pas aux femmes de tout faire dans la maison, même quand elles « ne travaillent pas » — concept grotesque dès qu'il y a des enfants. Pourtant, je me sentais *coupable* de demander à Michel de m'aider, sachant tout ce qu'il faisait à l'extérieur « pour nous ». Puis j'ai réalisé que son travail lui plaisait, alors que les couches sales et la vaisselle sont loin d'être mon idéal. C'est là que j'ai commencé à lui en vouloir.

Son désir de s'occuper de son enfant entrait en conflit avec ses valeurs contemporaines. Et ce conflit lui coûta le pouvoir dans la relation. Ne sachant pas comment exprimer efficacement ses problèmes, ignorant les stratégies qui auraient permis de les résoudre, Béa devint une dépendante insatisfaite et exigeante. De son côté,

Michel se consacra, comme beaucoup d'hommes, à la réussite de son restaurant (« pour ma famille et pour moi »), sans voir que le bonheur commençait à déserter leur vie.

Pouvoir apparent/pouvoir réel

Dans la mesure où les rôles sexuels recoupent le paradoxe de la passion, la situation de l'homme distant et de la femme en demande n'est pas pour nous surprendre. Mais les rôles sexuels traditionnels peuvent constituer l'écran qui *dissimule le pouvoir de la femme et la demande de l'homme,* même aux yeux des intéressés.

En apparence, ces couples reproduisent l'image stéréotypée du mode relationnel homme/femme. L'homme est dominateur, maître du jeu et agressif, la femme est passive, dépendante et soumise. Mais, au-delà de cette apparence, il existe un facteur profond qui, *à lui seul,* détermine la possession du pouvoir réel dans le couple, quel que soit le partenaire qui gagne l'argent ou le gère, qui prend les décisions importantes, qui frappe le plus fort.

Le pouvoir réel dans un couple appartient au conjoint qui est *le moins impliqué affectivement.* Le pouvoir apparent peut appartenir soit au dominant, soit au dépendant, mais le pouvoir réel n'appartient qu'au vrai dominant. Et le vrai dominant se présente parfois comme le dépendant.

Le dominant masqué

Une femme peut par exemple être passive, soumise et même servile ; si elle est moins impliquée que son partenaire dans la relation, c'est elle qui détient le pouvoir réel. C'est d'elle que dépend le fait qu'il y ait ou non relation. C'est souvent la personnalité rigide, dominatrice de l'homme qui affaiblit son attachement. Nous avons alors une « dominante masquée » et un « dépendant masqué ».

Leurs masques restent en place tant que dure l'équilibre apparent de la relation. Ils sont si efficaces qu'ils abusent même les intéressés. Mais si la femme s'en va ou si un adultère est découvert, les masques tombent. Pour la dominante masquée, la rupture est souvent définitive ; le sentiment de sa libération est plus fort que celui de sa culpabilité. Quant au dépendant masqué, il risque d'osciller entre les extrêmes de l'attitude vindicative et de la supplication.

Stabilité cachée

Il existe des couples où les partenaires reproduisent les rôles sexuels traditionnels et où chacun est *également et heureusement impliqué dans la relation*. C'est encore le schéma émotionnel sous-jacent qui explique ce phénomène. L'amour, le respect et l'intérêt de chacun sont équilibrés, bien qu'ils puissent s'exprimer de manières très différentes. La femme possède souvent des qualités de séduction comme l'intelligence, la stabilité émotionnelle, l'esprit, la beauté, l'estime de soi, etc. Ces atouts peuvent refléter ceux de son mari ou au contraire compenser ses points faibles. L'homme apparaît, pour sa part, comme le détenteur du pouvoir, le maître de la relation, celui qui « porte le pantalon ». Mais, parce qu'il est aussi investi que sa femme dans la relation, ils partagent également le pouvoir réel dans leur amour mutuel.

Les stéréotypes comme facteurs de risques

L'adhésion aux rôles sexuels stéréotypés rend la relation plus vulnérable au paradoxe de la passion. Heureusement, la tendance actuelle n'est plus à rechercher un partenaire traditionnel. L'homme préférera bâtir sa vie avec l'amour et la complicité d'une femme qui soit son égale et assume sa part de responsabilité financière dans le couple.

De la même façon, la femme moderne n'a aucun désir de se soumettre servilement à un mâle tout-puissant. Le champ de ses possibilités s'est diversifié, et le rôle de créature effacée a cessé d'être une perspective désirable. Son principal souci sera de trouver un juste équilibre entre les impératifs de sa carrière et ceux de la maternité.

Malheureusement, la confusion reste grande en ce qui concerne les désirs profonds de chacun, et l'on constate bien souvent des contradictions entre le discours apparent et les besoins réels (exemple, l'homme qui voudrait que sa femme « libérée » se charge joyeusement de toutes les besognes domestiques). C'est pourquoi il faut rester vigilant et ne pas se laisser piéger par les résidus de ces rôles sexuels traditionnels.

Nous vivons à une époque qui offre des perspectives nouvelles d'équilibre entre l'homme et la femme, une époque où chacun a la possibilité d'investir son énergie à parts égales dans ses préoccupations professionnelles et dans son parcours sentimental. Et je vois, parmi mes amis et mes collègues, des associations amoureuses réellement dynamiques et durables. Mais il y a des dérapages possibles, comme par exemple la tendance de certaines femmes à vouloir tout faire.

Le syndrome de Superwoman

Béa tenta de se conformer au rôle traditionnel de la femme et se retrouva en position dépendante. Bien des femmes se mettent en tête de tout assumer, maternité, soins du foyer, carrière professionnelle, et font connaissance avec un autre aspect du paradoxe de la passion.

Considérons le cas d'un couple que j'ai traité, Henri et Marthe. Il était directeur d'une entreprise de service public, elle dirigeait le service comptable d'une université. Ils avaient deux enfants, étaient actifs, équilibrés et heureux. Mais Marthe, militante syndicale très active, fut élue responsable de section. Du jour au lendemain, son emploi du temps devint intenable. Elle avait toujours assumé la plus grande partie de l'éducation des enfants et elle continua. Toute son énergie fut donc bientôt répartie entre ses enfants, son travail et le syndicat. Henri ne tarda pas à se sentir négligé.

Quand il voulait faire l'amour, elle n'avait pas le temps ou alors elle était fatiguée. Quand il proposait une sortie, elle avait toujours autre chose à faire. À force de s'investir dans toutes ces occupations, Marthe prit, comme cela arrive souvent en pareil cas, la position dominante. Au bout d'un moment, elle se rendit compte qu'elle n'était plus très amoureuse de son mari dépendant. Il n'était plus qu'une partie, parfois encombrante, de son existence. Henri, pour sa part, se sentait affectivement frustré et commençait à en vouloir à sa femme. Ils entreprirent une thérapie quand Marthe découvrit qu'il avait une liaison avec sa secrétaire. Marthe et Henri étaient coresponsables du schéma destructeur qui les séparait. Henri n'avait pas compris que, pour passer plus de temps avec Marthe, il pouvait l'aider à s'occuper des enfants et de la maison. Et Marthe ne voulait pas lui demander son aide parce qu'elle craignait qu'il ne sache pas s'y prendre.

Rétablir l'équilibre

Comme n'importe quel autre schéma destructeur, le déséquilibre fondé sur les rôles sexuels doit être reconnu, faire l'objet d'un dialogue non culpabilisant et d'un travail de rééquilibrage. Mais rien n'est plus difficile, pour une femme, que de garder une attitude détachée pour ce qui touche aux travaux domestiques. Car l'arène domestique peut être le symbole de l'ensemble de la relation.

Des signes de changement existent, mais des études récentes ont prouvé que dans les couples où la femme travaille c'est elle qui se charge encore de 80 à 90 p. 100 des soins du ménage et des enfants. Elle doit donc effectuer des semaines de quatre-vingts heures en moyenne.

Les hommes ne sont pas les seuls responsables. Bien des mères donnent de mauvaises habitudes à leurs fils. Certains ont réellement peur de déchoir de leur virilité, même aux yeux de leur femme, en passant l'aspirateur. Et bien des femmes tolèrent que les hommes en fassent moins qu'ils ne devraient.

Si, comme c'est souvent le cas, le travail domestique est une source de frictions et de déséquilibre dans votre couple, je vous engage à encourager progressivement votre partenaire à assumer sa part des tâches ménagères.

Une autre stratégie consiste à reconsidérer vos priorités financières.

L'argent comme allié

L'argent peut constituer un allié puissant dans la bataille contre l'inégalité des sexes. Michel et Béa en offrent un bon exemple. Possédant des économies, ils se refusaient à faire les dépenses qui les auraient aidés au moment où leur situation se dégradait. Question de priorité ; ils gardaient leur argent pour agrandir la maison, acheter une nouvelle voiture ou partir en voyage. Le fait que Béa s'occupe de sa fille à temps complet leur permettait d'économiser les frais d'une garde d'enfant et d'une femme de ménage.

Mais quand une femme délaisse, pour rester chez elle, une carrière satisfaisante, le résultat est souvent catastrophique. Elle se sent piégée, diminuée par ses nouvelles tâches. Elle commence à en vouloir à son conjoint resté libre. Elle se met à sentir, à penser et à agir en dépendante. Et cela peut aller jusqu'à la crise d'identité, comme Béa en fit l'expérience, la perte de statut entraînant une profonde remise en question de l'être.

J'ai donc suggéré à Béa et Michel d'investir dans une garde d'enfant et une femme de ménage à temps partiel pour rééquilibrer la situation. La possibilité de disposer régulièrement de temps libre, loin de l'enfant et des tâches domestiques — quand le mari n'a pas le temps ou l'envie de s'y mettre —, permet à la femme de conserver les intérêts extérieurs qui garantissent son identité. De plus, l'argent ainsi investi évitera peut-être au couple d'en dépenser davantage plus tard — frais de thérapie, d'avocats, de divorce, sans compter le coût affectif inestimable d'une relation brisée. Quand une femme (ou un homme) au foyer n'arrive pas à surmonter sa frustration, je lui conseille de se remettre à travailler, même à temps partiel. Si la femme n'est pas très bien payée, les deux conjoints devront partager les frais de garde et de ménage, mais, pour l'équilibre de la relation, c'est une nécessité. Quand les enfants seront en âge scolaire, la femme sera mieux payée qu'elle ne l'aurait été en restant hors du marché du travail. Cela compensera les difficultés financières des quelques années précédentes. Mais le plus important, bien sûr, c'est que son épanouissement personnel aura sauvegardé la relation.

L'argent comme danger

Ayant traité un grand nombre de « jeunes cadres aux dents longues » des deux sexes, j'ai constaté que la quête du succès matériel et professionnel peut engendrer des dynamiques affectives dangereuses.

Cette quête du succès et de ses récompenses — argent, pouvoir — cultive chez les hommes comme chez les femmes, une orientation « dominante ». La réussite professionnelle séduit parce qu'elle offre une série d'avantages — augmentations, promotions, admiration, richesse, dépenses faciles — qui satisfont l'amour-propre. Mais, pour y parvenir, les hommes et les femmes doivent dissimuler leur vulnérabilité en adoptant une attitude défensive-agressive qui peut, par ailleurs, leur occasionner bien des déconvenues.

Pour la femme « moderne » financièrement indépendante, l'attitude de dominante se traduira par une extrême exigence, allant parfois jusqu'au désintérêt pur et simple, dans la recherche d'un partenaire, jusqu'à l'âge limite pour la maternité. Elle se retrouvera alors, à sa grande surprise, en position de demandeur, donc dépendante. Pour l'homme, la volonté de réussir peut se traduire par une telle identification à son rôle de dominant qu'il finit par apparaître comme immature ou incapable de s'investir affectivement.

Il est facile de confondre succès et bonheur. Chaque victoire professionnelle est ressentie comme un moment de satisfaction intense. Mais cette satisfaction ne dure pas, et il faut sans cesse en rechercher de nouvelles. Malheureusement, les relations de couple semblent offrir plus de problèmes que de récompenses, sauf au début, et elles sont plus difficiles à gérer qu'une carrière. Nos jeunes loups ont donc tendance à négliger cet aspect de leur vie. Certains n'ont même pas le temps de créer des liens affectifs.

En privilégiant votre réussite professionnelle au détriment de votre vie sentimentale, vous vous condamnez à un vide affectif grandissant. Et ce vide peut vous pousser sans cesse vers de nouveaux « sommets » de réussite éphémères en une spirale ascendante périlleuse.

Le fait de donner la vie permet souvent aux femmes d'échapper au « syndrome de la réussite » qui emprisonne les hommes, mais risque de leur faire vivre des difficultés liées à la perte de leur statut.

À mes consultants qui ont choisi la réussite au détriment de leur vie privée, je montre les mécanismes émotionnels auxquels ils sont soumis. Et je leur assure qu'il n'est pas nécessaire de renoncer à leur ambition pour trouver une satisfaction affective. Il faut seulement faire l'effort d'établir un juste équilibre entre ces deux domaines de l'existence. Faute de quoi ils restent bloqués dans un rôle dominant qui limite leurs capacités d'émotion et les oblige à courir après des satisfactions de plus en plus relatives.

Le pouvoir de séduction

J'ai découvert que le pouvoir de séduction constituait, pour beaucoup, une source d'anxiété. J'ai donc estimé que le concept méritait d'être étudié et approfondi. On peut reprocher au pouvoir de séduction de ne mettre en jeu que des apparences superficielles, mais à mon sens il est aussi profond et aussi complexe que toute autre force à l'œuvre dans la relation et il est aussi beaucoup plus mystérieux.

Comme l'amour lui-même, le pouvoir de séduction n'est pas absolu. Nous pouvons être attirés par des personnalités extrêmement différentes. Les êtres qui nous semblent irrésistibles dans un premier temps peuvent se révéler incompatibles avec nos besoins profonds. Plus curieusement, certaines personnes continuent à nous plaire alors que nous n'avons apparemment aucun point commun.

Comme je l'ai exposé au chapitre 2, le pouvoir de séduction a une composante hautement subjective, liée à nos besoins affectifs et à nos idéaux personnels. La séduction ne peut pas être réduite à la beauté d'un visage ou d'un corps, c'est ce qui lui donne tout son mystère. Je pense à mes amis Gaby et Tom. Gaby est grosse mais avec beaucoup de naturel et de décontraction. Elle séduit par un humour fou et une chaleur irrésistible. Tom partage son goût pour les bonnes choses de la vie et c'est aussi un très bel homme. Pourtant, s'il y a déséquilibre dans leur couple, c'est en faveur de Gaby. Autrement dit, la beauté, ou pouvoir de séduction, est essentiellement dans l'œil de celui qui regarde.

Pouvoir de séduction et paradoxe

Comme je l'ai déjà dit, la dynamique du paradoxe peut modifier l'attirance d'un partenaire pour l'autre. Quand vous doutez des sentiments de votre partenaire, vous le trouvez plus séduisant qu'à l'ordinaire. Quand les sentiments de votre partenaire vous encombrent, vous avez tendance à le trouver moins séduisant.

Mais il est vrai aussi qu'un changement apparent ou profond chez un partenaire peut affecter la dynamique de la relation. Par exemple, une femme change la couleur de ses cheveux. Si cela lui va bien, elle se sent mieux et cela modifie de façon subtile son attitude et celle de son partenaire. En d'autres termes, le pouvoir de séduction peut être à la fois cause et effet du paradoxe. Le problème n'est grave que quand l'un des partenaires est plus séduit que l'autre, quelle qu'en soit la raison. Mais la relation n'en est pas condamnée pour autant.

Quand je constate un déséquilibre primaire dans le pouvoir de séduction de mes consultants, je sais que la partie sera rude. La solution la plus évidente consiste, pour le dépendant, à essayer de se rendre plus attrayant. Mais le paradoxe nous a appris que cela ne suffit pas à convaincre le dominant. La « solution esthétique » ne fait qu'encourager la soumission du dépendant.

Il existe pourtant des solutions pour réduire le déséquilibre dû au pouvoir de séduction. Les tactiques que je vous propose utilisent les dynamiques du paradoxe et les tournent à votre avantage. Je vous engage donc à faire taire votre anxiété le temps de lire ce qui suit.

L'estime de soi

Il existait entre Laura et Paul une réelle inégalité du pouvoir de séduction. Non que Paul manquât totalement de charme. Il jouissait du succès et du prestige professionnel qui constituent le meilleur atout de l'homme dans ce domaine. S'il était parfois maladroit en société, il avait de la personnalité et une intelligence très au-dessus de la moyenne. Sans être beau, il avait l'air distingué à cause de sa taille. Le vrai problème venait plutôt de la beauté peu commune de Laura. En pareil cas, la solution consiste pour le dépendant à reconnaître et à neutraliser son insécurité et autres réflexes dépendants.

Le dépendant ne sait pas toujours qu'un tel déséquilibre existe ou vient de se produire, il sait seulement que son anxiété augmente. Jaloux, il commence à s'inquiéter de rivaux potentiels et verse dans le catastrophisme. L'autosabotage grignote patiemment sa confiance en lui ; il se sent dénué de charme, ennuyeux, privé de tout contrôle sur la relation.

Souvenez-vous de cette soirée de Noël où Paul prit conscience du déséquilibre entre son pouvoir de séduction et celui de Laura. Voici comment il se laissa envahir par un catastrophisme lié à sa position de dépendant.

Perception : Laura s'intéresse plus à ces jeunes avocats qu'à moi.

Réaction initiale : anxiété et insécurité normales.

Réaction exagérée typiquement dépendante : panique physique, angoisse et doute, pessimisme, autodévalorisation culminant dans l'autosabotage : « Dommage, Paul, mais ces jeunes gens sont bien plus sympathiques et séduisants que toi. Cela prouve que tu n'es qu'un imbécile ennuyeux et sans charme. Tôt ou tard, Laura s'en rendra compte et te quittera pour l'un de ces types. »

Situation typiquement dépendante : je dois absolument attirer l'attention de Laura. Je vais faire assaut d'esprit avec ces jeunes gens, et si ça ne marche pas je l'emmènerai loin d'ici, le plus vite possible, pour l'avoir enfin toute à moi. Demain je lui achèterai un cadeau très cher pour qu'elle m'aime davantage.

Résultat final : Laura commence à sentir que Paul n'est pas à l'aise en société et qu'il peut se montrer exagérément possessif.

Paul aurait pu réagir d'une tout autre manière. Pendant un entretien individuel, je lui ai demandé de s'imaginer une soirée où Laura aurait l'air de s'intéresser à tout le monde sauf à lui. Puis je lui proposai d'inverser le sens de ses pensées autodestructrices et d'adopter une logique confiante.

Je me dirais : « Et voilà, je commence à me sentir insécurisé en la voyant avec d'autres. » Normalement, je m'affole et je surcompense. Je veux faire de l'esprit, je m'avance sur un terrain qui ne m'est pas favorable. Mais cette fois, je vais me contenter d'écouter, d'intervenir à bon escient si j'arrive à me mêler à la conversation. Si ça ne marche pas, je m'excuserai — sans craindre que Laura s'éclipse avec un de ses admirateurs —, j'attraperai un petit four et j'irai discuter avec Lars d'un cas qui nous intéresse.

Dans cet état d'esprit, Paul pouvait profiter en spectateur de la conversation ou faire autre chose. Laura, le sentant calme et confiant, aurait peut-être fait plus

301

d'efforts pour l'intégrer à la discussion. Elle ne se serait en tout cas sentie ni coupable ni contrainte et aurait pu continuer à le respecter et à l'aimer. L'estime de soi est l'antidote absolu contre le déséquilibre du pouvoir de séduction. Conscient de votre valeur, vous cessez d'être dépendant des agissements du dominant. Vous pouvez donc vous détendre. Si votre partenaire s'intéresse à quelqu'un d'autre, cela ne veut pas dire qu'il vous rejette. Inutile de vous affoler et de tenter des manœuvres de séduction désespérées, typiquement dépendantes, qui ne peuvent qu'affaiblir votre position et renforcer le déséquilibre.

D'ailleurs, l'assurance est séduisante en soi, peut-être même aphrodisiaque.

Autres armes du dépendant

S'estimer soi-même est bien sûr plus facile à dire qu'à faire. Tandis que vous y travaillez (voir « La juste distance », chapitre 9), gardez en mémoire les conseils suivants pour vous rassurer quand vous perdez confiance.

La première personne à qui vous devez plaire, c'est vous-même. Une de mes consultantes m'a raconté que son ex-mari l'avait convaincue de se faire opérer pour augmenter le volume de ses seins. L'idée ne la tentait guère (« Cela ne me ressemble pas »), mais dans son désir de plaire elle s'était inclinée. Sa nouvelle poitrine excita l'intérêt de son mari pendant quelque temps mais ne l'empêcha pas de la quitter. La dame n'aime toujours pas ses seins et elle a payé le prix fort pour connaître les dangers de la soumission absolue.

Soigner son apparence est considéré comme un signe d'équilibre psychologique. Mais faites-le avant tout pour vous-même, parce que vous vous estimez. Cela peut aller jusqu'à la chirurgie plastique si vous le souhaitez. Certains de mes consultants ont eu recours à différentes techniques plastiques et s'en trouvent fort bien. Mais si c'est pour votre partenaire que vous voulez embellir, attendez-vous à une réaction « paradoxale ». Une soumission trop servile dans ce domaine ne peut que vous desservir en allant à l'encontre de vos vrais désirs et en réaffirmant la dominance de votre partenaire.

N'essayez pas d'être parfait. Vous vérifiez votre image dans la salle de bains avant de rejoindre votre partenaire et vous voilà obsédé par votre coiffure, votre toilette, votre maquillage. Une mèche rebelle dressée sur votre tête vous rend ridicule. Une tache est mystérieusement apparue sur votre chemise. Ou, véritable cauchemar du dépendant, vous avez un bouton sur le nez. Ne vous laissez pas envahir par le désespoir. (« Mon Dieu, ça ne marchera jamais puisque je ne suis pas parfait. ») Dites-vous plutôt : « J'ai fait de mon mieux. Maintenant, si mon partenaire ne m'accepte pas tel que je suis, c'est qu'il ne me mérite pas. » Comprenez que le perfectionnisme dans ce domaine ne peut que renforcer vos inhibitions.

Interprétez positivement vos obsessions. Si vous devenez soudain obnubilé par votre apparence et vos gestes, commencez par chercher les mécanismes destructeurs qui affectent votre relation. Votre partenaire a peut-être tendance à prendre des distances, à se montrer moins tendre. Votre propre situation augmente peut-être vos besoins affectifs. Attaquez-vous à la racine du problème, n'essayez pas de le résoudre en étant parfait.

La juste distance vous rend séduisant. Deux des qualités qui attiraient votre partenaire, l'autonomie et l'indépendance, ont été perdues à cause du déséquilibre.

Je vous conseille de prendre les risques nécessaires pour les retrouver grâce à la technique de la juste distance. En l'appliquant, non seulement vous redeviendrez séduisant pour votre partenaire mais vous vous sentirez plus séduisant, ce qui vous donnera un charme irrésistible.

Le point de vue du dominant

Le plus difficile pour le dominant, c'est de comprendre la cause de son propre désintérêt pour son partenaire et de ne pas s'affoler.

Tout d'abord, il est possible que, malgré une attirance mutuelle, il existe entre vous et votre partenaire des incompatibilités dans des domaines tels que l'intelligence, la créativité et les aptitudes sociales. Si votre partenaire a déçu votre attente, il est naturel que la relation cesse de vous stimuler.

Ensuite, les dynamiques mêmes de la relation peuvent suffire à expliquer votre désintérêt. J'ai vu beaucoup de couples bien assortis se désunir quand le déséquilibre s'installait. Dites-vous donc que si votre partenaire vous semble moins séduisant, c'est dû soit à un déséquilibre passager, soit à une inadéquation profonde. Quoi qu'il en soit, je vous demande de pratiquer les exercices suivants.

Ne vous prenez pas pour un monstre. C'est la réaction typique du dominant : « Je ne suis qu'un être superficiel, immature et cruel de vouloir quitter mon partenaire parce qu'il ne me séduit plus. » Quand vous vous accusez de la sorte, raisonnez-vous. Sachez qu'il est normal de passer par des moments de moindre attirance pour votre partenaire. En cessant de fuir et de culpabiliser, vous cesserez d'entretenir les dynamiques qui créent peut-être ces perceptions négatives.

Ne jouez pas les Pygmalion. Dans un couple il est normal de faire des compliments à son partenaire, mais si vous pratiquez la solution esthétique en l'incitant à s'embellir, vous entretenez la dynamique destructrice de deux façons : vous augmentez son insécurité, et sa complaisance à vous obéir renforce votre pouvoir et vous éloigne de lui.

Tirez profit de vos perceptions négatives. Le manque de perceptions positives est comparable au manque d'amour en ce sens qu'il devient le problème central. Vous commettez alors l'erreur d'essayer la solution esthétique. Je vous engage plutôt à revoir vos perceptions négatives et à vous dire : « Notre relation est déstabilisée par un problème et cela me rend extrêmement critique envers mon partenaire. » Cette optique vous permettra de déceler les vrais problèmes et de canaliser votre énergie vers leur résolution.

Faites-vous confiance. Vous êtes parfois attiré par une personne que vos amis estiment « pas assez bien » pour vous. Leur opinion déforme votre vision de ce partenaire qui vous convient peut-être parfaitement à un niveau invisible pour les autres. Si vous avez suffisamment confiance en vous, vous ne laisserez pas l'opinion des autres influencer votre jugement. Quand vous aurez retrouvé votre assurance et votre sécurité affective, vous serez moins enclin à critiquer l'apparence de votre partenaire. Vous apprécierez au contraire ses qualités profondes. Et, dans une relation durable, ce sont les seules qualités réellement déterminantes.

12.

LE MOI ÉQUILIBRÉ

Introduction aux styles de personnalité

Quand un couple vient me trouver, il est généralement en crise. En faisant sa connaissance, je m'efforce de déterminer au plus vite l'origine du problème. Si elle semble circonstancielle ou liée à la séduction, nous restons dans le présent. Mais si l'un des conjoints ou les deux manifestent les signes d'une dominance ou d'une dépendance chronique, je situe mon approche à un niveau plus profond. Nous explorons le style de personnalité de chacun, nous examinons son passé pour y trouver des problèmes et des solutions — mais pas de pathologie.

Problèmes sans pathologie

Pendant mes études, j'ai eu du mal à accepter les théories de la personnalité que nous proposaient nos livres. Chacune semblait offrir une description très convaincante des différentes façons dont *nous sommes tous névrosés*. Sans plus. Considérez la théorie la plus fameuse d'entre toutes, la psychanalyse freudienne. C'est par milliers que des volumes ont été écrits, tant par le maître que par ses disciples, pour nous expliquer comment et pourquoi chaque individu appartient à une catégorie psychopathologique. La corne d'abondance des pathologies déborde, vous n'avez qu'à vous servir : hystérie, obsession-compulsion, fixation anale, masochisme, narcissisme, mélancolie. Malheureusement, la théorie psychanalytique ne nous donne que de rares aperçus de ce que peut être un *comportement sain, adapté.* Si l'on en croit le maître de Vienne, nous ne pouvons rien faire de mieux que de nous engager dans une lutte sans merci contre les effets de la « psychopathologie de la vie quotidienne ».

Quand j'ai commencé à exercer, j'ai senti qu'en appliquant à mes consultants des schémas psychanalytiques préexistants j'introduisais une note négative, antagoniste dans nos interactions. Car ce mode d'interprétation rend le consultant aussi dépendant de la thérapie qu'un diagnostic de cancer qui le ramènerait régulièrement à l'hôpital pour se faire soigner. De façon subtile, il sape également sa confiance en lui et sa dignité. Privé de ces deux forces, l'individu se trouve émotionnellement mutilé, et sa capacité de changer diminue d'autant.

C'est pour cette raison que je suis tellement opposé à la tendance qui consiste à tout ramener au pathologique. Il reste que certaines personnes ont des problèmes profonds qui les conduisent à reproduire des schémas relationnels malsains. Comment reconnaître la gravité de leurs problèmes sans saper une estime d'eux-mêmes déjà fragile ?

J'en étais là de mes réflexions quand, pendant mon internat, je suis tombé sur un ouvrage écrit en 1950 par Timothy Leary. En tant que responsable d'un projet lancé par la Kaiser Foundation, Leary a contribué à l'élaboration d'un nouveau modèle de la personnalité qui fut nommé « psychologie interpersonnelle ». Sa théorie, fondée sur les découvertes du psychiatre Harry Stack Sullivan, propose une façon révolutionnaire d'envisager le comportement humain. Elle donne autant d'importance au fonctionnement sain qu'au comportement inadapté et propose une base « non pathologique » convaincante pour la pathologie.

Fondamentalement, cette théorie professe que les « problèmes » de la personnalité sont en réalité des mécanismes d'adaptation créatifs élaborés au cours d'une enfance difficile. En réponse à un milieu familial contraignant, l'enfant assure sa survie émotionnelle en privilégiant certains modes relationnels — c'est-à-dire certains « styles interpersonnels ». Mais cela se produit souvent au détriment d'autres forces adaptatives complémentaires. Cette théorie me plaît car elle renouvelle l'approche thérapeutique en la débarrassant de toute négativité, de tout fatalisme. Elle valorise en outre l'intelligence adaptative de l'être soumis à une situation défavorable et laisse entrevoir une solution, la possibilité d'équilibrer les forces surdéveloppées en favorisant l'émergence de styles interpersonnels sous-exploités. C'est une approche qui préserve la dignité de l'individu et qui donne des résultats.

Le travail de Leary fut tellement apprécié à l'époque qu'il lui valut la récompense académique suprême, une chaire de professeur à Harvard. Malheureusement, la controverse soulevée par ses expériences sur le LSD jeta une ombre sur sa brillante théorie de la personnalité, et il a fallu attendre ses dernières années pour que les psychologues redécouvrent ses travaux et les reprennent pour les développer.

Les styles interpersonnels *

La psychologie interpersonnelle commence par décrire quatre modes de comportement fondamentaux qui sous-tendent nos interactions avec autrui. Comme le yin et le yang, ils vont par paire.

— Contrôler/céder : c'est l'alternative entre mener et suivre.

— Séparer/unir : c'est l'alternative entre rester autonome et se lier avec autrui.

De ces quatre modes de comportement partent les huit styles interpersonnels (ou forces, ou talents) qui ont tous leur importance dans l'établissement de relations saines. Voyez le « cercle interpersonnel » reproduit plus loin.

Idéalement, ces huit styles doivent entrer en jeu dans toute interaction avec autrui. Quand une situation fait appel à la protection (pour consoler un enfant, par exemple), vous devenez protecteur ; si elle réclame de la prudence (pour acheter une voiture d'occasion), vous vous montrez sceptique ; au moment de prendre une décision (pour conclure une affaire), vous savez vous affirmer, etc. Si, dans l'enfance, vous avez acquis tous ces talents interpersonnels, vous êtes équilibré, vous « tournez rond ». Le mot clé est *souplesse*. Nous devrions être capables de passer souplement d'un style à l'autre, selon la situation.

---

* J'ai changé certains des termes du modèle proposé par Leary pour les adapter aux relations amoureuses. Mais les idées de base restent les mêmes. (N.D.A.)

Le cercle interpersonnel

STYLES DOMINANTS EXTRÊMES

CONTRÔLE

L'AVENTURIER

L'AUTORITAIRE

Challenger

Chef

LE VINDICATIF

LE DÉPENDANT GENTIL

Affirmé

Nourricier

SÉPARE

UNIT

Prudent

Sensible

LE SOLITAIRE

L'ÉCHO

Accommodant

Humble

LE REVANCHARD

LE DÉPENDANT MALTRAITÉ

.... Style sous-développé
− − − Style équilibré
——— Style sur-développé

CÈDE

STYLES DÉPENDANTS EXTRÊMES

Le rôle de l'enfance

C'est pendant l'enfance que nous forgeons nos styles relationnels. Dès nos premiers jours, nous testons inconsciemment un large échantillon de modes d'interaction avec nos parents. Certains nous rassurent et nous sécurisent, d'autres déclenchent des réactions parentales effrayantes ou menaçantes. Ces expériences constituent notre apprentissage de la vie, et ce que nous apprenons, c'est à nous positionner par rapport aux autres de manière à nous sentir aussi en sécurité que possible.

L'utilisation, par l'entourage de l'enfant, d'un nombre restreint de styles relationnels va limiter ses capacités d'acquisition et d'harmonisation des différents styles de personnalité. Instinctivement, l'enfant modèle son comportement pour l'adapter au monde interpersonnel créé par ses parents. Prenons l'exemple de parents particulièrement dominateurs. À un moment de son développement, tout enfant commence à vouloir s'affirmer et exercer son autonomie. Mais si ses parents s'y opposent, il perdra peu à peu son aptitude à l'indépendance et à la responsabilité. Il peut, en revanche, devenir un virtuose de l'obéissance, du compromis, de la coopération et de la docilité pour s'assurer une connexion émotionnelle avec ses parents. Il adopte alors ce que j'appelle une *devise interpersonnelle* inconsciente qui lui dit d'être toujours le plus gentil possible. Quand il grandit, cette devise va exercer une puissante influence sur ses relations.

Si les parents dominateurs continuent à rejeter l'enfant, même obéissant, celui-ci se tournera peut-être vers d'autres modes interpersonnels plus extrêmes. Il découvrira par exemple qu'en contre-attaquant violemment il arrive à neutraliser leur conduite abusive. Ou il se mettra tout simplement à l'écart, cherchant refuge dans sa chambre, par exemple. Cette stratégie de « solitaire » satisfait son besoin de sécurité en réduisant le risque d'être rejeté une nouvelle fois.

Les influences qui forment les modes interpersonnels particuliers d'un enfant sont nombreuses. Elles comprennent : la tonalité et les nuances de son éducation, les stéréotypes sexuels, l'exemple de frères et de sœurs plus âgés et ses prédispositions innées. Toutefois, la base du déséquilibre de la personnalité est fournie par des parents qui ne disposent eux-mêmes que de modes relationnels déséquilibrés.

Il n'est pas étonnant que nous soyons presque tous légèrement « déséquilibrés » dans nos interactions, en ce sens que nous privilégions une ou deux forces particulières au détriment des autres. Mais réjouissons-nous puisque Leary a découvert qu'un déséquilibre léger, « normal », tourne parfois à notre avantage. C'est ainsi qu'un individu hyperprotecteur peut devenir un excellent thérapeute ou qu'un grand sceptique gagnera le prix Pulitzer du journalisme. Les vrais problèmes ne se posent que quand une personne dispose de très peu de compétences interpersonnelles.

Et le paradoxe de la passion ?

Les gens qui arrivent à l'âge adulte en ne disposant que d'un ou deux talents relationnels deviendront facilement victimes du paradoxe de la passion. Ces quelques forces sont souvent regroupées soit du côté dominant, soit du côté dépendant du cercle interpersonnel. C'est ainsi que la personne se retrouvera chroniquement en position dominante ou dépendante. Cela affectera tous ses liens avec autrui mais surtout ses relations amoureuses. Et, dans ce contexte, les dynamiques du paradoxe de la passion ne pourront qu'accentuer son déséquilibre.

Le cercle interpersonnel offre une représentation graphique du fonctionnement interne de la personnalité. Quand l'un des huit styles devient prépondérant, le cercle permet de prévoir quels comportements excessifs sont susceptibles d'émerger. Il montre le lien entre *contrôler/séparer* et les caractéristiques du dominant et le lien entre *céder/unir* et les caractéristiques du dépendant. Remarquez comment les styles changent autour du cercle selon leur position par rapport à l'axe contrôle/cède et à l'axe unit/sépare. Par exemple, la plus grande force du dépendant gentil, c'est sa capacité de se lier à autrui. Mais il possède aussi la capacité d'exercer un contrôle, capacité manifeste dans son attitude protectrice.

Vous avez peut-être constaté que les styles dominant et dépendant reflètent les stéréotypes masculin et féminin. À mon sens, l'un des intérêts majeurs du cercle, c'est qu'il montre comment un mélange harmonieux de traits masculins et féminins peut produire un individu réellement équilibré.

Réparer un cercle brisé

Toute théorie de la personnalité a ses limites, mais j'ai trouvé dans le cercle interpersonnel un outil thérapeutique constamment valable. Il me fournit rapidement l'élément qui me permet de comprendre pourquoi tel consultant a des problèmes relationnels ; il m'aide également à élaborer des stratégies thérapeutiques pour aider un couple à retrouver son équilibre. Quand je situe un consultant sur le cercle, l'information que j'obtiens me permet :

• de complimenter la personne sur ses talents inter-personnels ;
• d'identifier les styles complémentaires qui doivent être développés ;
• d'expliquer comment les forces et les faiblesses de la personne peuvent entretenir, et être entretenues par, des dynamiques relationnelles néfastes ;
• d'aider la personne à s'accepter en lui expliquant comment, dans l'enfance, il lui a été nécessaire de cultiver un petit nombre de talents interpersonnels ;
• de verbaliser la devise inconsciente qui bloque la personne dans un schéma dominant ou dépendant rigide ;
• d'apprendre à la personne comment combattre consciemment cette devise, surtout dans les situations interpersonnelles anxiogènes ;
• d'encourager la personne à se risquer progressive-ment dans l'expression de ses styles interpersonnels insuffisamment développés ;
• de montrer à la personne comment mobiliser ses forces pour élargir son champ d'action.

Remarques

Les deux chapitres suivants étudient les types de personnalité dominante et dépendante les plus fréquents et proposent des stratégies pour les rééquilibrer. En les lisant, vous allez peut-être vous identifier à deux, trois ou plusieurs de ces types. Cela voudra simplement dire que votre personnalité est équilibrée, que vous avez à votre disposition un large éventail de talents interpersonnels.

Mais si vous ne vous identifiez qu'à un ou deux types, c'est peut-être le signe d'un déséquilibre. Profitez de cette découverte pour entreprendre un travail sur vous-même et n'oubliez pas de considérer ces types comme des forces à votre disposition.

Acquérir de nouveaux talents interpersonnels nécessite des conditions d'objectivité et de soutien émotionnel impossibles à réaliser sans aide. Autrement dit, si vous ressentez le besoin d'un vrai travail en profondeur, faites appel à un spécialiste, les résultats seront plus rapides et plus durables.

13.

LA PERSONNALITÉ DU DÉPENDANT

Apprendre à se valoriser

On les appelle gentiment « malheureux en amour ». Ils ont le chic pour tomber sur des partenaires qui les laissent tomber ou les traitent mal. Ce sont les dépendants chroniques. Bien qu'il puisse y avoir une part de malchance dans ce qui leur arrive, l'élément déterminant est certainement le déséquilibre de leur personnalité.

Les véritables personnalités dépendantes marquent une nette faiblesse dans le domaine de la séparation (indépendance) et/ou du contrôle (leadership). Leurs énergies sont canalisées vers l'union et l'obéissance aux autres. Mais on trouve dans ce type de personnalité toute une palette de nuances que nous allons maintenant évoquer.

Le dépendant gentil

Le dépendant gentil est doux, généreux, prévenant et totalement étranger à la colère. Incapable de rancune, c'est l'homme (ou la femme) de la coopération et du compromis. Il s'entend bien avec tout le monde. Il serait fâché d'apprendre que quelqu'un ne l'aime pas. Il évite ce qu'il ressent comme « négatif », films violents, propos malveillants et préfère les activités positives, lectures distrayantes, cuisine ou bricolage. Le vrai plaisir du dépendant gentil consiste à faire plaisir. Il dépense plus facilement pour les autres que pour lui-même. Son ultime ambition, c'est d'être bon et d'aider les autres. La réussite professionnelle ne compte pas parmi ses priorités. Ses amis le considèrent comme l' « être le plus adorable que l'on puisse rencontrer ».

Trop donner

Prenons l'exemple de Jenny, femme de la quarantaine, douce et d'allure maternelle. Son mari, Franck, est policier. Mariés très jeunes, Jenny et Franck n'ont jamais dévié des rôles sexuels traditionnels. Franck est souvent absent car il travaille beaucoup et passe une bonne partie de son temps libre avec « les copains ». Jenny sait depuis longtemps, et elle en a la preuve, que son mari la trompe. Au lieu de lui en parler, elle préfère consacrer toute son énergie à ses quatre enfants et à son intérieur, dont elle aime à penser qu'il est pour Franck un havre de paix.

Appréciée par tous ceux qui la connaissent, Jenny est toujours prête à se dévouer quand, à l'école ou à l'église, on a besoin de volontaires. Elle cuisine à merveille car, dit-elle « cela fait tellement plaisir aux gens ». Mais avec ses enfants, elle a l'impression...

… d'avoir été un peu faible. Je les aime tellement et je souffre toujours de les voir malheureux. Je me dis sans doute qu'ils connaîtront le malheur bien assez tôt. Tant qu'ils sont avec moi j'ai envie qu'ils se sentent aimés et acceptés. En plus, Franck n'est pas souvent à la maison, alors j'essaie de compenser.

317

Le gros point noir de sa vie, c'est bien sûr le caractère volage de Franck. Au début, elle a essayé de ne pas y penser. Elle lui trouvait des excuses, se disant que cela ne durerait pas, qu'il avait besoin de décompresser après des journées d'un travail difficile et risqué. Mais avec le temps ses infidélités sont devenues de plus en plus évidentes. Cela n'empêche pas Jenny d'être aux petits soins pour lui quand il rentre d'un week-end de « travail sur une affaire ». Elle prie pour que son amour et sa dévotion le ramènent enfin dans le droit chemin. Mais un jour où leur fils aîné décroche le téléphone pour appeler, il surprend son père en train de fixer rendez-vous à une femme sur un autre poste. Il le dénonce pendant le dîner et Jenny se trouve obligée de faire quelque chose. C'est alors qu'elle décide d'entreprendre une psychothérapie.

L'enfance du dépendant gentil

Selon toute apparence, le dépendant gentil est aimé et soutenu par ses parents, comme l'a été Jenny. Mais l'amour ne lui était donné que pour la récompenser de se conduire en « petit ange ».

Mon frère aîné et mon père n'arrêtaient pas de se disputer, souvent avec violence. Moi, je n'y comprenais rien. Père était tellement gentil avec moi ! Je pensais que mon frère faisait exprès de le provoquer et je lui disais que s'il arrêtait, tout irait bien.

En thérapie, Jenny et moi avons découvert qu'elle était terrifiée par les empoignades de son père et de son frère. Son amour pour son père dissimulait à peine la peur qu'il lui inspirait. Très jeune, elle découvrit qu'en étant gentille, serviable, souriante et soumise elle se fabriquait une carapace contre la colère paternelle. Mais cette carapace durcit sans qu'elle ait pu développer les styles relationnels qui lui auraient permis de s'affirmer, de revendiquer des idées ou des opinions, d'être indépendante et sûre d'elle.

Le « petit ange » et la « brebis galeuse » se trouvent souvent, comme Jenny et son frère, dans la même famille. Devant se conformer aux exigences rigides des parents, la brebis galeuse sacrifie l'union (l'amour) au profit de la séparation (l'indépendance), tandis que l'ange sacrifie la séparation au profit de l'union. Les filles deviennent plus facilement « dépendantes gentilles » que les garçons, soumises qu'elles sont à la pression supplémentaire du rôle sexuel qui les veut « charmantes et douces ».

Le dépendant gentil et l'amour

Les « dépendants gentils » ont souvent du mal à trouver l'amour. Leur style interpersonnel, si utile à les protéger du rejet dans l'enfance, semble les maintenir en dehors de la sphère amoureuse. C'est ce qui est arrivé à Jenny.

> J'étais la bonne copine à qui tout le monde raconte ses peines de cœur, les garçons comme les filles. Mais moi, je n'avais ni peines de cœur, ni amoureux pour m'en donner. Mes amies me disaient que les garçons me trouvaient « trop pure ».

En se drapant dans sa gentillesse, la jeune fille s'est presque neutralisée. Elle ne tourne pas la tête aux garçons, elle ne leur apparaît pas comme une conquête possible, elle ne les intéresse pas. Homme ou femme, le « dépendant gentil » se fait accepter comme ami parce qu'il donne beaucoup. Il ferait « n'importe quoi » pour ses amis et c'est d'ailleurs souvent ce qu'il fait, n'importe quoi. Homme ou femme, le dépendant gentil tombe dans le même piège : son ardeur de plaire inhibe la tension émotionnelle essentielle à toute alchimie amoureuse. Il lui manque l'attrait de l'autonomie. Après un ou deux rendez-vous, il commence à redouter d'entendre : « je t'aime beaucoup, tu sais, comme ami... »

Quand il réussit à capter l'intérêt d'un amoureux, c'est souvent quelqu'un qui vient de subir un revers, physique ou moral, et qui a besoin d'être « materné ». Franck se remettait d'un accident de moto quand il a rencontré Jenny, kinésithérapeute. Ils se marièrent trois mois plus tard et Jenny arrêta de travailler avant la naissance de leur premier enfant.

Au début, Jenny est enthousiasmée par Franck et par le mariage. Mais leur compromis sentimental est bancal et, aussitôt rétabli, Franck commence à prendre la tangente. Jenny exprime le sentiment de bien des dépendants gentils quand elle dit :

> Il s'était servi de moi tant que je lui étais utile. Après, il ne me restait plus qu'à être une bonne épouse pas trop exigeante. Il appréciait que je fasse tout pour lui, je le sais. Et moi, je *voulais* tout faire pour lui. Mais quand on se rend compte qu'on ne reçoit pas grand-chose en échange, on commence à se demander quelle erreur on a bien pu commettre.

Quand toute la dévotion du « dépendant gentil » n'arrive plus à satisfaire son partenaire, il se sent perdu.

Sa première stratégie d'adaptation, la gentillesse, ne fait que saper sa position car elle enflamme les dynamiques du paradoxe. Si l'infidélité du dominant est en question, le désir de pardon et d'oubli du dépendant gentil sera impuissant à la réfréner. On peut même dire qu'il va l'encourager.

L'équilibre

Si vous vous reconnaissez dans cette description du « dépendant gentil », votre devise inconsciente est certainement : « Aime-moi. » J'ai conseillé à Jenny de la reformuler en : « Tout le monde n'est pas obligé de m'aimer. » Répétez-vous cette petite phrase souvent, chaque fois que vous douterez de vous-même, cela vous aidera à dégager les facettes dominantes de votre personnalité. Votre but est d'oser réagir avec assurance et fermeté au lieu de vous cantonner dans la gentillesse et le compromis.

Apprenez à vous affirmer et à vous définir des limites. Il existe plusieurs ouvrages excellents qui vous y aideront (reportez-vous à la bibliographie). Pour le moment, vous ignorez peut-être encore qu'on empiète sur votre territoire, qu'on se sert de vous. Un ami, un thérapeute vous aidera à repérer les situations où vous devez absolument fixer des limites. Elles sont certainement plus nombreuses que vous ne le pensez.

Il est essentiel, pour le « dépendant gentil », d'accepter sa colère. L'expression de la colère est certainement ce qui le terrifie le plus. Une fois que vous aurez déterminé vos limites, laissez croître et s'exprimer votre fureur contre ceux qui les franchiront.

La communication non culpabilisante vous aidera à exprimer valablement votre colère. Elle vous aidera aussi à supporter les réactions de votre partenaire. Elles risquent d'être violentes car il n'a pas l'habitude que vous lui teniez tête. Il faut du temps et de la patience pour épanouir ces qualités. N'espérez pas y arriver du jour au lendemain et sans douleur. Mais sachez que vous en tirerez beaucoup de satisfactions. À mesure que vous développerez vos talents de dominant, vous vous apercevrez que vos forces actuelles, bonté et générosité, vous rendront de plus en plus heureux. Elles cesseront d'être les seules ressources d'un être soumis pour se transformer en forces stables, et le doter de nouvelles compétences.

Malgré tout, Jenny aimait toujours Franck. Elle ne désirait ni le quitter ni détruire la famille. En thérapie, elle trouva le courage de commencer à lui fixer des limites. Mais avant de l'affronter directement, elle répétait avec moi chacun des mots qu'elle allait lui dire. Après avoir testé Franck sur de petites choses et survécu à la terreur de la confrontation, elle osa le pas décisif. Elle lui avoua le chagrin et la colère que lui inspiraient ses infidélités et ajouta bravement que s'il continuait elle le ficherait tout bonnement à la porte. Il parut légèrement ébranlé et commença à la traiter avec plus de respect.

Après six mois de psychothérapie et quelques démarches pour trouver la juste distance (elle prit quelques cours de kiné pour se remettre à jour et trouva un emploi à temps partiel), Jenny avait réactivé des aspects d'elle-même dont elle ignorait jusqu'à l'existence. Ce changement était d'ailleurs très visible. Elle qui osait à peine, elle qui s'excusait à tout bout de champ, était devenue positive, radieuse et séduisante. Tous ses problèmes n'étaient pas résolus mais elle s'arrangea pour convaincre Franck de nous rejoindre en thérapie.

L'Écho

L' « Écho » n'a pas le sentiment d'être vivant ou entier tant qu'il n'est pas avec quelqu'un. Son premier talent interpersonnel, c'est sa capacité d'abaisser sa garde et de révéler ses faiblesses. Hypersensible, il est perpétuellement à l'affût des émotions d'autrui. N'hésitant pas à prendre des risques dans le domaine affectif, il exprime à son partenaire tout ce qu'il ressent. Mais il n'a pas une conscience claire de la frontière entre ses sentiments et ceux de l'autre. Il semble se fondre dans la relation, perdre tous ses repères. Ses qualités en font un employé parfait puisqu'il anticipe les besoins de ses supérieurs et s'organise avec un sens instinctif des priorités. Il fera aussi un excellent étudiant. Mais, en amour, son besoin d'identification va lui jouer des tours.

La perte de soi

Deborah, l'artiste, était très « Écho ». Avant de rencontrer Jonas, elle connaissait, comme beaucoup d'êtres de ce type, sa tendance à « se perdre » dans ses relations amoureuses. Ayant beaucoup souffert, elle avait décidé de ne se laisser tenter par aucune aventure pendant un an. Mais elle reconnaissait que...

... pas un jour ne passait sans que je pense à trouver quelqu'un. J'ai tenu un journal pendant quelques années et je peux dire que pratiquement chaque page contient une référence aux hommes. Soit j'en ai rencontré un qui m'intéresse, soit j'en intéresse un, soit je commence à sortir avec un... Tout le reste n'est que du remplissage.

Apparemment, faire vœu de célibat n'est donc pas la solution idéale.

L'enfance de l'Écho

Pendant toute son enfance, l' « Écho » ressent le *besoin* de rester petit et faible pour gagner l'amour de ses parents. Comme le raconte Deborah :

> Mon père délaissait ma mère et je pense qu'elle s'est tournée vers moi pour assouvir ses besoins affectifs. Il fallait que je reste éternellement sa petite fille. Je ne pouvais prendre aucune décision. Tout ce que je pouvais faire, c'était lui obéir. Elle me manifestait surtout son amour quand j'avais des problèmes, quand j'avais besoin d'elle. En fait, elle s'affolait dès que je me dressais contre son autorité. Un jour, j'ai refusé de l'accompagner faire des courses. Elle était tellement furieuse qu'elle m'a bouclée dans ma chambre et n'est rentrée qu'au milieu de la nuit. J'étais terrorisée à l'idée qu'elle ne revienne jamais.

À moins de fusionner avec quelqu'un, ce personnage se sent seul et abandonné. Devenu adulte, il a du mal à comprendre pourquoi il redoute tellement les séparations. Il lui est pénible de devoir perpétuellement troquer son identité contre la tendresse qui lui est nécessaire.

L'Écho et l'amour

Nous perdons tous la tête quand nous sommes amoureux. Mais heureusement, la plupart d'entre nous restons conscients du noyau qui constitue leur Moi et qui les guide dans les méandres de la passion. (Le poète W. B. Yeats a écrit : « La tragédie du sexe, c'est la perpétuelle virginité de l'âme. ») Mais, chez l' « Écho », ce noyau a toujours été fragile et il semble se dissoudre dans la relation amoureuse. Deborah avait l'impression d'être « engloutie » dans son amour.

Au début, je croyais que ça n'arriverait pas avec Jonas parce qu'il ne m'avait pas attirée tout de suite. Mais très vite je l'ai eu dans la peau. Je ne voyais plus mes amis, je me fichais éperdument de ma peinture. À l'école, je me contentais d'exécuter les gestes. Je passais tout mon temps libre à me documenter sur les sujets qui intéressaient Jonas. Je me faisais toutes sortes de masques de beauté. Quand on a commencé à sortir ensemble, on allait dans les musées, dans les galeries, mais ensuite je me suis faite à ses préférences : boutiques de livres d'occasion et de fournitures pour jardin. À l'époque, je ne me rendais pas compte que je renonçais tout bonnement à certains aspects de moi-même.

Bien que l' « Écho » amoureux donne l'impression de se perdre, il n'est pas toujours passif. Il apprend à attirer les partenaires dont il a besoin pour se sentir exister. Deborah raconte leur première rencontre.

La vérité, c'est qu'il y avait d'autres hommes à la soirée où je l'ai rencontré. En fait, je m'apprêtais à en approcher un quand Jonas m'a abordée. Je ne suis pas du genre à me jeter à la tête des hommes mais apparemment je suis assez douée pour créer le contact.

L « 'Écho » s'efforce de retenir l'autre par une véritable démonstration de compatibilité. Il partage ses goûts, ses préoccupations, ses intérêts, il est capable de se donner tout entier. Si bien qu'en général les débuts de la relation sont, pour les deux partenaires, extatiques.

L' « Écho » apparaît comme l'amour idéal, celui qui vous attendait depuis toujours et qui vous aime tel que vous êtes. Mais avec le temps, ce personnage continuant à se confondre avec son partenaire, le climat affectif change. Le dominant commence par se lasser d'une conquête trop facile, puis il s'ennuie de plus en plus et finit par se sentir étouffé. Le paradoxe de la passion a encore frappé, éloignant le dominant et exaspérant les efforts d'identification de l' « Écho ».

C'est le moment où, bien souvent, la dépression s'empare de lui. Son talent interpersonnel, la sensibilité, lui donne une conscience aiguë de la déception de son partenaire. Dans la mesure où sa propre valeur ne se mesure qu'à la reconnaissance de celui-ci, être rejeté par la personne qu'il aime prouve bien qu'il ne vaut rien. Comme le dit Deborah :

> Quand j'ai senti que la relation m'échappait, j'en ai conclu que j'étais foncièrement incapable d'être moi-même. Aussi paradoxal que cela puisse paraître, le suicide m'est apparu comme la seule façon d'établir mon identité. Je serais morte, peut-être, mais par ma propre décision et de ma propre main.

Équilibre

Si vous avez des tendances « Écho », votre devise inconsciente doit être : « Sans toi, je ne suis rien. » Chaque fois que vous craignez d'être rejeté, cette devise vous incite à vous accrocher à votre partenaire. Combattez cette habitude en vous répétant : « Je peux exister par moi-même. »

En essayant de ne pas reproduire toujours le même schéma relationnel, Deborah avait commis deux erreurs fréquentes : considérer son désir d'intimité amoureuse comme néfaste et essayer de le combattre en évitant tout investissement affectif. Je lui ai expliqué qu'elle avait besoin de cette intimité et qu'elle ne devait pas la sacrifier. Son aptitude à la créer était en fait sa force principale et, au lieu d'y renoncer, il fallait simplement l'équilibrer.

Ensemble, nous avons fixé pour elle un nouvel objectif : développer ses talents atrophiés de dominante pour lui permettre de trouver le partenaire qui lui conviendrait, quelqu'un qui prise autant qu'elle l'intimité. Comme la sensibilité était une de ses forces, je lui ai conseillé de s'en servir pour déceler ce potentiel chez les hommes qu'elle rencontrerait. Si elle en découvrait un qui semble répondre à son attente, elle s'empresserait d'employer ses nouveaux talents de dominante. En se servant de la formulation distanciée, elle lui expliquerait que l'intimité amoureuse comptait énormément pour elle, démarche très peu « Écho » en ce sens qu'elle consiste à révéler sa vraie nature au risque d'être rejetée. Elle lui demanderait ensuite s'il partageait sa conception du couple. Si sa réponse ou son comportement ne suffisaient pas à la rassurer, elle affronterait la situation en se disant : « Je peux exister par moi-même. » Elle choisirait de faire marche arrière avant de se laisser entraîner dans le paradoxe de la passion et une expérience décevante. Mais si elle pressentait un accord possible avec cet homme, elle résisterait à son désir de jouer les caméléons. Elle préserverait ses forces person-nelles, la peinture, son goût pour l'enseignement, ses amitiés, qui ajouteraient à son pouvoir de séduction.

Comme beaucoup d'« Échos », Deborah n'avait qu'une vague idée de sa véritable identité. Nous avons donc travaillé à reconstruire son estime d'elle-même. Le fait de reconnaître ses talents et de s'en servir pour acquérir autonomie et assurance lui permit de tirer un meilleur parti de son désir d'intimité. Même son comportement changea. De nerveuse et tendue qu'elle était, elle devint plus calme et maîtresse d'elle-même.

Le vindicatif

L'expression « dépendant vindicatif » peut sembler contradictoire, mais c'est une réalité que je rencontre souvent dans ma pratique. Contrairement aux autres dépendants, le vindicatif est capable d'exprimer sa colère quand il se sent brimé. Ce talent fait partie de ses forces interpersonnelles. Mais le problème, c'est la façon dont s'exprime sa colère.

Frapper où ça fait mal

Autre couple miné par le paradoxe de la passion, Barbara et Simon. Simon était secrétaire particulier d'un homme politique, fonction qui exigeait de lui beaucoup de temps et d'énergie. Barbara faisait de la décoration florale. Ils venaient me consulter parce que Barbara avait un « problème », elle faisait des folies avec leurs cartes de crédit. Elle m'expliqua :

> Cela me prend de temps en temps, sans aucune préméditation. Je suis dans un magasin et j'achète quelque chose. Et puis j'achète autre chose, puis autre chose..., un peu comme l'alcoolique qui après le premier verre ne peut plus s'arrêter. Mais je n'achète qu'en solde...

LA PERSONNALITÉ DU DÉPENDANT

Simon ajouta : « Ouais. Des chaussures à deux mille cinq démarquées à deux mille ! »

Le couple avait cru résoudre le problème en renonçant à toutes ses cartes de crédit sauf une, que Simon gardait sur lui. Barbara apprit à vivre à la hauteur de leurs moyens, tout en remboursant une dette déjà lourde. Au bout de six mois, comme elle semblait « guérie », Simon la récompensa en lui donnant un double de sa propre carte. Peu de temps après, il partit pour une conférence à Chicago et, quand il voulut payer son hôtel, sa carte de crédit lui fut refusée. Barbara avait « mangé » tout leur crédit. Cet incident faillit briser leur couple et les précipita en thérapie.

Ils supposaient tous les deux que le problème était la folie consommatrice de Barbara. Mais, après discussion, il m'apparut clairement que les achats excessifs de Barbara correspondaient aux périodes où Simon était le plus distant ; soit il se consacrait entièrement à un projet important, soit il avait des problèmes au bureau, soit il partait en déplacement sans elle. Au lieu d'exprimer directement sa colère, Barbara le frappait à l'endroit sensible : le porte-monnaie, et se consolait de sa solitude en se faisant des cadeaux.

L'enfance du vindicatif

L'enfance de Barbara était typique.

Ma mère s'est toujours mise en compétition avec moi. Elle me rappelait à l'ordre avec des petites phrases comme : « Aucun homme ne voudra t'épouser si tu es comme ci ou comme ça. » J'ai l'impression qu'elle ne voulait pas tellement me voir grandir. Je n'ai pas eu le droit de sortir avant l'âge de dix-sept ans, et je devais rentrer à dix heures. Un soir, je ne suis rentrée d'une fête que vers une heure du matin. Ma mère m'attendait. Elle m'a giflée et privée de sortie pendant deux mois. Par contre, j'adorais papa. Il nous emmenait, mon frère et moi, faire de petites virées. Mais même lui ne pouvait pas s'opposer à ma mère.

Comme la plupart des dépendants, le vindicatif a un parent autoritaire et critique. Mais, à la différence des autres, il a généralement un parent, ou un grand-parent, qui l'aime beaucoup. Le parent autoritaire domine le foyer, obligeant l'enfant à développer ses aptitudes à la soumission et à la coopération. Mais l'amour du parent passif instille chez l'enfant le sens de sa dignité. C'est cette image positive de lui-même qui donne au vindicatif la force de ressentir une juste colère.

Toutefois, il existe une marge entre le ressenti de la colère et son expression. Le vindicatif doit développer cet embryon d'aptitude à la colère pour contrebalancer sa peur dépendante de la désobéissance. À cette fin, il doit apprendre à exprimer directement sa colère.

Le vindicatif et l'amour

La personnalité du vindicatif n'est pas toujours ouvertement dépendante. Bien des vindicatifs sont vifs et charmants en société ; mais cela ne veut pas dire qu'ils sachent se défendre dans une relation de couple. Le mélange de sociabilité et de soumission qui forme leur personnalité peut attirer irrésistiblement certains dominants, dont l' « autoritaire » (voir chapitre 14). L'autoritaire a besoin de maîtriser la relation mais il veut un partenaire qui présente au monde un reflet flatteur de lui-même. Une fois la relation installée, le dominant suppose son partenaire comblé par son rôle subalterne et, tout heureux, retourne vaquer à ses affaires.

En réalité, il n'a rien compris aux souffrances de son partenaire. Le vindicatif, tout en continuant à se montrer soumis, accumule une rancune liée à son impuissance, à sa dépendance et à sa solitude affective. Il ne sait pas comment naviguer entre les écueils de sa colère rentrée et de sa peur de l'insoumission. Il éprouvera un certain soulagement à confier ses difficultés à quelqu'un. Mais, lorsque son hostilité ne peut plus être contenue, il trouve un compromis : exprimer sa colère indirectement, de manière à garder son apparente complaisance. Il sait parfaitement, et c'est là sa force, frapper « où ça fait le plus mal ».

Le flirt est une de ses tactiques. En société, le vindicatif peut se mettre à draguer ouvertement, sous les yeux de son partenaire. Gêné, humilié, celui-ci lui reprochera sa conduite étrange. Le vindicatif répondra qu'il voulait simplement se montrer gentil. L'adultère fait bien entendu partie de ses tactiques les plus fréquentes.

Le cas Barbara-Simon montre comment le déséquilibre dominant-dépendant s'entretient et se prolonge de lui-même. Les excès de Barbara provoquent une réaction autoritaire de Simon qui se sent « obligé » de lui retirer ses cartes de crédit. Mais ce coup de force ne peut que confirmer Barbara dans son rôle de dépendante impuissante et l'inciter à se venger.

Équilibre

Vous éprouvez de la rancune contre votre partenaire sans oser lui en parler ? Vous vous vengez de lui de façon indirecte (et inconsciente) ? Si oui, vous obéissez sans doute à la devise : « Ne pas s'opposer. » Les vindicatifs, croyant qu'une confrontation directe va provoquer le rejet de leur partenaire, choisissent des modes d'action détournés qui créent, presque toujours, des problèmes plus graves.

Pour amorcer le changement, adoptez cette nouvelle devise : « Défends-toi », et pensez-y souvent. Dites-vous que la moitié du chemin est déjà parcourue puisque vous êtes capable d'éprouver de la colère. Il suffit maintenant d'apprendre à l'exprimer utilement.

Passez du temps sur le chapitre 8 et apprenez à maîtriser la communication non culpabilisante. Entraînez-vous tout seul, répétez ce que vous devrez dire à votre partenaire la prochaine fois qu'il vous mettra en colère. C'est ainsi que Barbara réussit à énoncer ses contrariétés, ses frustrations, sans accuser Simon. Le fait de s'attaquer directement aux vrais problèmes court-circuite les impulsions vindicatives et permet de rééquilibrer la relation.

Barbara et Simon étaient intelligents. Ils comprirent vite les mécanismes qui les dressaient l'un contre l'autre. Ce fut un vrai plaisir de voir chacun identifier ses points faibles et commencer à s'y attaquer — car Simon avait bien besoin de se remettre en question, lui aussi. Pendant que Barbara apprenait à se défendre et à exprimer sa juste colère, Simon commençait à sentir combien ses « solutions » autoritaires entretenaient la frustration affective de sa femme. Chacun travaillant de son côté pour atteindre le même objectif, le couple ne tarda pas à s'harmoniser.

Le maltraité

Tout dépendant extrême peut être la victime de mauvais traitements, physiques ou psychologiques, y compris les types que j'ai déjà décrits, le gentil, l'Écho et le vindicatif. Il ne s'agit pas d'un comportement masochiste, le dépendant n'éprouvant aucun plaisir à être maltraité. Mais deux facteurs l'y prédisposent : son absence d'estime de lui-même qui tend à lui faire accepter n'importe quoi et ses talents interpersonnels les mieux développés qui encouragent plutôt qu'ils ne freinent la violence de son partenaire.

Le dépendant gentil supportera d'être maltraité en espérant que sa douceur et sa soumission finiront par calmer son partenaire. L'Écho essaiera de se conformer davantage au désir de son partenaire et le vindicatif trouvera des vengeances indirectes qui rendront son partenaire encore plus furieux et violent.

Le dépendant maltraité se définit par une tendance répétitive à nouer des liens avec des êtres violents. Il adorerait trouver un partenaire gentil mais il n'y arrive pas. On serait tenté de le considérer comme un vrai masochiste, quelqu'un qui a besoin d'être puni, mais je ne crois pas qu'il réponde à cette définition. Le maltraité est aussi coincé et aussi malheureux dans sa position que le serait n'importe qui. Mais ce qui le caractérise, c'est une enfance particulièrement éprouvante et destructrice.

Ce n'est pas pareil

Luce, secrétaire de direction, la quarantaine, séduisante, s'était remise de deux mariages pénibles. Son premier mari travaillait dans un magasin d'articles de sports. Il « savait se montrer charmant, mais quand on le connaissait mieux il avait des tendances vraiment méchantes ». Sans jamais lever la main sur Luce, il s'acharnait à la dénigrer.

> Il avait de véritables crises où il se mettait à hurler pour n'importe quoi. Tout ce que je faisais, c'était mal. J'étais une idiote, une « vraie buse ». C'était ma faute s'il n'était pas directeur du magasin, parce que les cris du bébé l'empêchaient de dormir. L'image qu'il me renvoyait de moi-même n'était vraiment pas brillante.

Après plusieurs aventures, il finit par abandonner Luce et son fils pour « quelqu'un de plus à la hauteur ». Luce se remaria avec un représentant de commerce.

> Je le voyais comme le noble chevalier qui nous avait recueillis, mon fils et moi. Mais il buvait. Et, contrairement à l'autre, il n'hésitait pas à me frapper quand il était ivre. Je suis restée quatre ans avec lui. Quand il était sobre, je pensais que les choses s'arrangeraient, mais cela ne durait jamais plus de quelques jours. J'ai finalement dû mettre le holà le jour où il s'en est pris à mon fils.

Cinq ans plus tard, elle entreprit une thérapie parce qu'elle était déprimée par deux ans de liaison avec Ivan, un homme marié, ingénieur dans l'usine où elle travaillait.

334

Je ne me fais plus d'illusions sur son désir de quitter sa femme pour moi. D'ailleurs, nous ne nous voyons plus aussi souvent qu'avant et je le soupçonne de sortir avec une autre fille de l'usine. Il le nie mais je n'ai pas grande confiance en lui. Le problème, c'est que je n'arrive pas à m'en détacher. J'ai d'autres propositions, mais ce n'est pas pareil. Je me torture à cause de lui, au lieu de le planter là et de me trouver un type bien.

Lors de notre premier entretien, Luce m'avait dit que ses mésaventures avec des « brutes ou des salauds » remontaient à son adolescence. De toute évidence, elle relevait du type dépendant le plus douloureux, le plus destructeur.

L'enfance du maltraité

La plupart des dépendants chroniques ont eu un parent dur, dominateur, et un parent passif. Ce qui distingue le maltraité, c'est le prix qu'il doit payer pour gagner l'approbation du parent tout-puissant. Luce était passée par là.

Mon père était un vrai tyran domestique. Il travaillait dans un chantier naval, boulot très dur, et le soir il rentrait furieux et ivre. Je suppose qu'il se faisait engueuler par son contremaître alors il avait besoin de frapper quelqu'un, le chien ou quiconque se trouvait à sa portée. De toute façon, quoi qu'il arrive, c'était toujours la faute de quelqu'un d'autre. Même si un pneu crevait. Un de mes pires souvenirs, c'est un soir où il cherchait une bouteille de whisky qu'il croyait avoir. Il a commencé par accuser maman. Puis ma sœur a dû dire une insolence et il la lui a fait payer. Pendant qu'il la battait, un de mes frères s'est

335

interposé et il s'est fait étriller lui aussi. Finalement, j'ai menti en disant que c'était moi qui avais cassé la bouteille sans le faire exprès. Mon père a hurlé mais il m'a félicitée d'avoir avoué la vérité.

Extrêmement dysfonctionnelle, la famille de Luce était dominée par un homme possédant la caractéristique principale des parents de maltraités, la mauvaise foi agressive. Il n'était *jamais* responsable, et un bouc émissaire devait payer.

L'enfant qui essaie désespérément de gagner l'approbation d'un tel parent apprend souvent à accepter tous les blâmes. Dans un univers affectif dangereux où il est systématiquement accusé, il se persuade qu'il est coupable. Après tout, le parent est la figure d'autorité, il doit savoir ce qui est juste et vrai. Comme les autres dépendants, il apprend que vouloir se défendre, c'est s'attirer un châtiment verbal ou physique. En l'acceptant, il s'assure l'approbation du parent abusif mais ce n'est qu'un sursis avant d'autres punitions. Être reconnu, dans de telles circonstances, c'est confesser sa culpabilité.

On peut se demander quels talents interpersonnels un être soumis à un tel rouleau compresseur affectif va pouvoir développer. Il est vrai que ces talents seront souvent occultés dans les méandres d'une vie sentimentale orageuse. Mais il suffit de considérer l'issue de ses affrontements avec le parent dominateur pour comprendre où est sa force et pourquoi une femme comme Luce se retrouve si souvent avec des hommes violents.

La spécialité du dépendant maltraité, c'est de *désamorcer*. Dans l'enfance, il est la cible de colères irrationnelles et excessives. En se laissant battre, il met fin à un épisode violent. C'est ainsi qu'il démontre son utilité au parent dominateur. Il est dommage que le seul acte qui le valorise — assumer une responsabilité — lui donne aussi une image dévalorisée de lui-même qui le promet à d'autres châtiments.

Dans le « cercle interpersonnel », le maltraité fait preuve d'une formidable humilité. Mais, si elle n'est pas contrebalancée par la confiance en soi, cette modestie entraîne le sentiment de son indignité et une tendance à penser : « C'est ma faute. » L'enfant trop humble croit qu'il provoque la rage autant qu'il la désamorce.

Le dépendant maltraité et l'amour

La raison qui incite les psychothérapeutes à considérer les maltraités comme des masochistes, c'est qu'ils fuient apparemment toute relation paisible. À première vue, la conduite de Luce semblait correspondre à ce schéma. De son propre aveu, elle repoussait les avances d'autres hommes pendant sa liaison avec Ivan.

Je crois cependant qu'il ne s'agit pas de masochisme. D'autres facteurs jouent ici un rôle extrêmement déterminant. Tout d'abord, le dépendant maltraité a une image de lui-même totalement négative. Il est convaincu d'être sans valeur, de ne pas mériter l'estime d'un « bon » partenaire. (Comme le dit Groucho Marx : « Jamais je ne serais membre d'un club qui tolère un type comme moi. ») Et la réciproque est vraie. Les gens équilibrés perçoivent intuitivement le mépris que le dépendant a pour lui-même et se tiennent à l'écart.

Un autre dynamique entre en jeu et se combine, lors de la recherche d'un partenaire amoureux, avec le paradoxe de la passion. Les virtuoses de la mauvaise foi, ces personnages potentiellement violents, peuvent se montrer charmants quand ils veulent séduire. Ils savent se vendre car ils ont généralement quelque chose à cacher, et cela attire irrésistiblement le dépendant élevé dans un climat explosif. Mais sous cette apparence se cache le besoin d'une victime consentante. Et le paradoxe recoupe ce schéma car le dépendant maltraité, se sentant incapable de maîtriser son partenaire tyrannique, est entraîné dans une passion qui augmente encore sa souffrance. Il risque alors de se former un lien tragique de dépendance.

Équilibre

Si vous êtes maltraité par votre partenaire, je vous engage à chercher immédiatement secours auprès d'un professionnel. Il est déjà difficile de gérer une situation déséquilibrée mais, quand il s'y ajoute de mauvais traitements, la peur et le danger peuvent vous ôter tout espoir d'en sortir. Croyez-moi, vous avez plus d'atouts que vous ne l'imaginez. Un bon thérapeute vous aidera à les découvrir et à les utiliser.

Si vous n'êtes pas sûr que le comportement de votre partenaire soit abusif, prenez l'avis d'un ami, d'un parent ou d'un médecin. Ou essayez cet exercice d'objectivation : demandez-vous comment vous définiriez votre situation si un de vos amis la vivait. Auriez-vous l'impression que votre ami est trop complaisant ? Seriez-vous inquiet pour lui et lui conseilleriez-vous d'échapper à cette situation ? Si oui, agissez. Il existe plusieurs ouvrages excellents sur la question, dont vous trouverez les titres dans la bibliographie. Je vous adjure de les lire, au nom de votre avenir.

Si vous avez tendance à reproduire systématiquement ce schéma relationnel, il est temps de réfléchir à votre idée du couple.

Prenez certaines précautions essentielles. Tout d'abord, méfiez-vous des Casanova ou des ensorceleuses qui vous entraînent dans un tourbillon de belles paroles et d'actes imprévisibles. Ce sont des séducteurs irrésistibles mais, comme je l'exposerai au chapitre suivant, ils manquent généralement de sensibilité. Vous serez transporté par la passion qu'ils vont vous inspirer, mais la passion ne doit jamais être le seul critère d'une relation. Elle ne doit pas non plus justifier qu'on vous néglige ou qu'on vous maltraite. La passion que vous inspire un partenaire abusif parce que vous n'avez aucun pouvoir sur lui est une dangereuse conséquence du paradoxe.

Ensuite, accordez plus d'attention aux « gentils ». Ils vous paraîtront d'abord incompatibles avec vous-même. Vous aurez peut-être le sentiment de ne pas mériter leur gentillesse, l'impression que « ça ne collera pas » entre vous. Mais, en les fréquentant régulièrement, vous commencerez à vous sentir plus à l'aise et à développer de nouvelles forces interpersonnelles.

Si la relation se dégrade, résistez à la devise inconsciente : « C'est ma faute », que vous a inculquée votre enfance. Cette certitude vous persuade que vous êtes responsable des mauvais traitements qu'on vous inflige ; que c'est à vous de faire des efforts pour améliorer la situation, que, si les choses ne s'arrangent pas, vous méritiez de toute façon ce qui vous arrive. Vous conformer à cette devise ne peut qu'autoriser votre partenaire à vous brutaliser et à vous déprécier, y compris à vos propres yeux.

Il est donc essentiel que vous réagissiez en adoptant cette nouvelle devise : « Je mérite autant d'amour et de respect qu'un autre. » Cela vous aidera à reconstruire une image positive de vous-même. Cela vous aidera à fixer des limites aux agissements de votre partenaire et à savoir si, et quand, il devient nécessaire de vous en éloigner.

En thérapie, Luce apprit à s'estimer et à combattre son penchant pour la culpabilisation et les orages émotionnels. La découverte du paradoxe de la passion lui permit de comprendre son attirance pour les « brutes » et le piège affectif que représentait cette attirance. Après plusieurs semaines de thérapie et un sérieux travail de préparation, elle décida qu'il était temps d'affronter Ivan. Lorsqu'il lui proposa une nouvelle « soirée ensemble », elle lui dit fermement, en termes non accusateurs, que c'était fini, que leur relation ne satisfaisait pas ses besoins profonds. Elle réussit à ne pas démordre de sa position malgré les protestations d'Ivan.

« C'est une des choses les plus difficiles que j'aie jamais faites, me dit-elle par la suite, mais quel plaisir de réussir à m'affirmer... »

Quelques mois plus tard, elle commençait à sortir avec un homme sympathique et doux. Elle eut du mal à s'y faire mais ses sentiments pour lui naissaient lentement et sûrement. « Moi qui ai l'habitude des grandes passions fulgurantes ! dit-elle. Mais j'ai l'impression que c'est mieux, plus normal. Est-ce que je commencerais à m'aimer ? »

14.

LA PERSONNALITÉ DU DOMINANT

Savoir être vulnérable

Le dominant extrême a de multiples visages. Il peut être rigide et autoritaire, calme et distant, agressif et même violent. Il peut se montrer passionné puis se reprendre très vite en laissant son partenaire désorienté et dépendant. Ou il peut fuir toute idée d'investissement amoureux. Il peut être tellement absorbé par la poursuite de ses objectifs personnels qu'il ne lui reste pratiquement aucune disponibilité affective. Bien des dominants chroniques ont eu une enfance difficile, comme les dépendants. Mais, au lieu de céder et de s'unir avec le parent excessif, ils résistent et s'éloignent. Certains revêtent l'armure du dominant pour se protéger de la souffrance affective. Mais tous ont en commun des tendances qui les orientent vers la séparation et le contrôle dans leur vie amoureuse.

L'autoritaire

Quand je pense au type autoritaire, l'image de mon consultant Victor s'impose à mon esprit. A cinquante-cinq ans, il est directeur d'un centre médical important. Ses employés et collaborateurs ne l'adorent pas mais

341

reconnaissent ses qualités de meneur et de chef d'entreprise. L'image du succès est importante pour lui, comme en témoignent ses costumes bien coupés et sa longue Mercedes noire. Politiquement, il soutient la droite qui a, dit-il, favorisé son ascension. Son comportement social est assez raide et d'une jovialité maladroite. A notre premier rendez-vous, il m'a par exemple abordé par ces mots : « Avec le nombre de détraqués qu'il y a aujourd'hui, vous devez faire des affaires en or... » Victor est marié à Suzanne depuis vingt-cinq ans et ils ont trois enfants, deux en faculté et un au lycée. Victor aime que tout marche à la baguette, tant à la clinique qu'à la maison. Suzanne a conquis son estime par ses qualités de femme d'intérieur, ses activités sociales et sa soumission. Les enfants ont fréquenté des écoles privées, appris à prendre leurs responsabilités et à marcher dans le droit chemin. Victor admet qu'il n'a jamais été très proche de ses enfants mais qu'il a toujours beaucoup attendu d'eux. Il sait distribuer des punitions quand il le faut.

Les personnalités de ce genre entreprennent rarement des thérapies. La thérapie est un travail qui nécessite de la bonne volonté, la capacité de reconnaître ses faiblesses et d'analyser ses erreurs. Il n'y a pas de place, dans le monde de l'autoritaire, pour le chaos et les orages émotionnels. Il consacre d'ailleurs une bonne part de son énergie à les éviter. Victor n'aurait jamais envisagé une thérapie si une tragédie familiale ne l'y avait poussé.

Trois mois avant notre première entrevue, Victor avait trouvé sa fille allongée sur le sol du pavillon attenant à la piscine, morte d'une overdose de cocaïne. La semaine précédente, il avait pris une décision unilatérale destinée à régler un « problème embarrassant ». Sa fille s'était trouvée enceinte pendant sa première année d'études secondaires. Il l'avait obligée à quitter le lycée et s'était arrangé pour qu'elle habite chez sa propre sœur jusqu'à la naissance du bébé. Il était maintenant obsédé par l'image de son cadavre. Et toute sa famille, y compris sa femme si soumise, s'était dressée contre lui.

L'enfance de l'autoritaire

L'autoritaire grandit entre des parents qui reproduisent fidèlement les rôles sexuels traditionnels. Le père est souvent un autoritaire. Il transmet à ses fils son mépris pour toute « faiblesse ». Voici comment Victor décrit son éducation.

La maison ressemblait à un camp spartiate. Si nous ne faisions pas exactement ce que voulait mon père et comme il le voulait, nous savions qu'il fallait nous attendre à une volée de coups de ceinture. Pas question d'y échapper. Je ne dirais pas qu'il était méchant. En fait, il pouvait se montrer fier de nous. Mais il n'admettait aucune désobéissance. Je me souviens qu'un jour — je devais avoir quatre ans — j'avais « emprunté » sa lampe de poche. Il m'a frappé. Je me suis mis à hurler. Il m'a dit de me conduire en grand garçon, d'arrêter de pleurer, si je ne voulais pas recevoir la correction de ma vie. Je crois que c'est la seule fois où il m'a laissé des marques. Inutile de préciser que j'ai appris à faire ce qu'il voulait. Mais d'une certaine façon je pense que sa méthode d'éducation était bonne. Contrairement aux gosses d'aujourd'hui, nous avons appris très tôt à assumer la responsabilité de nos actes.

Enfant, l'autoritaire est rejeté et/ou puni chaque fois qu'il fait preuve de faiblesse. Il apprend très vite que la valeur se mesure à la réussite sociale telle que la définissent ses parents. Pleurer, se plaindre, et autres conduites de « mauviette » sont parfaitement inacceptables.

L'autoritaire va s'efforcer de devenir un « héros ». Ses jeux d'enfant sont souvent guerriers et à l'école il veut exceller, tant dans le domaine scolaire que dans le domaine sportif. Adulte, son héroïsme se mesure à la richesse et au prestige qu'il a su acquérir. Le sociologue Warren Farrel écrit que le rôle masculin traditionnel conditionne le garçon à devenir un « objet gagnant » de la même façon que le rôle de la fille fait d'elle un « objet sexuel ». La rançon du succès, pour ce héros sans reproche, c'est l'absence d'intimité affective.

Après avoir exprimé son approbation des méthodes d'éducation paternelles, Victor se tait. Il est repris par la certitude d'avoir raison. Mais sa rigidité intérieure a été ébranlée par l'image, à jamais fixée dans sa mémoire, de sa fille morte.

L'autoritaire et l'amour

La plupart des gens connaissent au moins une déception sentimentale pendant l'adolescence, mais ils s'en remettent. D'une certaine façon, l'autoritaire ne s'en remet jamais. L'échec amoureux sape les fondements de ses certitudes de conquérant en lui faisant découvrir l'amertume de la défaite. Dès lors, il va fuir toute femme se présentant comme son égale, tant sur le plan social que sur celui de la séduction ou de la force intérieure. Les femmes fortes le mettent mal à l'aise. Il conjure sa peur en se moquant d'elles, en les critiquant. Si elles ne sont pas « faibles », les femmes sont des « casse-pieds ». Inconsciemment, il va rechercher les partenaires qu'il peut dominer sans risque. Celle qu'il épouse a généralement fait vœu de dépendance et restera à la maison si elle n'occupe pas un emploi inférieur à celui de son mari. La femme et les enfants de l'autoritaire jouent un rôle important dans son plan de carrière. S'il est rarement un amant passionné, il valorise sa femme dans la mesure où elle conforte l'image de son autorité et de sa réussite.

Suzanne, la femme de Victor, était un modèle du genre. Elle venait d'un milieu social supérieur au sien, ce qui flattait son amour-propre, et elle était, de plus, une « dépendante gentille ». Mais le suicide de sa fille avait modifié sa position. Elle se dressait maintenant avec colère contre son mari. Le déséquilibre de leur couple, jusqu'alors stable, avait tourné au chaos.

Équilibre

Il faut un choc financier ou sentimental dévastateur pour entamer l'assurance vertueuse de l'autoritaire. Ce choc peut d'ailleurs l'anéantir. Les talents qui l'aideraient à surmonter ce genre de crise sont malheureusement inexistants chez lui. Il n'a jamais appris à baisser sa garde, à manifester sa souffrance, à accepter la compassion des autres. Il ressemble au chêne de la fable qui résiste plutôt que de plier sous le vent, et que l'orage détruit plus facilement que le faible roseau. On ne s'étonnera plus que le taux de suicides soit particulièrement élevé chez les quinquagénaires et sexagénaires qui connaissent le premier échec de leur vie.

La douleur de Victor ne pouvait être ni rationalisée ni « classée », comme n'importe quelle autre affaire. Elle ne pouvait être que dissimulée derrière son seul vrai don, l'autorité. Il prit donc des mesures autoritaires désespérées. Il entra en conflit avec sa femme à propos des dispositions funéraires et fit de violents reproches à

345

ses subordonnés pour des riens. L'ultimatum de Suzanne — « ou tu fais quelque chose pour changer, ou tout est fini entre nous » — acheva de détruire l'édifice de ses certitudes. Pour la première fois de sa vie d'adulte, il pleura. Et pour la première fois aussi il suivit le conseil de sa femme et accepta d'entrer en thérapie.

Si vous avez des tendances autoritaires, je vous engage à faire usage de votre faculté de raisonnement. Examinez le schéma de vos relations affectives et voyez s'il est comparable à celui de vos interactions habituelles dans d'autres domaines. La devise inconsciente qui vous dirige depuis l'enfance — « J'ai toujours raison » — ne vous autorise aucune erreur, donc aucune soupape de sécurité. Vous obligez les membres de votre famille qui ne sont pas d'accord avec vos principes à recourir à des solutions extrêmes, rébellion, vengeance ou autopunition. (La fille de Victor avait combiné les trois.) Leurs réactions vous obligent à faire un usage inconsidéré de vos aptitudes au commandement. C'est votre peur de ne pas pouvoir contrôler toutes les situations qui pose problème. Comme Victor le dit plus tard : « J'ai gagné toutes les batailles familiales mais nous avons tous perdu la guerre. »

Vous deviendrez un meilleur chef si vous apprenez la souplesse et l'empathie. Chaque fois que vous vous sentirez menacé et maître d'une situation, répétez-vous cette nouvelle devise : « On gagne parfois à ne pas gagner. » En thérapie, Victor pleura amèrement quand il finit pas admettre l'insupportable vérité : si, au lieu d'éloigner sa fille, il s'était efforcé de la comprendre, la tragédie aurait certainement pu être évitée. Il fallut plusieurs mois pour que la phase aiguë de sa souffrance commence à passer. Il ne guérira probablement jamais ni de sa culpabilité ni de sa perte mais il a compris que cette terrible épreuve pouvait avoir un aspect positif. Elle lui a en effet permis de se restructurer.

Dans le cadre de sa clinique, il a mis sur pied un programme de prévention antisuicide et, avec Suzanne, il milite dans un groupe de parents. Il s'intéresse davantage à ses enfants et à leurs études, il discute de tout avec sa femme, depuis le menu des repas jusqu'aux décisions concernant sa clinique. Ses talents de chef, équilibrés par la compassion, ont pris une valeur nouvelle.

L'aventurier

L'aventurier ne vit que pour prendre des risques. Que son existence lui paraisse trop confortable, prévisible, et l'ennui le précipitera vers de nouveaux périls, de nouveaux frissons. Il se lance agressivement dans la compétition parce que la compétition le stimule. Il a besoin de fortes décharges d'adrénaline pour atteindre son seuil de performance optimal. Ses activités reflètent ce besoin d'excitation biochimique : pilote de course, alpiniste ou parachutiste, il est le champion qui donne le meilleur de lui-même dans les situations extrêmes. Parmi ses domaines d'élection, l'armée, la politique, la haute finance, la police, l'action criminelle et les conquêtes sexuelles.

Les aventures sexuelles

Franck, le mari de Jenny, est un aventurier. En séance individuelle, je lui demande ce qui l'a poussé à entrer dans la police. Sa réponse est caractéristique.

J'adore l'excitation et le drame. Je serais mort d'ennui si j'avais fait un autre métier. Là, on n'est pas cloîtré dans un bureau toute la journée. On se balade, on se mêle à la racaille. On rencontre toutes sortes de gens, les demoiselles en détresse étant ma spécialité.

Comme c'est souvent le cas chez les aventuriers, le besoin d'excitation de Franck est aussi sexuel. Sur sa liste des priorités, le mariage, relation stable et monogame, n'apparaît pas. Dès qu'une relation s'installe, la perspective de nouvelles conquêtes l'attire irrésistiblement.

L'enfance de l'aventurier

Le désir d'aventure peut se révéler très précocement chez l'aventurier, ce qui suggère une composante génétique. Le conditionnement sexuel qui impose au petit garçon d'être héroïque explique qu'il y ait plus d'aventuriers que d'aventurières, mais il est possible que l'hormone mâle joue là aussi un rôle non négligeable. De plus, des circonstances particulières poussent parfois les enfants à découvrir très tôt le risque et la compétition. L'enfance de Franck en offre un bon exemple.

Ma mère était divorcée et obligée de travailler. C'était une bonne mère et elle nous adorait mais moi et mes frères, ça faisait beaucoup pour elle. J'étais indépendant et malin. Je traînais beaucoup dans le quartier. C'est pour ainsi dire dans la rue que j'ai fait mon éducation. On se croyait mariole et il nous arrivait des ennuis, pas de gros ennuis, mais tout de même. En tout cas, pour ma mère, je ne pouvais rien faire de mal... Elle croyait toujours ma version des faits. Je m'en suis tiré à bon compte, finalement.

Un parent en demande affective offre parfois un amour si aveugle que l'enfant se croit « incapable de faire le mal ». Il en retire la confiance nécessaire pour affronter sans anxiété les situations extrêmes. Mais cette confiance n'est pas toujours équilibrée par suffisamment de modestie et de sensibilité. Exprimant librement ses élans agressifs, l'enfant risque de dépasser les bornes dans ses interactions avec autrui. Le besoin de pousser les êtres et les situations à l'extrême devient alors sa raison d'être.

Certains aventuriers sont issus de milieux privilégiés où les parents donnent beaucoup matériellement mais offrent peu de sécurité affective. Leur tendance à « flirter avec le danger » est alors une manifestation d'hostilité.

Tous les aventuriers ont en commun l'idée que le monde de leur enfance était essentiellement hostile et non sécurisant. L'enfant a appris à étouffer en lui modestie, timidité et sensibilité. La question est de savoir si un enfant aventureux et endurci va devenir un ami ou un ennemi de la société? Ne dit-on pas que gendarmes et voleurs sont issus de la même graine?

L'aventurier et l'amour

L'aventurier est un amoureux enflammé. Si beaucoup d'entre nous supportent difficilement les fièvres et les emballements des amours naissantes, l'aventurier les recherche. Les ingrédients de la conquête amoureuse — incertitude, défi, risques, nouveauté et plaisir — sont ses principales raisons de vivre. Il courtise avec confiance et enthousiasme. Il rayonne littéralement. La femme qu'il convoite résiste rarement. Elle sent que la rencontre va être mémorable. Franck, grand amateur de femmes, raconte ses émotions de séducteur.

Je ne trouve pas les mots pour décrire ce qui se passe en moi quand je vois une belle femme. Je sais qu'il me la faut. Je regarde son doigt pour voir si elle est mariée. Si elle l'est, formidable. Si elle ne l'est pas, formidable aussi mais il faut être prudent. Au début, on est service-service, mais on glisse une petite surprise dans la conversation. Un compliment sur sa beauté, qu'elle n'est pas tout à fait sûre d'avoir entendu. Quelques jours plus tard, nouvelle entrevue officielle, un peu pimentée également. On la frôle, comme par accident, et la fois suivante, on tombe sur elle comme par hasard. Elle vous cherche, sans en avoir l'air. Et là, c'est super. La partie s'engage et il faut jouer serré. C'est le moment que je préfère. Parfois je l'invite à déjeuner ou à boire un café. Parfois, j'y vais carrément. Vous savez ce qu'elles aiment qu'on leur dise, les femmes? « J'ai besoin de vous. » Vous ne pouvez pas savoir le pied que c'est, sur une photocopieuse, quand tous les bureaux sont vides.

Les aventuriers sont tellement sûrs d'eux, indépendants et incontrôlables — donc tellement excitants — que leurs partenaires en tombent souvent amoureuses. Comme on peut s'y attendre, la passion de l'aventurier ne dure guère et le voilà bientôt en quête de nouveaux frissons. Non qu'il redoute l'engagement en soi, mais il ne peut tout simplement pas imaginer la vie sans conquêtes. Son désir d'aventure et de nouveauté excède son besoin de permanence et de sécurité. Et cela le situe obligatoirement du côté dominant du paradoxe de la passion.

Comme Franck, bien des aventuriers finissent par se

marier, certains même plusieurs fois. Ils ne sont pas immunisés contre la pression sociale ni le désir d'avoir des enfants et une présence féminine stable dans leur vie. Il n'est pas rare que l'aventurier se marie après avoir réchappé d'un coup dur lié à son goût du risque. Franck n'a-t-il pas rencontré Jenny à cause d'un accident de moto ? Mais, dès qu'il se sent sécurisé, il bascule de nouveau vers l'aventure. Il faut une personnalité extrêmement dépendante comme celle de Jenny pour supporter longtemps pareille situation.

Équilibre

Les aventuriers doivent d'abord se féliciter des forces qu'ils possèdent : confiance en soi, indépendance, charme, vitalité, humour et spontanéité. Mais ces mêmes forces qui les rendent irrésistibles peuvent les enfermer dans des comportements destructeurs. Leur approche de la vie ne leur réussit pas éternellement. Et l'échec les précipite souvent dans la dépression. Sans compter que l'aventurier-séducteur joue maintenant à la roulette russe avec le sida.

Cela peut paraître étrange, à première vue, mais l'aventurier souffre surtout d'un manque essentiel d'humilité. La modestie est un outil interpersonnel important. C'est un lien avec les réalités sociales. Les orgueilleux tendent à se considérer comme « au-dessus des lois ». Leurs besoins passent avant tout et ils ne se rendent pas vraiment compte qu'en les satisfaisant ils risquent de faire souffrir autrui. Une forte conscience de soi permet d'évaluer l'opportunité ou l'inopportunité, la qualité ou l'incorrection de ses actes. Ceux qui manquent d'humilité se conforment à la devise : « Je peux tout avoir » et ignorent qu'ils risquent de tout perdre.

L'aventurier sait généralement qu'il marche sur la corde raide, risquant de tomber à tout moment. Mais c'est ce danger même qui l'excite. Voilà donc un être perpétuellement en première ligne, espérant « tout avoir », y compris le salaire du risque.

Les exploits de l'aventurier peuvent aller très loin. Quand un partenaire finit par se lasser et partir, l'aventurier sera peut-être surpris par les ravages que ce rejet va provoquer en lui. Le charme et l'audace qui faisaient son succès peuvent s'engloutir dans la dépression.

Il est très difficile de conseiller les aventuriers. Ce qui donne son sens à leur vie — surtout quand il s'agit de conquêtes amoureuses — rend leur partenaire très malheureux. Pourtant, on ne peut pas leur demander de se réformer sans leur donner envie de faire le contraire. L'attitude que j'ai choisie est donc claire et ne cherche pas à limiter leur liberté. Je leur demande simplement de choisir entre plaisirs à court terme et plaisirs à long terme.

Si vous êtes porté sur l'infidélité ou toute autre forme d'aventure égoïste, je vous prie de méditer cette nouvelle devise : « J'ai tendance à oublier que j'ai beaucoup à perdre. » Quand les plaisirs fugitifs vous appellent, pensez aux gratifications plus durables que vous mettez en jeu. Cette devise s'applique non seulement aux plaisirs amoureux mais à tous les plaisirs dangereux que sont la drogue, l'alcool et le jeu.

Le solitaire

Quand vous étiez à l'école, vous aviez certainement quelques camarades qui ne s'intégraient pas aux groupes et qui n'essayaient même pas. Il en existe dans toutes les classes. Ils donnent l'impression de vivre dans un monde à part, indifférents aux autres et préoccupés de leurs seuls intérêts. Cancres ou « forts en thème », ce sont souvent des originaux. Les deux solitaires de ma classe sont devenus, respectivement, pianiste virtuose (le garçon) et biologiste moléculaire (la fille).

Il est vrai que parmi les solitaires on trouve des peintres, des musiciens, des écrivains. On trouve aussi des gens dont le métier comporte peu de contacts sociaux : garde-chasse, archiviste, fermier, technicien de laboratoire ou routier. L'histoire des sciences fourmille d'anecdotes sur des découvertes géniales faites par des savants isolés *.

Jonas, l'amant de Deborah, avait une personnalité de solitaire, encore renforcée par un douloureux divorce. Ses relations amoureuses étaient rares et espacées. « Je ne suis pas ce qu'on appelle un homme à femmes », me dit-il. Je lui demandai comment il occupait ses loisirs.

> Je lis, j'écoute de la musique, je traîne chez les libraires et dans les cafés où je me sens bien. Je lis des ouvrages de philosophie et d'histoire. J'aime le jazz et la musique classique. J'ai une platine laser qui donne un son extraordinaire. L'été, je m'arrange pour aller camper pendant quinze jours, tout seul. Je bricole dans la maison et je m'occupe de mon jardin. En ce moment, je suis en train de le transformer en jardin japonais. J'aime disposer de mon temps à ma guise. Ce n'est pas désagréable, comme vie.

Je demandai à Jonas s'il ne lui manquait pas quelque chose. « Si, parfois », me répondit-il.

---

* Antony Stor, *Solitude,* éd. Robert Laffont, 1991.

L'enfance du solitaire

Nous avons tendance à considérer que les solitaires sont « comme ça » par prédisposition à la timidité et à l'introversion. Quand ils sont aussi créateurs, on dit que c'est leur besoin de créer qui les a engagés sur le chemin de la solitude. Si j'incline à penser que nous avons tous des dispositions innées pour tel ou tel style de personnalité, j'ai recueilli trop d'informations dignes de foi pour accepter cette thèse comme suffisante. Il semble évident que la plupart des solitaires ont été « échaudés » dans l'enfance. C'était le cas pour Jonas.

> Mon père était alcoolique, et je ne savais jamais à quoi m'attendre de sa part. Il lui arrivait de se montrer jovial mais, la plupart du temps, il était ivre, amer et méchant. Il se mettait à me crier dessus sans aucune raison. Je ne sais pas pourquoi c'était toujours moi qui prenais. Il ne s'emportait jamais contre ma mère ou ma sœur. Mais le plus dur c'était que maman restait là, sans réagir, comme si de rien n'était. De temps en temps, j'en avais assez et je me mettais à crier aussi. Fatale erreur. Il se mettait alors à me frapper et il était costaud. Le seul endroit où je me sentais en sécurité, c'était ma chambre. J'ai toujours été bricoleur et j'ai mis un verrou à ma porte dès l'âge de huit ans.

L'enfant solitaire enrage, bien sûr, d'être émotionnellement exclu par sa famille. Mais, contrairement à la plupart des dominants extrêmes, *il ne se sent pas le droit d'être en colère*. Étant le seul exclu de l'amour et du groupe familial, il a quelque raison de se sentir en faute. Il tente donc de s'adapter à sa situation de vulnérabilité, comme un dépendant. Plutôt que d'adopter les stratégies volontaires du dominant, il se retire, cherchant à

354

contrôler la situation par l'absence. Il en arrive à la certitude inconsciente qu'il sera plus en sécurité à l'écart des autres. Adoptant un style relationnel distant, il offre et recherche rarement l'intimité affective. Son comportement reflète la triste leçon apprise dans l'enfance : « Si tu t'approches des autres, ils vont te faire mal et te rejeter. »

Pour certains solitaires, le rejet le plus traumatisant est celui de leurs pairs. Seuls dans la cour de récréation, ils sont tournés en ridicule et exclus des jeux. Et eux non plus ne reçoivent généralement pas le soutien affectif familial qui leur rendrait leur estime d'eux-mêmes.

Beaucoup de solitaires ont des parents peu aimants et imprévisibles. Jonas ne savait jamais à quel moment son père allait s'emporter contre lui. Pour survivre, il devait choisir le *style prudent* — forme extrême de la défiance. Il devint hypervigilant, attentif au moindre signe avant-coureur des orages. Chaque fois qu'il voyait se contracter les maxillaires de son père, il s'éclipsait aussi vite et aussi discrètement que possible.

Pour se consoler d'être rejetés, certains enfants solitaires s'imaginent réussissant de brillantes carrières et rêvent de coups d'éclat qui leur assureraient l'amour et l'admiration de tous. Ces rêves se réalisent parfois, quand l'enfant canalise sa colère vers la réalisation d'objectifs élevés.

Le solitaire et l'amour

Le solitaire se sent tiraillé entre des directions opposées. Solitude et besoins sexuels l'attirent vers des relations amoureuses tandis que sa peur ancienne de trop s'approcher et de se brûler une nouvelle fois le retient. Il transige en adoptant une stratégie passive. Il reste généralement sur la réserve en attendant qu'un partenaire potentiel fasse le premier pas. Son attitude distante lui permet ensuite d'aborder la relation en position de force, puisqu'il donne délibérément moins qu'il ne prend. Malheureusement, cette stratégie n'est pas toujours efficace. Jonas décrit une de ces expériences, typiques du solitaire.

Deux fois par semaine, je vais courir. Il y a toujours une ou deux personnes qu'on rencontre régulièrement sans les connaître. Il y avait donc une femme qui a commencé à me manifester de l'intérêt, bonne coureuse d'ailleurs, et elle ne me laissait pas indifférent. Elle me souriait, comme pour dire qu'on pourrait peut-être prendre un café ensemble un de ces jours. J'étais flatté mais un peu sur la réserve. Bref, il m'a fallu deux bonnes semaines pour rassembler le courage nécessaire pour l'aborder. Vous ne le croirez pas mais ce jour-là, justement, elle courait avec un autre mec. J'ai eu la sensation de m'être sabordé. Mais d'un autre côté, j'étais soulagé.

Au premier mouvement de la femme vers lui, Jonas a instinctivement pris de la distance. Interprétant sûrement sa réaction comme un refus, la femme n'a pas insisté. Mais Jonas s'est senti vexé qu'elle l'abandonne pour un autre. Il y a vu une nouvelle preuve de sa vulnérabilité et la justification de sa méfiance.

Quand un solitaire se décide à provoquer une rencontre amoureuse, il y est généralement poussé par un besoin intense et parfois par un regain de confiance récemment acquis. Quand il rencontre Deborah, Jonas est resté presque un an sans femme. Il vient aussi de décrocher un des plus gros contrats de restauration de sa carrière. Il a l'impression que Deborah lui ressemble et que le risque en vaut la peine. Pourtant, il ne lui fait pas d'avances sexuelles pendant plusieurs semaines. Il est épris de Deborah, mais les signaux qu'il lui envoie sont mitigés. Même la force de l'élan amoureux ne parvient pas à vaincre son réflexe d'autoprotection.

Incapable de traverser l'armure de Jonas, Deborah s'inquiète. Obéissant aux forces du paradoxe et de ses propres tendances « Écho », elle s'attache à lui. Jonas sait, à ce moment-là, qu'il n'a rien à redouter d'elle, mais il est maintenant victime d'une autre peur, la claustrophobie affective. Deborah l'envahit. Cette attitude dépendante calme son ardeur amoureuse, lui fait craindre de perdre sa liberté et la disposition de son temps.

Équilibre

Si vous vous reconnaissez dans l'image du solitaire, commencez par considérer votre besoin de solitude comme légitime.

Il est probable que votre vie solitaire vous convient très bien, trop bien peut-être. Seul, vous faites ce qui vous plaît et vous êtes à l'abri des aléas du rapport affectif. Toutefois, à part quelques vrais misanthropes, tous les solitaires se sentent, un jour ou l'autre, prisonniers de leur isolement. En vous conformant à la devise qui vous a protégé pendant l'enfance : « Ne t'approche jamais des autres », vous vous confinez dans un exil émotionnel.

La plupart des solitaires reconnaissent facilement la légitimité de leur besoin de solitude. Je vous demande maintenant d'accepter aussi votre désir, sain, naturel et biologique de partager une partie de votre vie avec quelqu'un. Si vous restez trop longtemps sans liens avec vos semblables, vous risquez de plonger dans la dépression, conséquence fréquente de l'isolement affectif.

Statistiquement, vous risquez aussi de tomber malade.

Quand un solitaire trouve un partenaire peu exigeant sur le plan affectif — un autre solitaire, probablement —, son bonheur et sa productivité s'améliorent. Mais de tels partenaires sont rares. Les femmes, en particulier, ne partagent généralement pas cette peur de l'investissement sentimental.

Si vos tendances solitaires constituent actuellement un problème, apprenez à mieux communiquer. Avouez à votre partenaire que vous aimez être seul, cela lui évitera de prendre votre distance pour un rejet. Revendiquer son besoin de solitude permet aussi d'approfondir la relation, aussi paradoxal que cela puisse paraître.

Parlez ensuite de vos expériences passées. Inutile d'entrer dans les détails, mais dites au moins que votre besoin de solitude est souvent mal interprété et pris pour un rejet. Expliquez comment cette méprise peut éloigner les autres et comment cette réaction renforce votre méfiance. Expliquez aussi que certaines personnes essaient de vous retenir quand vous faites un mouvement de repli et que cela vous donne encore plus envie de fuir. Demandez ensuite à votre partenaire quel degré d'intimité lui convient et essayez de prévoir le moment où son besoin d'être deux risque de menacer votre désir d'être seul.

Dans un couple, il n'est pas nécessaire que les deux partenaires aient les mêmes besoins d'intimité. Mais quand ces besoins sont disproportionnés, il faut prendre garde à ne pas déclencher les mécanismes du paradoxe de la passion. Communication et négociation sont encore les meilleurs garants d'un bon équilibre relationnel. J'ai travaillé avec bien des couples dont les besoins d'intimité étaient inégaux et qui ont réussi à trouver un compromis satisfaisant.

Quand vous ressentez le besoin de fuir votre partenaire — et cela reviendra périodiquement —, freinez cette impulsion en vous disant : « J'ai aussi besoin d'intimité. » Cette devise aide les solitaires à équilibrer leurs tendances à l'isolement et leur désir de se lier et de prendre des risques affectifs.

Vous aurez parfois l'impression d'avoir tout négocié, tout mis au point, pour vous apercevoir que vous-même ou votre partenaire continuez à vous sentir brimé. Ce sera peut-être la pierre d'achoppement de votre relation. Mais au moins vous en aurez discuté clairement et directement avec votre partenaire. Vous n'aurez pas pris la fuite, comme Jonas avec Deborah.

Comme bien des dominants, les solitaires auraient beaucoup de profit à tirer d'une psychothérapie, mais il est très rare qu'ils y recourent. Ce qui les empêche de se rapprocher des autres — méfiance, peur de s'ouvrir, goût de la solitude — les éloigne aussi de la thérapie. Paradoxalement, leurs problèmes sont de ceux qui se traitent fort bien dans le contexte thérapeutique qui suppose l'acceptation inconditionnelle et le non-rejet de l'autre. Si vous vous sentez douloureusement seul et isolé, je vous engage à tenter l'expérience.

Le revanchard

J'ai assuré pendant des années un travail de psycho-thérapie de groupe dans un hôpital pour anciens combat-tants du Viêt-nam. Bob, trente-deux ans, faisait partie d'un de ces groupes. Il était né dans une petite ville d'agriculteurs, en Californie. Adolescent agressif et bagarreur, sa conduite était considérée comme normale et saine par ses concitoyens. Il acquit même une certaine notoriété à la fois comme footballeur et comme lutteur dans des équipes locales. Ces équipes étaient suivies et encouragées par des groupies, parmi lesquelles il avait une petite amie régulière.

Bob passe son bac au plus fort de la guerre du Viêtnam. Son père a été Marine et tous ses amis s'engagent. L'idée de rester à l'arrière ne l'effleure même pas.

Sur le front, son meilleur ami est tué dès le deuxième jour. Le choc le met dans un état second, un état d'apathie qui lui permet de supporter les horreurs de la guerre. Il estime avoir tué plusieurs centaines de Viêtcong. Au cours d'un accrochage, la mort de plusieurs camarades le rend « fou de rage ». Il attaque le village à la mitrailleuse et à la grenade, massacrant plusieurs femmes et enfants. Un éclat d'obus dans l'abdomen met fin à sa fureur destructrice et à sa carrière dans l'armée.

Rentré chez lui, il s'efforce de reprendre une vie « normale ». Il trouve un emploi de mécanicien agricole. Sa petite amie ne l'a pas attendu, mais il épouse Cathy, qui a toujours eu un faible pour lui. Ils ont deux garçons. Mais Bob ne fait qu'accomplir mécaniquement les gestes de la vie ordinaire. Il se sent décalé par rapport aux gens qui l'entourent.

Il y avait en moi une amertume qui me dévorait comme un poison. J'ai d'abord essayé de la noyer dans l'alcool. Une caisse de bière tous les soirs. Mais ça n'arrangeait rien, au contraire. Je veux dire les cauchemars et tout ça. Je me suis mis à fréquenter les bars et c'est là que le petit jeu avec les hippies a commencé. Vous savez, ceux qui nous reprochaient d'avoir fait cette sale guerre. Je mettais mon vieux béret de Marine et dès que j'en entendais un faire la moindre allusion à la guerre, je lui rentrais dedans. Mais le pire, c'est la façon dont je me conduisais à la maison. Je faisais des reproches à Cathy sans aucune raison. Je rentrais soûl comme un cochon et je la frappais. Comme ça, pour rien. Et le pire, c'est qu'elle se laissait faire. Et moi, plus elle se laissait faire, plus j'en rajoutais.

Incapable de maîtriser l'agressivité qui lui était nécessaire pour survivre dans l'enfer du Viêt-nam, Bob en est devenu l'esclave et s'est enfermé dans un comportement vengeur. Un soir, il trouve la maison vide. Cathy est partie avec les enfants, sans laisser de message. Rendu fou par l'alcool et le chagrin, il commence par saccager la maison avant de prendre sa voiture pour sillonner la ville en tirant des coups de fusil. Il est arrêté pour trouble de l'ordre public — c'est la quatrième fois — et le juge lui donne le choix entre six mois de prison et un traitement à l'hôpital.

L'enfance du revanchard

La plupart des revanchards font connaissance avec la violence agressive à une période critique de leur enfance ou de leur adolescence. L'éducation de Bob faisait une large place au conditionnement traditionnel qui veut que les hommes soient « forts », et ses tendances interpersonnelles le poussaient vers l'agressivité. Sa famille lui donnait toutefois beaucoup d'amour.

Mais pour Bob le délicat équilibre entre colère agressive et amour-union est rompu par la guerre. Il part pour le Viêt-nam à une période cruciale de sa vie, quand l'adolescent se transforme en homme. La façon dont s'effectue ce passage affecte la vie de l'individu pendant de nombreuses années. À dix-huit ans, Bob est encore du côté de l'adolescence quand il découvre la guerre. Les horreurs dont il est le témoin et l'acteur nécessitent une faculté d'ajustement extrême. C'est l'apathie dont il parle et la disparition de toute aptitude à l'amour qu'il a apprise étant enfant. Seules subsistent l'agressivité et la colère, qui lui permettent de survivre.

Il y a, bien sûr, beaucoup de revanchards qui n'ont pas fait la guerre. Mais, si l'on étudie leur enfance, on se rend compte qu'ils ont eu à supporter des épreuves de nature et d'intensité équivalentes. L'enfant de trois ans qui voit son père ivre frapper sa mère et qui réalise avec terreur que c'est bientôt son tour verra le monde comme un endroit cruel, pervers et menaçant. À l'âge de sept ans, un de mes consultants a vu son père assassiner sa mère à coups de couteau. Pareil traumatisme, s'il n'est pas compensé par l'amour, la sécurité affective et l'acceptation, risque de transformer l'enfant en un être hostile, agressif et coléreux, persuadé qu'il doit frapper le premier s'il ne veut pas « se faire avoir ». En grandissant, il deviendra aussi dangereux qu'un baril de poudre prêt à exploser à la moindre provocation.

Le revanchard et l'amour

La plupart des femmes se tiennent instinctivement à l'écart du revanchard. Son aspect et ses manières reflètent souvent la rage qui bouillonne en lui. Quand il constate que les femmes l'évitent, sa colère et son amertume redoublent, le rendant encore moins sympathique. C'est un cercle vicieux.

Comme tout homme, le revanchard a besoin d'une femme. Quand son désir s'exacerbe, il est tout à fait capable de se parer d'un certain charme, surtout sensible aux femmes dépendantes. Celles-ci perçoivent son besoin d'être rassuré, protégé, mais elles peuvent aussi être attirées par l'aura de virilité qui les entoure. Cathy a rencontré Bob peu après son retour du Viêt-nam.

Je l'ai trouvé plutôt mignon et timide, comme un petit garçon, presque. Je travaillais à la banque et il s'arrangeait toujours pour venir à mon guichet. Il m'a invitée à sortir la troisième fois à peu près. Je sentais bien que quelque chose n'allait pas, qu'il était malheureux, mais j'étais persuadée de pouvoir le guérir. En tout cas, je trouvais qu'il avait de l'allure.

Cathy est une dépendante gentille. Elle souffre à l'idée des horreurs que Bob a connues et elle veut être la femme loyale et rassurante dont il a besoin. Mais, comme la plupart des revanchards, Bob ne reste pas charmant très longtemps.

Je voyais bien qu'il buvait et qu'il avait des tas de démons en lui à cause du Viêt-nam. Dès nos fiançailles, j'ai compris qu'ils lui avaient pris le meilleur de lui-même. Je suis tombée enceinte très vite et je me demande parfois s'il m'aurait épousée sans ça.

Décidée à aider Bob à s'en sortir, Cathy ne se départit jamais de sa douceur et de sa complaisance, même quand il devient brutal. Bien sûr, à leur insu, elle encourage sa conduite violente. Quand, au lieu de s'arranger, la situation continue à se détériorer, elle finit par partir. Cette décision les sauve tous les deux en précipitant les événements qui vont le conduire en thérapie.

Équilibre

Si vous abritez en vous un revanchard violent et agissez comme tel, adressez-vous immédiatement à un thérapeute. Vous êtes engagé dans un cycle difficile à rompre. À un moment de votre passé, vous avez certainement décidé que seule l'agressivité physique pouvait assurer votre survie. Mais cette agressivité a retourné tout le monde contre vous et cela vous incite à riposter encore plus violemment. L'aide que vous pourrez trouver dans un livre, quel qu'il soit, ne vous permettra jamais d'inverser ce processus destructeur.

Aussi opposé que vous soyez à l'idée d'une psychothérapie, je vous demande d'en considérer l'utilité. Votre vie est probablement loin de vous satisfaire mais, en travaillant seul, croyez-vous que vous puissiez faire mieux ou plus vite qu'avec l'aide et les encouragements d'un spécialiste ?

C'est au cours d'une séance de groupe que Bob a entamé son processus de guérison. À force de voir ses camarades affronter courageusement leur cauchemar vietnamien, il commençait à perdre de son hostilité. Pendant une séance où un homme s'accusait d'avoir tué un jeune Vietnamien, Bob lui crie : « Ce n'était pas ta faute, mon vieux ! Ils essayaient de te tuer. On ne pouvait faire confiance à personne, là-bas. » Il commence à raconter qu'il a fait la même chose, et la brèche s'entrouvre. Tous les souvenirs, toutes les émotions qu'il contenait derrière le mur de sa colère se libèrent peu à peu. Il se cache le visage dans les mains, son corps se met à trembler violemment. Il se lève pour quitter la pièce, mais l'homme qui parlait avant lui le retient en le prenant par les épaules. Ces deux hommes, conditionnés depuis l'enfance à nier toute faiblesse, entraînés à tuer et témoins d'horreurs indescriptibles, commencent finalement, dix ans après la guerre, à trouver un équilibre qu'ils n'ont jamais connu.

Bob avoue ensuite que la confrontation avec ses émotions lui a semblé, d'une certaine façon, plus terrifiante que n'importe quelle mission de combat. Mais il a franchi un cap. Au cours des séances suivantes et en thérapie de couple avec sa femme, il s'oblige à baisser sa garde et à affronter ses souffrances profondes. En un sens, il se sert de ses pulsions agressives pour relever le défi que constitue le travail thérapeutique. Il reconnaît que chaque séance pénible le libère d'un poids. Il se sent moins décalé, moins apathique, plus « vivant ». Vers la fin de son traitement, il a assimilé les fonctionnements dépendants qui lui rendent un certain équilibre. Il n'a plus besoin de transformer son foyer en champ de bataille.

15.

L'ART DE ROMPRE

Un de mes bons amis a épousé son amie d'enfance. Ensemble ils ont accompli les différentes étapes du parcours amoureux : premier rendez-vous à quatorze ans, premier baiser, premier « je t'aime », première expérience sexuelle. Ils se sont mariés dès leur bac. Un lien très profond les unissait.

Mais au moment où mon ami entreprit ses études supérieures, un déséquilibre se produisit dans le couple. Elle travaillait comme infirmière et l'adorait. Lui, tout en appréciant la stabilité, la richesse affective, l'amour de sa femme, se rendit compte qu'il lui manquait dans le mariage des choses qu'il trouvait auprès de ses camarades de faculté : intérêts communs, échanges intellectuels et spirituels. La naissance d'un enfant les rapprocha un temps mais, malgré les élans de tendresse qu'il éprouvait pour sa femme et les satisfactions que lui donnait encore sa vie conjugale, mon ami fut progressivement envahi par d'autres sentiments : insatisfaction, culpabilité, frustration : le syndrome du dominant.

Il passa plusieurs années à essayer d'améliorer les choses. Il entreprit une thérapie individuelle, puis une thérapie de couple avec sa femme, tout en essayant de réfréner son attirance pour une autre. Par moments, la situation paraissait s'améliorer, superficiellement du moins. Il se disait alors : « Oui, ça va marcher. Il suffit de persévérer. » Mais il avait du mal à surmonter son trouble et son insatisfaction profonde. Il était pris dans l'étau de l'ambivalence qui ne voulait plus le lâcher. Mais, un jour, il finit par succomber aux charmes de l'autre femme. Il sut alors qu'il devait prendre une décision.

Un choix difficile

La vie nous réserve bien des choix difficiles, mais aucun ne l'est plus que celui de rompre. Car notre décision va affecter non seulement notre vie mais aussi celle des autres.

Rompre ou ne pas rompre ? Il n'existe aucune règle pour vous guider. J'ai vu se rétablir trop de couples gravement déstabilisés pour affirmer qu'il existe un point de non-retour. J'ai vu aussi se séparer des gens apparemment faits l'un pour l'autre. Dans une séparation, un grand nombre de facteurs entrent en jeu, chacun ayant un poids différent selon les couples.

Mais la connaissance du paradoxe de la passion peut vous aider en vous signalant certains pièges, en vous procurant les moyens d'atténuer la souffrance et l'incertitude du choix.

Comment ne pas prendre de décision

À différentes reprises, mon ami essaya de résoudre son dilemme logiquement, à l'aide de la bonne vieille méthode qui consiste à opposer les aspects positifs aux aspects négatifs d'une situation. Mais cela ne servit à rien, sinon à augmenter sa confusion.

Quand vous hésitez sur la marque du lave-vaisselle à acheter, quand vous comparez les mérites touristiques de Tahiti et des Bermudes, vous pouvez faire confiance à cette vénérable méthode. Mais pour des décisions d'un ordre aussi subtil, aussi chargé affectivement que le sort de votre couple, elle est parfaitement inefficace.

D'une part, comme nous l'avons vu au chapitre 4, les mêmes facteurs peuvent se retrouver dans les deux colonnes. Par exemple, « relations sexuelles faciles et sans risque » contre « relations sexuelles ennuyeuses et sans imprévu ».

D'autre part, tous les facteurs ont un poids différent. On en arrive à mettre en balance des notions comme « bonne cuisinière » côté pour et « se refuse sexuellement » côté contre. Sans compter que l'importance relative de tous ces facteurs peut varier d'un jour à l'autre.

Quoi qu'il en soit, cette méthode ne peut qu'aggraver votre confusion parce que les variables fondamentales sont trop nombreuses. Goûts, intelligence, métier, entente sexuelle, beauté, religion, humour, argent, la liste est infinie. D'ailleurs, même un équilibre de type : un point partout, n'est pas la garantie absolue d'une relation parfaite. Tout se ramène finalement aux dynamiques interpersonnelles, les autres facteurs n'ayant que des rôles accessoires. Mon ami, par exemple, aurait pu dire de sa femme qu'elle était : jolie, gentille, bonne mère, capable et bien payée dans sa profession, aimante, rassurante, appréciée de tous, hôtesse charmante, ordonnée, prévenante et bien organisée. Il reconnaissait la valeur de toutes ces qualités mais elles ne signifiaient pas grand-chose en elles-mêmes. L'autre femme, la dame de ses pensées, était séduisante mais profondément centrée sur elle-même et sur son travail et résolument désordonnée dans ses habitudes personnelles. Elle était têtue jusqu'à l'obstination, souvent en retard, étourdie. Mon ami n'appréciait pas particulièrement ces traits de sa personnalité mais il n'y voyait rien de négatif. Elle était par ailleurs intelligente, dynamique, passionnante. Leurs échanges respiraient le naturel et l'harmonie.

Voilà pourquoi toute tentative de logique dans le domaine sentimental est par nature vouée à l'échec.

La décision

D'abord, soyez indulgent envers vous-même. Le choix est grave, ne vous reprochez ni vos doutes ni vos hésitations. En d'autres termes, n'ajoutez pas de charge négative à la situation. Sachez que vous faites de votre mieux. Sachez que votre décision, quelle qu'elle soit, aura ses avantages et ses inconvénients. C'est une des décisions les plus importantes de votre vie, elle ne peut donc être facile à prendre. Mais, aussi douloureuse qu'elle soit, elle a le mérite d'affronter le problème au lieu de le fuir.

Une approche pragmatique

Essayer de résoudre l'ambivalence par la réflexion et la logique, c'est tourner en rond. Mais une approche pragmatique peut vous aider. J'appelle « approche pragmatique » le fait d'agir pour tenter de sortir votre couple de l'impasse. Avant d'arrêter votre décision, vous pouvez faire encore certains efforts, vous donner une dernière chance. Ainsi votre choix sera-t-il fait en connaissance de cause. Vous y gagnerez aussi une meilleure connaissance de vos besoins affectifs profonds. Voici les stratégies que je vous recommande.

• La communication exempte de procès est, de toutes, la plus utile.

• Refusez de dramatiser et de culpabiliser, utilisez votre colère de façon positive.

• Essayez de rétablir l'équilibre par la juste distance pour le dépendant et la tentative de rapprochement pour le dominant.

• Analysez et combattez le déséquilibre, qu'il soit dû aux circonstances, aux rôles sexuels, au pouvoir de séduction.

• Trouvez un meilleur équilibre personnel en développant les talents dominants ou dépendants qui vous font défaut.

• Attendez-vous à des échecs, ils sont inévitables, et sachez vous en remettre.

Il faut beaucoup de détermination, de courage et de maturité pour mettre en pratique ces stratégies. Si vous êtes vraiment pessimiste sur l'issue de votre relation, vous devrez faire acte de volontarisme. Pour les couples mariés, surtout s'il y a des enfants, je recommande l'application de ces stratégies pendant un an ou deux. Ce n'est pas excessif si l'on considère les conséquences profondes que votre décision aura sur votre avenir, celui de votre partenaire et de vos enfants. Quelle que soit l'issue, vous aurez la satisfaction d'avoir fait de votre mieux.

Fiez-vous à votre instinct

Pendant plusieurs années, mon ami souffrit du syndrome d'ambivalence affective. À certains moments, il ne pensait qu'à fuir, à d'autres il ne comprenait plus comment il avait pu envisager de quitter l'amour et la sécurité que lui offrait sa femme. Mais son esprit avait beau passer d'un extrême à l'autre, quelque chose en lui restait inchangé, « une sensation de morsure presque physique au centre de moi-même, un truc vraiment viscéral ». Son sentiment intime constant était donc cette souffrance qui ne le quittait jamais, même quand il reconnaissait les aspects positifs de son mariage. Il fallut bien qu'il finisse par l'accepter.

Il fit l'amour avec la femme dont il était épris et il sut qu'il devait quitter l'autre. Ce fut un moment traumatisant, pour lui comme pour sa femme, et il fut souvent assailli par le doute. Mais rien, ni le lien profond qui l'unissait à sa femme, ni la douleur de ne plus la voir et de briser sa famille, ni la culpabilité de la faire souffrir, ne l'empêchèrent de se fier à son intuition et d'aller jusqu'au divorce.

Aujourd'hui, dix ans plus tard, ils sont tous les deux remariés et bien plus heureux. Elle a compris que, malgré sa passion pour lui, elle s'était toujours sentie seule et frustrée. Il a compris qu'il lui fallait une relation plus stimulante, plus pleine, plus égalitaire. Ils continuent à se voir régulièrement à cause de leur enfant et ils sont restés bons amis.

En dernière analyse, fiez-vous toujours à votre instinct. Mais faites-le uniquement après avoir tout tenté pour rééquilibrer vote relation, en prenant le temps nécessaire. En effet, bien des crises peuvent être dépassées pour peu qu'on s'en donne la peine.

Projetez-vous dans l'avenir

C'est une des injustices de la vie que l'on puisse chérir un être sans trouver avec lui la satisfaction. Mon ami m'a parlé de ses nombreuses « nuits noires de l'âme » où il maudissait la vie de permettre de telles situations. Nous sommes parfois obligés de choisir entre deux possibles, aussi douloureux l'un que l'autre. Comment négocier pareil choix ?

Quand mon ami prit la décision de divorcer, c'était avec la certitude qu'il aurait été malhonnête *tant pour sa femme que pour lui,* de continuer à vivre ensemble. Pour prendre une décision de cette importance, il faut toujours voir les choses à long terme. Bien des gens prolongent des relations moribondes parce qu'ils sont incapables d'affronter la douleur passagère d'une rupture. En choisissant d'opérer rapidement, vous évitez de vous condamner à de longues souffrances.

Amours juvéniles, mariage précoce

Dans le cas de mon ami, le problème est évident, c'est l'âge auquel lui et sa femme s'étaient mariés. En terminale, il ne savait pas encore comment il s'orienterait. Il ignorait qu'en faisant le choix d'une profession il allait rencontrer des gens très différents de ceux qu'il connaissait jusque-là. Sa femme était restée elle-même et lui avait changé.

Ce genre de situation offre toujours un terrain fertile au paradoxe de la passion et engendre plus de culpabilisation et de frustrations qu'aucune autre. Si vous êtes dans le cas de mon ami, commencez par vous réconcilier avec vous-même. Vous ne devez pas vous reprocher de poursuivre vos ambitions. Il arrive que deux partenaires évoluent et changent chacun dans une direction différente, ce qui pose problème. Mais la situation est plus délicate quand l'un des partenaires évolue tandis que l'autre ne bouge pas.

Mon ami a tout tenté pour sauver sa relation. Il a essayé la thérapie, la thérapie de couple, il a effectué ce que je considère comme une tentative de rapprochement exemplaire pendant plusieurs années. Il s'est occupé de l'enfant, il a pris part aux tâches domestiques. Il a essayé toutes les stratégies qui réussissent souvent à mes consultants, mais l'entente parfaite des premières années avec sa femme n'a jamais pu être retrouvée.

Laura et Paul

Quand Laura quitte Paul pour Luc, elle n'imagine pas qu'elle va revenir vers lui. Pourtant, elle ira presque jusqu'à s'humilier pour renouer avec lui. Après l'échec de son aventure, Laura ressent un grand manque affectif, elle se rend compte que Paul, qui sort avec Daphné, n'est plus en son pouvoir et la voilà d'autant plus décidée à le reprendre. Elle éprouve alors pour lui des sentiments passionnés. Elle commence à réécrire leur histoire : elle a été folle de le quitter, c'est un partenaire parfait, le meilleur qu'elle puisse trouver. Elle ne se rappelle plus comment les choses ont mal tourné mais elle est décidée à recommencer de zéro pour que ça marche.

Relativité du paradoxe

La plupart des dominants passent par une phase où ils veulent absolument récupérer le partenaire délaissé. Ils se reprochent d'avoir fait la bêtise de leur vie en le quittant. Si un autre amour les attend, cette phase peut être retardée plusieurs années. Mais elle peut aussi intervenir très vite, dans les jours ou les semaines qui suivent la rupture, selon ce que vivent les deux partenaires chacun de son côté. Si le dépendant s'en sort bien et le dominant plutôt mal, une inversion du paradoxe est prévisible. Subitement, le dominant n'a plus que de bons souvenirs de son ex-partenaire.

La question est alors : où finit le paradoxe et où commencent les véritables sentiments ? Quand nous voulons reprendre un partenaire délaissé, est-ce parce qu'il échappe à notre contrôle et que cela suffit à faire renaître notre passion ? Ou parce que nous avons pris suffisamment de distance pour redécouvrir nos sentiments profonds, momentanément masqués par des comportements destructeurs ?

De même, quand nous voulons mettre fin à une relation, est-ce parce que le paradoxe exagère les défauts de notre partenaire et notre sensation d'emprisonnement ? Ou parce que nous savons objectivement que la relation ne satisfait pas et ne satisfera jamais nos besoins ?

Le facteur temps

J'ai traité Laura et Paul pendant quatre mois. Tous deux ont été exemplaires. Ils ont pratiqué et fini par maîtriser la « communication non culpabilisante », ils sont arrivés à une conscience claire de leurs schémas relationnels, ils ont trouvé un équilibre entre la distance et l'intimité amoureuse. Ils ont cessé de se comporter en dominant et en dépendant.

Mais, le quatrième mois, séance décisive : Laura confesse que, malgré sa grande affection pour Paul, il lui manque « un petit quelque chose en plus ».

> Je sais que ce vague sentiment devrait être considéré comme l'indice d'une réalité sous-jacente, mais ne peut-on pas imaginer aussi qu'il puisse être éliminé en quelques entretiens individuels ? Parce que je pense qu'il y a vraiment quelque chose de spécial entre Paul et moi. Il est tellement bien. Je ne voudrais pas qu'un détail pareil puisse nous séparer. Il me semble en tout cas que c'est un détail. Et puis je crois qu'il faut savoir accepter que certaines choses ne soient pas parfaites entre nous, parce que rien ne sera jamais parfait, non ?

Visiblement troublée, Laura recommence à se sentir fautive. Un coup d'œil vers Paul me permet de constater qu'il est triste et mal à son aise. Il dit :

> Bien sûr, Laura. Nous savons tous deux à quoi tu fais allusion et je ne veux pas que tu recommences à t'en vouloir. À vrai dire, moi aussi j'ai un problème.

Laura manifeste sa surprise, Paul reprend :

> C'est difficile à dire. J'ai confiance en toi, bien sûr, mais je ne peux pas m'empêcher de ressentir certaines choses, moi aussi. Quand tu vas seule à des repas d'affaires où il n'y a que des hommes, je souffre. Quand je passe devant ton bureau et que tu n'y es pas, c'est un coup de poignard. Je rêve que tu es avec d'autres et cela ne devrait pas me

375

troubler, mais j'y pense. Et l'idée d'être perpétuellement tourmenté comme ça... me décourage. Je sais que cela veut dire quelque chose, exactement comme les doutes que tu viens d'exprimer.

Des larmes leur viennent aux yeux.

Nous avons fait tellement d'efforts, Laura. Et j'estime que nous avons trouvé quelque chose de merveilleux. Mais j'ai bien peur que ce soit... plus proche de l'amitié. Et je crois qu'il faut savoir se l'avouer.

Laura prend la main de Paul entre les siennes et se tait un long moment avant de dire :

Je t'aime vraiment, Paul, jamais je ne me suis sentie aussi proche de quelqu'un. Mais je ne sais pas, j'ai l'impression qu'on se force un peu, quelquefois, et qu'on en est tous les deux conscients. Je me sens tellement coupable de t'avoir entraîné une deuxième fois et rendu malheureux une deuxième fois...

Paul l'interrompt vivement : « Tu sais, il faut parfois du temps pour voir clairement ces choses-là. » Le reste de la séance et la séance suivante se passent à discuter de leurs sentiments profonds. Plus ils parlent, plus il devient clair que la seule solution pour eux, c'est de rompre. Ils expriment leur tristesse et évoquent les aspects pratiques de leur séparation puisqu'ils travaillent ensemble. Paul dit que dans un premier temps il lui sera difficile de se comporter en ami avec elle, mais il espère qu'ils retrouveront très vite leur complicité. Laura dit qu'elle le souhaite de tout son cœur. À la fin de leur dernier entretien, ils partent la main dans la main.

376

Accepter ou se résigner ?

Laura a soulevé un point important lors de cette séance décisive, en se demandant si elle ne devait pas accepter le fait que Paul ne lui inspire pas un amour follement romantique. Étant donné toutes les qualités qu'il a par ailleurs, ce serait peut-être un marché raisonnable.

De toute évidence, l'acceptation est un facteur déterminant de la réussite du couple. Mais jusqu'où peut-elle aller ? Ne risque-t-on pas de se résigner à une relation qui ne répond pas à ses besoins profonds ? Malheureusement, la distinction entre acceptation et résignation n'est pas toujours évidente. Là encore, la meilleure solution consiste à suivre son instinct, à écouter ses sentiments les plus profonds. Si l'aspect romantique n'avait pas eu une telle importance pour Laura et si tout le reste avait parfaitement correspondu à son idéal, la question de l'acceptation ne se serait pas posée avec autant d'acuité. Mais elle était jeune et espérait beaucoup de la vie, tant sur le plan professionnel que sur le plan personnel. Elle n'était pas prête à faire des compromis ou à se « caser ». Elle accepta de reconnaître cette vérité et comprit qu'elle ferait autant de mal à Paul qu'à elle-même en essayant de sauvegarder la relation à tout prix.

L'angoisse permanente de Paul était l'équivalent dépendant du dilemme de Laura. Devait-il la tolérer ou la considérer comme une contrainte excessive ? Dans ce genre de situation, les dépendants acceptent généralement leur angoisse parce qu'elle renforce leur passion et leur attachement. Mais cette forme de résignation fait bientôt naître en eux un sentiment de lâcheté et de honte. Paul avait trop bien connu ce mépris de lui-même pour vouloir le vivre à nouveau.

La rupture n'est pas un échec

En gardant une perspective non culpabilisante tout au long d'une rupture, vous mettez toutes les chances de votre côté et vous pouvez être fier de vous. En effet, vous avez eu le courage de prendre des risques. Vous avez eu de bons moments. Vous avez bravement supporté la souffrance. Vous êtes devenu plus sage et plus compatissant. Et vous avez appris que l'angoisse n'est pas la compagne inéluctable de l'amour.

Laura et Paul ont réussi ce qu'on pourrait appeler une rupture parfaite, prise d'un commun accord et sans regret. Ils ont ainsi sauvegardé des ravages du paradoxe l'affection et la complicité qui les unissaient. Mais ils peuvent surtout être fiers d'avoir évité ce que Paul a appelé une « Berezina affective ».

Pendant deux ans et demi, je n'ai pas eu de leurs nouvelles, mais je les ai contactés récemment pour savoir ce qu'ils devenaient. Laura sort avec un chirurgien — « Problème d'appendicite, il y a six mois et vous devinez la suite... » Paul est retourné vers Daphné peu après la rupture. Ils se sont mariés un an plus tard et elle attend un enfant. « Nous sommes très heureux et très équilibrés », m'a dit Paul.

Laura et Paul ont aussi exprimé beaucoup de tendresse l'un pour l'autre.

Fin de dépendance

Marie, la coiffeuse, fit des efforts considérables pour introduire la juste distance dans son ménage. Comme vous vous en souvenez peut-être, elle avait posé un ultimatum à Robert, son mari. Cette démarche l'avait électrisé. Il accepta de faire une thérapie de couple. L'équilibre s'améliora alors entre son besoin d'indépendance et le désir d'intimité de Marie. Ils passaient plus de temps ensemble — dont un jour par semaine où Marie établissait le programme de leurs activités — et Robert disposait de deux soirées par semaine et d'une journée pendant le week-end pour faire ce qu'il voulait, Marie ayant de son côté des activités auxquelles elle tenait. Leur niveau de friction diminua considérablement. Pendant un moment, il sembla qu'ils allaient réussir à trouver leur équilibre.

Mais, cinq mois plus tard, le tableau avait changé. Robert était souvent maussade et renfrogné, considérant les sorties proposées par Marie comme des pertes de temps. Il ne s'intéressait qu'aux événements sportifs et à la pêche. Puis il se trouva des excuses pour manquer les séances de thérapie, et leurs entretiens conjoints redevinrent progressivement des entretiens individuels. Marie me dit un jour :

> J'ai l'impression d'être la seule à faire des efforts mais d'une certaine façon c'est efficace. Avant, quand Robert me laissait seule, je me sentais moche et indésirable, même si tout le monde me trouvait « mignonne ». Maintenant, il me semble que le problème ce n'est pas moi mais nous. Robert est toujours le plus bel homme de ma vie. Mon plus grand désir, c'est que ça s'arrange entre nous, mais nous

sommes tellement différents. Moi, je suis sentimentale, lui pas. Le seul moment où il est gentil, c'est au lit. Moi, j'ai besoin d'affection, j'ai envie qu'il m'embrasse, qu'il me dise de temps en temps qu'il tient à moi, qu'il m'aime ; comme au début de nos relations. Mais il faut que j'arrête de me taper la tête contre les murs et que je me décide soit à rester avec lui tel qu'il est, soit à le quitter.

Pourquoi partir ?

Trois facteurs, souvent associés, peuvent inciter un dépendant à rompre une relation déséquilibrée : épuisement affectif, rencontre d'un autre partenaire ou regain d'estime pour soi-même (c'est pourquoi la juste distance est si importante). Pour Marie, ce fut la combinaison de l'épuisement affectif et d'un regain d'estime pour elle-même... Elle resta encore quatre mois avec Robert, le temps de se persuader qu'il ne l'aimerait jamais comme elle le souhaitait. Elle ne lui en voulait pas, sachant très bien que, de son côté, elle était incapable de lui accorder l'autonomie qu'il désirait. Avec le recul, elle comprit aussi que deux mois de fiançailles n'étaient pas suffisants pour apprendre à se connaître.

Marie s'installa chez sa sœur, le temps de trouver un nouvel appartement. Au début, Robert la relança, essayant de la convaincre de revenir. Elle fut tentée de céder car il se montrait prévenant et affectueux. Mais elle soupçonnait le paradoxe de jouer un rôle dans son comportement de reconquête. Ils dînèrent ensemble et Robert n'avait pas grand-chose à dire. Ce soir-là, Marie l'embrassa, tristement, pour la dernière fois.

Quand tout est fini

Si tous vos efforts pour freiner la décomposition de votre relation ont été vains, c'est le moment de prendre des mesures réalistes. Voici quelques réflexions qui peuvent vous aider à comprendre ce qui se passe et à adoucir l'inévitable souffrance de la séparation.

État de manque affectif

Préparez-vous à connaître une phase d'apathie affective. Elle sera peut-être plus pénible pour le dépendant mais le dominant n'en est pas à l'abri. Car même les relations difficiles créent des liens profonds, et la perte d'un partenaire est une forme d'amputation émotionnelle. Une période d'adaptation va vous être nécessaire.

Vous allez vivre l'insécurité, le doute, la solitude et les regrets. Vous aurez tendance à dramatiser, à penser, par exemple, que plus jamais vous n'aimerez. Ce n'est pas une réaction pathologique mais la conséquence normale d'une réaction purement biologique correspondant à la nécessité de l'appariement pour la survie de l'espèce. La phase aiguë de votre souffrance va durer environ six semaines. (Il est intéressant de noter que c'est aussi la durée de convalescence prévue par les chirurgiens après une opération.) La fragilité affective peut se prolonger pendant plusieurs mois (ou davantage). Pendant cette période, recherchez le soutien de vos amis, parents, conseillers spirituels, ou l'aide d'un thérapeute. Réconciliez-vous avec vous-même (et relisez le passage intitulé « Ménagez-vous » du chapitre 9). En affrontant votre souffrance, en l'acceptant comme normale et en faisant le deuil de votre relation, vous guérirez plus vite et vous retrouverez des forces neuves.

Le yoyo

Il arrive qu'un mouvement de yoyo s'installe entre deux partenaires décidés à se séparer. Le dominant s'en va puis revient, s'en va puis revient. Ou c'est le dépendant qui fait la même chose. Si vous constatez que le schéma dominant-dépendant se réinstalle à chaque réconciliation, il vous faudra en déduire que c'est le paradoxe qui vous a réunis. Il est douloureux d'en arriver à cette conclusion, mais *ne pas* tirer un trait quand ce mouvement d'aller et retour se répète, c'est permettre au paradoxe de la passion de prendre le contrôle de votre vie et de vous nuire.

Il se peut aussi que la séparation ait été une erreur. Mais vous aurez du mal à distinguer entre un revirement dû au paradoxe et la renaissance d'un amour authentique, à moins que vous ne fassiez une deuxième tentative de vie commune. Si les retrouvailles avec votre partenaire vous donnent un sentiment de bonheur et de soulagement plus fort que vos doutes, votre intuition vous souffle certainement de renouer. Ne croyez pas pourtant que tous vos problèmes soient résolus. Attaquez-vous sans tarder aux comportements négatifs qui vous ont séparés. S'ils ont surgi une fois, ils peuvent resurgir. L'enthousiasme des retrouvailles vous incitera à tuer ces mécanismes dans l'œuf.

Quand il y a des enfants

Le divorce est toujours une épreuve pour les enfants. C'est pour la leur épargner qu'il faut s'efforcer au maximum d'harmoniser l'équilibre du couple. Mais conserver « pour leur bien » des relations perpétuellement destructrices serait un mauvais calcul. Voir leurs parents se déchirer ou s'aliéner mutuellement provoque souvent chez les enfants un mélange d'angoisse et de dépression extrêmement nocif. Ces symptômes peuvent s'atténuer quand la séparation devient effective. Voici quelques conseils pour aider les enfants à mieux vivre la douloureuse épreuve du divorce.

• Efforcez-vous de les tenir toujours à l'écart de vos discussions et de vos conflits.

• Quand ils vous posent des questions sur les causes de votre mésentente, formulez *toujours* vos explications en termes non accusateurs.

• Ne forcez pas vos enfants à prendre parti contre votre partenaire.

• Profitez de votre culpabilité par rapport à eux pour leur exprimer votre amour et pour multiplier les occasions de revoir avec eux votre partenaire.

La difficulté de « rester amis »

Après une rupture, le dominant a souvent tendance à prôner ce que j'appelle la « solution amicale ». Si la relation a échoué sur le plan amoureux, le dominant a tout intérêt à la prolonger sur le plan amical. Personne n'est plus proche de lui que le dépendant, qui le connaît intimement et tient à lui. Cet arrangement permet au dominant de ne pas trop souffrir de la solitude et de se sentir moins coupable d'avoir rompu. Le dominant n'a aucun mal à passer du plan amoureux au plan amical, dans la mesure où il est, depuis un certain temps déjà, désinvesti de la relation.

Mais pour le dépendant ce passage est souvent difficile, sinon impossible — au début, en tout cas. Il peut essayer de se convaincre qu'il devrait être assez adulte pour devenir l'ami de celui qu'il aime. Il peut s'y efforcer. Il peut même finir par jouer le rôle de confident du dominant qui lui racontera ses aventures. Mais, au niveau inconscient, cette complaisance est peut-être une ultime tentative pour reconquérir le dominant. Tôt ou tard, l'attitude du dépendant risque de le trahir. Il exprimera clairement soit son amour, soit sa jalousie, soit les deux. Alors le dominant devra prendre le taureau par les cornes et mettre un point final à leurs relations.

Gérer sa colère

Après une rupture et avant d'en être remis, il y a toujours une période de colère à surmonter, surtout pour les dépendants. Vous êtes furieux contre votre partenaire qui vous a fait souffrir et contre vous-même qui vous êtes « laissé avoir ». Mais toute vengeance serait inutile et ne servirait qu'à prolonger votre souffrance. Il existe, par contre, des façons positives d'évacuer ce sentiment.

L'humour peut, par exemple, vous y aider. Rappelez-vous la lettre écrite par Béa où elle suggérait à Michel « va te faire voir et crève » et le fantasme du personnage de Nora Ephron qui disait : « Je veux qu'il me revienne, même mort. » Vous pouvez aussi suivre l'exemple de ces dépendants qui ont choisi la « vengeance par la réus-site » et sont devenus de brillants carriéristes. D'autres ont sublimé leur colère soit dans la création artistique, soit dans la charité, chrétienne ou non.

Quoi qu'il en soit, je vous conseille comme toujours de *positiver* votre colère de façon à tirer le meilleur parti possible de votre vie. Dites-vous : « Bien sûr, ça n'a pas marché, mais je vais profiter de cette expérience pour comprendre certaines choses et trouver un partenaire qui me convienne mieux. »

Pour finir, démystifions la croyance selon laquelle il existerait une bonne et une mauvaise solution au pro-blème de la rupture. En prenant la « bonne » décision, tous nos ennuis disparaîtraient comme par enchante-ment, tandis que la « mauvaise » décision nous rendrait éternellement malheureux. Les gens les plus heureux que je connaisse ont courageusement fait leur choix, reconnu leurs gains, accepté leurs pertes et continué à vivre le mieux possible. Dans cet esprit, la décision que vous prendrez sera forcément la bonne.

16.

ACCEPTER LE PARADOXE
DE LA PASSION

Dans toute relation amoureuse

Le paradoxe a peut-être une influence néfaste, mais la connaissance que nous en avons nous permet de garder notre amour vivant et en perpétuelle évolution. L'accepter, c'est admettre que les mauvais moments sont inévitables et ne pas s'affoler. C'est être attentif aux signes contenus dans nos interactions et aux messages implicites dans nos échanges verbaux. C'est rechercher les causes du déséquilibre dans le couple et travailler à y remédier. C'est agir en fonction de nos découvertes et profiter du pouvoir qu'elles nous donnent pour construire une relation harmonieuse, profonde, durable. Voici comment les couples dont j'ai déjà parlé ici ont mis en pratique les leçons du paradoxe, et les bénéfices qu'ils en ont tirés.

Des hauts et des bas

Même les couples les mieux assortis, les plus équilibrés, connaissent des hauts et des bas. L'autonomie des deux partenaires leur permet de rester liés mais ne les met pas à l'abri de moments de doute et d'insécurité. Dans les couples perpétuellement fluctuants, les partenaires vont passer alternativement de la position de dominant à celle de dépendant. Quand les hauts et les bas deviendront extrêmes, ils vont aussi passer de l'amour à la douleur. Dans certains couples, amour et douleur deviennent inséparables. Plus les partenaires s'aiment, plus ils souffrent de leurs mésententes. Leurs crises à répétition finissent par les enfermer dans une lutte de pouvoir sans issue, et c'est alors qu'ils viennent me trouver.

L'amour en « dents de scie » a pour avantage de remettre perpétuellement le couple en question. Chacun des partenaires connaît, pour les avoir éprouvées, la vulnérabilité et la tendresse désespérée du dépendant. Et, dans la mesure où le couple est fondamentalement bien assorti, il va répondre positivement à la thérapie. Le déséquilibre est souvent circonstanciel, comme c'était le cas pour Béa et Michel.

Progrès et rechutes

Au bout de quatre mois et demi, la thérapie du couple Béa-Michel était pratiquement terminée. Ils avaient retrouvé une bonne communication, appris à reconnaître et à combattre leurs attitudes négatives. Ils savaient que des rechutes étaient toujours possibles parce que les circonstances avaient le pouvoir de déséquilibrer leur relation. Mais, en les voyant entrer dans mon bureau pour leur avant-dernière séance, je compris qu'ils étaient en pleine rechute. Ils s'assirent à leur place habituelle sans un sourire, sans un mot. Je leur demandai ce qui n'allait pas et Béa répondit :

Vous savez pourquoi ça marchait si bien entre nous? J'ai l'impression que c'était uniquement pour vous faire plaisir. Parce que là, nous sommes revenus cinq mois en arrière.

Je lui demandai de préciser.

On se retrouve dans une situation identique où seuls nos rôles respectifs ont changé. J'ai un nouveau contrat — un type qui fabrique des vêtements de luxe en jean. Il veut un battage publicitaire énorme pour lancer une nouvelle collection, et c'est moi qui en suis chargée. J'y passe beaucoup de temps mais le type a du fric. Il y a deux jours, nous avons dîné ensemble pour discuter et je suis rentrée très tard. Michel écumait de rage. Normalement, je ne rentre jamais après lui. Il m'a dit que j'aurais dû prévenir, que c'était très cavalier par rapport à la garde de Chloé qui a des cours le matin. J'ai répondu que, comme je savais qu'il rentrait à une heure raisonnable, je ne m'étais pas inquiétée...

Michel l'interrompit.

Vous auriez dû voir son air quand elle est rentrée. Miss Monde en personne. Elle sentait le cognac. Et ce « type » n'est pas n'importe qui. Il y avait un article sur lui la semaine dernière qui le présentait comme « le chef d'entreprise des années quatre-vingt-dix. Jeune, beau et plein aux as ».

Je leur demandai s'ils avaient utilisé la communication non culpabilisante, et Béa répondit.

Oui. Mais ça ne marche pas. J'ai dit à Michel que je comprenais ce qu'il ressentait pour l'avoir vécu pendant plusieurs mois. J'ai même admis que, dans une certaine mesure, je l'avais peut-être un peu provoqué. Mais il est toujours en rage et moi furieuse.

J'étais content que cette rechute intervienne avant la fin de notre travail car elle soulevait plusieurs points importants. Tout d'abord, il est parfaitement normal d'être en colère, même en utilisant des termes non culpabilisants. L'essentiel, c'est de communiquer et de ne pas compliquer les choses en s'accusant réciproquement. L'une des fonctions essentielles de la communication non culpabilisante, c'est de vous permettre de dépasser un problème sans causer de dommages graves ou irréparables à la relation.

Je dis à Béa et à Michel qu'ils s'en sortaient beaucoup mieux qu'ils ne le croyaient. Pareil incident, quatre mois plus tôt, les aurait tellement montés l'un contre l'autre qu'ils auraient pris chacun leur voiture pour venir me voir.

Amour et amnésie

Quand tout va vraiment bien, une rechute paraît encore plus grave et dangereuse. Elle semble révéler des problèmes horribles, profonds, qu'on n'a fait que se dissimuler. Une sorte d'amnésie s'installe alors, qui nous fait oublier que nous avons pu trouver notre partenaire aimable.

L'amour se joue de notre mémoire. La preuve a été faite scientifiquement que les émotions fortes influencent nos processus mentaux à tous les niveaux. C'est la même région du cerveau, le système limbique, qui transmet nos souvenirs et traite nos émotions. Résultat, chaque fois qu'on est amoureux, on tend à ne garder en mémoire que les bons souvenirs et à oblitérer les mauvais. Mais chaque fois qu'on s'emporte contre son partenaire on en arrive à se demander ce qu'on a bien pu lui trouver.

Cette explication physiologique convainquit Michel et Béa, qui dit :

> Je comprends maintenant pourquoi la « communication non culpabilisante » paraissait aussi irréelle. On avait l'impression que les progrès faits avec vous étaient faux et on se demandait, pourquoi continuer à faire semblant.

Je leur dis que les rechutes ne sont pas rares en fin de thérapie. Le fait d'interrompre la relation thérapeutique entraîne une certaine anxiété, qui peut très bien réveiller l'agressivité dans le couple. Je leur rappelai aussi que plus les progrès accomplis sont importants, plus les rechutes paraissent, par contraste, dramatiques.

Bénéfices et risques

L'amour passion qui dure n'est pas un mythe. C'est l'aspect positif des hauts et des bas dans les couples équilibrés, et je l'ai souvent constaté. Mais ce bonheur doit être gagné. Il faut que les deux partenaires apprennent à surmonter ces moments de doute et de souffrance où ils se disent : « Je le hais », de manière à se retrouver au lieu de se séparer. Il arrive aussi que le couple ne résiste pas à la répétition de ses crises. La souffrance entraîne alors l'un des partenaires, ou les deux, vers l'infidélité, l'alcool ou une rancune profonde, toutes choses qui compliquent énormément le problème.

Le prototype de ce genre de couple serait Élisabeth Taylor et Richard Burton à l'époque où leurs amours défrayaient la chronique. Le fracas de leurs querelles résonnait d'un bout à l'autre du monde, mais, quand ils se réconciliaient, c'était au sommet de la beauté, du pouvoir et de la passion. Il n'existait pas de diamant trop gros pour la main délicate d'Élisabeth Taylor. Deux mariages et deux divorces ont contribué à asseoir leur légende d'amants terribles. Les relations extrêmes comme celle-là peuvent être tempérées par la patience. La patience minimise les risques des crises à répétition et joue un rôle important dans toute relation forte. J'ai conseillé à Béa et à Michel de cultiver cette vertu, comme je le conseille à tous mes consultants engagés dans une relation amoureuse.

Le rôle de la patience

User de patience, c'est ménager une accalmie après les phases douloureuses. C'est ne pas s'énerver quand les choses vont mal. C'est éviter les solutions dominantes et dépendantes extrêmes. C'est s'efforcer de ne pas réagir sous l'emprise de la peur ou de la colère. C'est poursuivre un dialogue interne qui vous permette de garder une vision objective, de vous souvenir que, pendant les crises, l'amnésie vous fait oublier le caractère aimable de votre partenaire et douter de la valeur de la relation. C'est vous dire que tout le monde a les mêmes problèmes. Ils sont universels. C'est penser à se venger mais ne pas le faire. Sachez aussi qu'il est parfaitement normal de rechuter. Certains dialogues deviennent accusateurs, certains actes vindicatifs. Tout le monde peut se tromper, mais se comporter de façon volontairement blessante pendant une crise, c'est faire le choix d'aggraver et de prolonger la crise. User de patience, c'est donner à ses émotions le temps de se calmer pour retrouver une perspective non culpabilisante. C'est comprendre que, pendant une phase douloureuse, on est naturellement enclin à se donner raison et à adopter un point de vue culpabilisateur. C'est accepter comme normal qu'on ne puisse mettre en pratique tous les conseils stratégiques contenus dans un ouvrage comme celui-ci.

La règle du jeu

J'invitai Béa et Michel, comme tous mes autres consultants, à imaginer des moyens pour gérer leurs phases douloureuses. Se donner une règle du jeu, c'est établir un pont entre les bons et les mauvais moments, c'est disposer d'une bouée de sauvetage quand la souffrance vous entraîne vers le désespoir.

Le premier pas consiste à reconnaître que l'on est dans une phase douloureuse. Béa et Michel commencèrent par là et, quand je leur demandai comment ils s'en trouvaient, Béa répondit :

Mieux. J'aime surtout le mot *phase*. Il implique un état temporaire, que nous allons dépasser.

Mais, au-delà de cette prise de conscience, les stratégies diffèrent selon les couples. En voici quelques-unes qui ont aidé mes consultants.

• Prenez rendez-vous pour « vider votre querelle » verbalement, seul à seul, hors de portée des enfants.

Mais ne vous comportez pas comme deux adversaires sur un ring et donnez-vous les moyens d'exprimer totalement votre point de vue. Reconnaissez que la colère bloque votre empathie réciproque. En maintenant le dialogue, vous surmonterez progressivement vos émotions.

392

- Décidez de vous éviter mutuellement jusqu'à ce que vous ayez retrouvé votre calme. Ou séparez-vous, l'un d'entre vous se retranchant en terrain neutre, chez un ami ou un parent. (Mais ne profitez pas de cet intermède pour vous monter intérieurement contre votre partenaire.) Ensuite, retrouvez-vous et parlez. Cette stratégie ne doit pas se transformer en exercice d'hostilité, la durée de la séparation devant être déterminée d'un commun accord.
- Faites l'amour, même si cela vous paraît étrange. Les gestes permettent parfois de se réconcilier plus efficacement que les paroles.
- Voyez vos amis ensemble.
- Allez voir un spectacle distrayant.
- Priez l'autre de vous excuser (l'amour ne dispense pas d'une certaine délicatesse).

Discutez de ces méthodes et proposez les vôtres. Une fois votre règle du jeu établie, efforcez-vous au maximum de la respecter pendant vos crises, l'idéal étant bien sûr de la substituer à vos tactiques de défense habituelles.

Amour et raison ne font pas toujours bon ménage

Intellectuellement, Béa et Michel acceptèrent très vite mes suggestions, mais affectivement il leur fallut du temps pour changer. La semaine suivante, ils en étaient à rire de l'« escapade » de Béa. Ils s'étaient mis d'accord pour n'en discuter que le soir même. Ils maîtrisaient déjà mieux leurs émotions et purent commencer à s'expliquer. Michel dit :

Bien sûr, je savais que Béa me « rendait la monnaie de ma pièce ». Mais dans mon esprit, sa conduite était encore plus grave du fait que nous étions en pleine remise en question de notre relation. De plus, j'ai vraiment cru qu'elle était branchée avec ce type, ce qui était injuste, naturellement. Le jour où nous en avons discuté, j'ai compris qu'elle m'en voulait encore de l'avoir trompée et j'ai eu peur qu'à la première occasion elle ne veuille se venger.

Béa enchaîna.

Ensuite, nous avons parlé de ce qu'il y a derrière tout ça et il est apparu qu'une partie de nos difficultés venait du fait que ma carrière prenait un nouvel essor. Dès qu'on en a discuté, l'atmosphère s'est allégée. J'ai pu rassurer Michel en lui affirmant que ce jeune loup du prêt-à-porter ne m'intéressait absolument pas. Sa seule passion, c'est la couture et il sort avec de très jeunes mannequins.

Le simple fait de savoir qu'il est normal et inévitable d'être irrationnel de temps en temps est le meilleur moyen pour retrouver le chemin de la raison. Une fois votre équilibre retrouvé, vous pourrez vous attacher à ramener l'harmonie dans votre couple.

L'amour retrouvé

A leur dernière séance, Béa et Michel se tenaient par la main et rayonnaient de bonheur. Je leur en fis la remarque. Béa dit :

C'est si bon de se réconcilier comme ça. Cela vaudrait presque la peine de se disputer de temps en temps, juste pour éclaircir l'atmosphère et se rapprocher l'un de l'autre. Avant je pensais, à chacune de nos bagarres, que ce serait la dernière, c'est-à-dire qu'on ne se réconcilierait jamais. Maintenant, il me semble que nous allons pouvoir survivre à nos querelles même si elles paraissent définitives sur le moment.

Michel ajouta :

Je suis de plus en plus amoureux de Béa. C'est elle qui a renoué le dialogue cette fois-ci et elle m'a épaté. Je commence à croire que nous pouvons nous faire mutuellement confiance pour agir dans l'intérêt de notre relation.

De toute évidence, ils étaient dans une phase d'entente, d'amour et de complicité exceptionnelle. Chacun d'entre nous doit pouvoir trouver dans une relation des moments aussi lumineux que celui-ci. Sur une base de confiance, d'amitié et de bien être, des moments de grâce et d'amour romantique peuvent naître et renaître. Et le fait de nous disputer de temps en temps ne change rien à cette réalité.

Béa et Michel auraient encore des hauts et des bas, des bagarres et des réconciliations, j'en étais certain. Mais dès lors qu'ils l'acceptaient, c'est-à-dire qu'ils acceptaient le paradoxe de la passion dans leur couple, je ne doutais pas qu'ils seraient capables de survivre à leurs crises. Comme pour confirmer cette opinion, je reçus de leurs nouvelles deux ans après la fin de leur thérapie. Ils m'annonçaient la naissance d'un petit garçon.

Célibataire

Après six mois de thérapie, Deborah avait retrouvé un certain équilibre émotionnel. Elle ne faisait plus de fixation sur Jonas et se félicitait de ne pas s'être investie plus profondément avec un homme aussi différent d'elle. Elle admettait que leurs styles de personnalité étaient mal accordés et qu'ils avaient eu raison de se séparer. Son but était désormais de retrouver une santé affective qui lui évite, entre autres, de retomber dans le même piège. Cela supposait qu'elle reprenne des forces, qu'elle se revalorise, qu'elle comprenne un certain nombre de choses sur elle-même et sur les mécanismes relationnels. Elle comptait sur son activité artistique pour l'aider à atteindre ces trois objectifs. Mais, comme elle me le dit un jour :

Je sais que, techniquement, je suis au point mais je n'arrive pas à sortir du blocage où je me trouve. Je n'ai pas encore trouvé mon expression, ma « voix » propre. C'est terriblement frustrant et j'ai du mal à me concentrer. Et devinez quel genre de pensées me distrait ? Le bel homme que j'ai rencontré chez le photographe ou le nouveau prof d'histoire. Avec Cathy, nous sortons beaucoup et nous atterrissons toujours dans des endroits où on rencontre un tas de gens. Je voudrais arriver à ne plus penser aux mecs mais apparemment c'est impossible.

Deborah était confrontée au pire défi de tout célibataire rêvant de trouver l'âme sœur.

Le paradoxe du bonheur dans l'amour

Les relations amoureuses, surtout au début, ont un aspect tellement passionnant qu'elles peuvent se transformer en une sorte de quête du Graal. Elles apparaissent alors comme la seule source de bonheur possible, la seule quête digne d'être poursuivie. Travail, amis, famille et occupations peuvent remplir notre vie en nous laissant une sensation de vide. Sans partenaire, il ne semble pas y avoir de bonheur possible.

Quand toute votre vie est axée sur la recherche d'un partenaire, votre demande affective devient manifeste et vous met en position dépendante. S'il est bon de laisser paraître une légère dépendance, preuve de sa disponibilité, il est évidemment dangereux d'afficher trop ouvertement son avidité amoureuse.

Quand le désir d'une relation devient le centre de votre vie, vous avez aussi tendance à négliger tout ce qui, précisément, vous rendrait attirant, vos forces et vos talents personnels. Cela explique pourquoi les gens visiblement « à l'affût » ont moins de succès que ceux qui expriment d'autres intérêts. Quand la quête de l'amour oriente toute votre vie, vous devenez tellement exigeant qu'aucun partenaire potentiel ne vous paraît à la hauteur. Vous repérez immédiatement le défaut insupportable qui discrédite tout candidat disposé à vous séduire. Vous prenez facilement une attitude distante-dominante, avant même que la relation ait eu une chance de s'établir. Votre partenaire potentiel se trouve alors en position dépendante, et la relation est déséquilibrée d'avance.

Le paradoxe est alors le suivant : en misant tout sur la recherche d'un partenaire amoureux et en espérant que

397

l'amour vous apportera le salut affectif, vous diminuez vos chances de trouver une relation amoureuse satisfaisante, durable.

Paradoxalement, votre meilleur atout consiste à développer vos forces et vos talents personnels *pour vous-même*. Mais c'est encore un domaine où il est sage de ne pas passer la mesure. Les gens qui s'investissent trop dans leurs propres intérêts risquent de décourager leurs partenaires potentiels en apparaissant comme absorbés, distraits ou inaccessibles. Une étincelle d'intérêt doit toujours être accueillie par une autre étincelle d'intérêt. Sinon, les gens se détournent de vous pour aller chercher ailleurs.

Les gens les plus séduisants sont ceux qui ont trouvé l'équilibre entre comportements dominants et comportements dépendants, autonomie et disponibilité. Ceux qui manifestent à la fois leur confiance en eux et leur disponibilité affective.

Deborah savait qu'elle avait tendance à « mettre tous ses œufs dans le même panier » amoureux. Elle savait aussi que cela ne lui laissait pas suffisamment d'énergie pour se consacrer à la peinture comme elle le souhaitait. Elle avait par ailleurs beaucoup de mal à se convaincre que des efforts conscients réussiraient à détourner son attention des hommes au profit de ses toiles. C'est la pénible sensation de tous ceux qui s'efforcent de pratiquer la juste distance dans leur relation, l'impression d'accomplir des « gestes dépourvus de sens ». Je rassurai Deborah sur ce point. Quand on travaille à affirmer ses forces et ses dons, peu importe ce qu'on ressent, on finit toujours par réussir. On change, de façon parfois subtile, parfois visible. Or changer de comportement, c'est changer ses rapports avec les autres.

La solitude

Deborah se sentait désespérément seule quand elle rentrait dans son appartement vide.

Je n'aime pas vraiment la télé mais la première chose que je fais, c'est l'allumer. Cela empêche les murs de se refermer sur moi. Ma mère dit que je devrais prendre un chat mais je n'en suis pas convaincue. Quelquefois, je me mets à pleurer sans pouvoir m'arrêter. J'ai l'impression que je ne compte pour personne et que je ne compterai jamais pour personne. Alors, un chat...

Les affres de la solitude nous rappellent que l'homme est un animal social. À son niveau le plus primaire, la solitude est une incitation biologique à rechercher un partenaire. Bien sûr, certains supportent mieux la solitude que d'autres. Ceux qui en souffrent le plus sont ceux qui estiment *anormal* de se sentir seul. Ils se considèrent comme des inadaptés sociaux ou croient que personne ne les aimera jamais. Tout le monde connaît des périodes de solitude qui peuvent, comme les crises du couple, provoquer une sorte d'amnésie. On a alors l'impression de vivre une existence totalement vide et dénuée de sens.

Il faut, une fois de plus, accepter la solitude comme non seulement normale mais biologiquement fondée. Quand vous souffrez de la solitude, dites-vous simplement : « Et voilà, ça recommence ! je me sens délaissé, seul et désespéré. Il est temps de me reprendre en main pour ne pas me laisser engluer dans cet état. »

Du bon usage de la solitude

Confrontés à leur solitude, certains vont se mettre à multiplier les contacts sociaux, d'autres vont travailler plus assidûment ou se trouver de nouveaux centres d'intérêt. Étant artiste, Deborah s'efforça de transformer sa solitude en art. Nous espérions elle et moi qu'elle réussirait ainsi à dépasser son blocage par rapport à la peinture. Elle décida de réaliser une série de toiles ayant pour thème la perte de soi dans l'amour. Elle intitula cette série « Écho Écho » et, dès le début, son travail avança bien.

C'est une sorte de révélation pour moi. Je vous ai dit que dans mon journal intime je sentais que j'aurais dû aborder des sujets graves comme la vie et l'art, mais que je finissais toujours par parler des mecs et de mes fantasmes. Par rapport à la peinture, c'était la même chose. Je me disais que je devais peindre d'une certaine façon pour que mes toiles ressemblent à ce que l'art contemporain est censé être, et c'était bien là le nœud du problème. Ma peinture restait sans vie. Du jour où j'ai cessé d'aller contre moi-même, ma peinture s'est mise à ressembler à mon journal, et c'est très bien comme ça !

Deborah me montra quelques études préliminaires et, sans être critique d'art, je fus impressionné. L'un des dessins, surtout, me frappa. On y voyait la silhouette d'une femme se fondre dans celle d'un homme. À l'expression de Deborah, je compris qu'elle en était particulièrement fière. En affrontant sa plus grande peur, elle reprenait le contrôle d'elle-même.

À *nouveau sur la brèche*

Il faut du courage pour nouer une nouvelle relation amoureuse après avoir été rejeté. Mais, une fois ses démons projetés dans sa peinture, Deborah commença à se libérer de leur tyrannie. Son art n'était plus une activité de compensation dans une vie dominée par ses fantasmes amoureux. Elle s'investissait dans son travail avec passion. Quand une galerie offrit de prendre une de ses toiles pour une exposition collective de femmes peintres, elle en fut ravie : « Ce n'est pas une galerie tellement prestigieuse, dit-elle, mais ils me réservent un pan de mur pour moi toute seule en tant que nouveau talent. »

Au vernissage, elle rencontra un homme intéressant. Mais, fait significatif, elle ne m'en parla qu'après m'avoir fait un compte rendu détaillé de l'exposition. Elle reconnut que six mois plus tôt elle m'aurait d'abord parlé de cet homme.

Jacques était l'ami d'une des autres exposantes. Ingénieur du son, il travaillait sur des films de long métrage. Deborah me dit :

Il est adorablement gentil et très beau garçon. Il travaille de façon intermittente et partage son temps entre Los Angeles et ici. Il apprécie beaucoup mon travail. Il pense que je devrais pouvoir décrocher une expo à Los Angeles. On s'est revu le lendemain et c'était super. On s'entend très bien. Je dois le revoir ce soir. J'essaie de garder la tête froide mais j'ai du mal. Je crois que le moment est bientôt venu de lui demander ce qu'il attend d'une relation. Il me semble que nos styles personnels sont compatibles.

J'ai félicité Deborah pour sa sagesse. Elle avait énormément progressé.

Indécision

Après deux mois de sa nouvelle relation, Deborah en voyait les aspects positifs et les aspects négatifs. Côté positif, Jacques était du même avis qu'elle sur les relations amoureuses. Il avait eu une longue liaison orageuse, interrompue d'un commun accord. Il n'appréciait pas la solitude et souhaitait trouver quelqu'un en rentrant à la maison ou attendre le retour de quelqu'un. Il voulait passer tout son temps libre avec elle avant de repartir. Entre-temps, Deborah avait vendu trois ou quatre toiles. Elle dit :

> Deux choses importantes m'arrivent au même moment, Jacques et la peinture. Jacques s'attache beaucoup à moi et j'ai l'impression que nous sommes faits l'un pour l'autre. Mais s'il me consacre tout son temps, comme il le souhaite, il ne me restera pas une minute pour peindre. Cela commence à me poser un problème, et, du coup, je ne suis plus si sûre de mes sentiments.

En développant son autonomie, Deborah découvrait un autre aspect de l'amour. Comme elle le pressentait, elle était maintenant dominante dans la relation et moins passionnément investie qu'elle ne l'avait prévu. Certes, elle était amoureuse de Jacques, mais sans éprouver le genre de délire qu'elle associait à ce sentiment. Cette réaction n'était ni surprenante ni exceptionnelle pour une femme habituée comme elle à occuper la position dépendante.

Ne précipitez rien

Je conseillai à Deborah de résister à son envie de prendre des distances avec Jacques. Deux mois n'étaient pas suffisants pour décider si la relation lui convenait ou non. Heureusement, Jacques était assez confiant pour ne pas tenter de manœuvres de reconquête. Il rééquilibra la relation en lui disant qu'il comprenait ses réticences, qu'en s'investissant trop vite et trop fort, il l'envahissait.

Jacques parti, Deborah s'ennuya terriblement de lui. Elle sentait qu'il possédait la sensibilité et la souplesse nécessaires pour aplanir leurs difficultés. Mais, surtout, ses actes étaient en accord avec ses paroles. Il avait pris l'habitude de faire précéder ses invitations de la formule : « Quand tu auras fini de travailler, nous pourrions... »

L'amour sûr

Six mois plus tard, Déborah me dit qu'ils faisaient des projets de mariage.

C'est une sensation extraordinaire. Je l'aime et je sens qu'il est fou de moi. Vous savez comment c'est quand quelqu'un vous aime tellement qu'on n'a plus peur de souffrir ? Eh bien avec lui c'est exactement ça ! Quel plaisir ! Je ne dirais pas que notre relation est du genre follement passionné, sauf par moments, mais je suis heureuse avec lui et c'est bien plus agréable que d'avoir l'estomac noué en permanence, comme avec Jonas et les autres.

Deborah avait trouvé un amour sûr qui lui offrait la satisfaction affective qu'elle recherchait depuis longtemps. Avait-elle le sentiment de consentir un sacrifice insupportable en renonçant à la passion, qu'elle valorisait par-dessus tout ? Certains dépendants ont du mal à se passer de ce sentiment qui vous « noue l'estomac ».

Il m'arrive de le regretter mais j'en suis arrivée à un point où il y a des choses plus importantes dans ma vie. J'ai eu ma dose de relations douloureuses. Et puis nous envisageons d'avoir des enfants. Qui voudrait élever des enfants dans une atmosphère de folie permanente ? Avec Jacques, j'accepte ce que j'ai et ce que je n'ai pas parce qu'on est si bien ensemble. Je suis heureuse à l'idée de passer le reste de ma vie avec lui.

Deborah se sentait assez forte pour mettre fin à sa thérapie et elle l'était effectivement. Je savais qu'elle retiendrait les leçons du paradoxe de la passion.

La découverte de l'harmonie

Louise et Charles trouvèrent également leur équilibre après le tumulte de leurs crises. La renaissance du couple survint après vingt ans d'un déséquilibre stable. Ils ont fini par trouver une qualité d'amour et de complicité qui les surprend autant qu'elle les comble.

D'une certaine façon, leur mode de relation antérieur était plus facile. Il reproduisait un schéma habituel, prévisible, où leurs rôles complémentaires étaient bien définis. Engagés sur une voie très fréquentée, ils n'avaient pas besoin de carte routière. Ils pouvaient poursuivre leur voyage sans disposer de nombreux talents relationnels.

Si le mariage traditionnel peut satisfaire les deux partenaires — surtout quand il repose sur un « équilibre caché » —, il contient aussi des dangers très réels. Il est extrêmement vulnérable à toute modification de l'équilibre entre partenaires, surtout dans le cas où une femme dépendante commence à s'affranchir comme le fit Louise.

> Le rôle de maîtresse de maison ne m'a jamais tellement plu. Je m'en suis rendu compte pour la première fois quand notre fils aîné a commencé l'école. Toute ma vie je m'étais appliquée à donner aux autres et je me retrouvais de plus en plus seule. Je sais que c'est le cours naturel des choses avec les enfants. Mais je me sentais aussi très loin de Charles, même si nous vivions sous le même toit. Pendant des années, je n'ai rien fait pour que ça change. D'une part parce que j'avais peur du changement, d'autre part parce que je ne savais pas comment m'y prendre.

Quand une épouse dépendante commence à s'affirmer, elle déclenche toute une série de mécanismes nouveaux dans le couple. Si son mari n'est pas très sécurisé par sa propre vie, le résultat peut être dramatique, comme ce fut le cas pour Louise et Charles. Le mariage traditionnel ne leur avait pas assuré les compétences nécessaires pour négocier un nouvel équilibre.

Les crises sont parfois bénéfiques

Vers la fin de notre travail commun, Charles parla de leur crise.

Sur le moment, je croyais que c'était la fin du monde, mais aujourd'hui je remercie Dieu de ne pas avoir eu cet avancement. Cela m'a obligé à affronter des réalités que j'avais toujours fuies. L'avancement m'aurait certainement fait plaisir, mais je serais toujours engagé dans la course au pouvoir et toujours malheureux. Sauf que je ne m'en serais pas aperçu. Aujourd'hui, je suis sur le point de conclure ma première vente de bateau, et notre ketch est un vrai bijou. Je peux dire honnêtement que je n'ai jamais été aussi heureux. Et j'ai la chance d'avoir Louise pour femme.

L'orage qui les avait presque séparés renforçait finalement leur union.

Si votre couple est en crise, vous vous demandez peut-être s'il y résistera ou même si vous avez envie qu'il résiste. Aussi difficile que cela puisse paraître — et je vous garantis que c'est difficile —, je vous engage à considérer le potentiel thérapeutique de la crise que vous traversez. Vous et votre partenaire vous débattez dans une épreuve qui peut vous libérer de rôles ou de comportements rigides pour vous faire découvrir une complicité plus profonde. Mais ces crises représentent aussi un danger pour la relation. Je vous conseille donc de vous faire aider par un professionnel si vos conflits prennent des proportions exagérées.

Heureuse conclusion

Vers la fin de leur thérapie, Charles et Louise ne venaient plus qu'une fois toutes les deux ou trois semaines. je voulais simplement garder le contact pendant quelques mois pour voir comment ils allaient gérer la rechute qui ne pouvait manquer de se produire. Elle

406

eut lieu peu après que Charles eut fini de retaper son bateau.

Charles décrit d'abord ce qui s'est passé.

J'ai invité madame, ici présente, à faire une petite croisière avec moi. Après tout ce que nous avons enduré, il me semble que nous la méritons. Rien d'extravagant, juste dix à quinze jours de cabotage le long de la côte. Je pensais faire plaisir à Louise, mais elle a refusé. Je commence à me demander ce qui compte le plus pour elle, moi ou sa boutique.

Louise rétorque.

J'adorerais faire cette croisière, Charles, mais en ce moment c'est vraiment hors de question. Je suis en plein boum au magasin. Même si je venais, je n'arrêterais pas de penser à mes affaires et je ne serais vraiment pas drôle.

Charles se tourne vers moi.

Marrant, non ? Pendant des années c'est moi qui tenais ce genre de discours et voilà que ma femme me le ressert aujourd'hui.

J'invite Charles à exprimer ce qui l'ennuie le plus dans cette histoire.

Eh bien, pendant vingt ans, Louise a toujours été disponible pour moi. Sa vie s'organisant en fonction de la mienne, pas le contraire. Je ne suis pas encore habitué à sa nouvelle personnalité, je crois. Mais je suis vraiment fier d'elle. J'ai parfois l'impression de n'être qu'un petit garçon attardé.

Le fait que Charles reconnaisse combien il lui est difficile de s'adapter à l'autonomie de Louise leur permet à tous deux d'exprimer leur capacité d'empathie récemment acquise. Louise :

> Non, mon chéri. Quand je pense à l'état dans lequel nous étions il y a encore six mois, et que je compare avec la situation actuelle, j'ai l'impression de rêver. Je suis comme une jeune fille amoureuse. Je m'en veux énormément et je suis très fière de toi. Tu as raison, comme toujours. Nous avons vraiment besoin de ce petit voyage tous les deux.

Charles :

> Attends. Je ne vais pas recommencer à insister comme avant. Si j'emmenais les garçons cette fois-ci ? Ils en meurent d'envie, de toute façon. Ensuite, nous organiserons notre croisière à nous pour plus tard, quand tu auras moins de travail.

Louise :

> Je te suivrai jusqu'au bout du monde.

Je n'en reviens pas. Il ne leur a fallu que quelques minutes pour résoudre cet épisode de déséquilibre. Je sais que leur thérapie est terminée et qu'ils ne reviendront pas. Ils sont prêts à surmonter toutes les épreuves d'une relation égalitaire et dynamique.

Vous aurez sans doute remarqué qu'aucune des thérapies dont j'ai parlé ici ne se termine comme un conte de fées où les protagonistes vivent jusqu'à la fin des temps un « bonheur sans mélange ». L'épilogue n'est d'ailleurs pas la partie la plus intéressante des contes de fées. Ce qui compte, ce sont les épreuves — méchantes sorcières et magiciens retors, forêts enchantées, dragons, malédictions — qui séparent les amants et les obligent à combattre pour être enfin réunis.

Considérons l'équivalent de ces obstacles dans la vie réelle. Plus de dragons ni de marâtres mais des problèmes d'insécurité, de communication défectueuse ou de rivalité avec des tiers indésirables. Dans les contes de fées, les obstacles franchis le sont une fois pour toutes, dans la vie, ils font partie intégrante de la relation amoureuse. Ils reviennent, fort et souvent ou bien en douceur et rarement, mais ils reviennent toujours. Et si nous voulons que notre couple reste vivant et dynamique, nous n'avons pas d'autre choix que de les affronter et de les surmonter chaque fois.

C'est pourquoi je crois qu'il faut accepter le paradoxe, avec réalisme, comme une composante incontournable de l'existence, et avec chaleur, comme nous accueillerions quelqu'un de proche qui nous complique la vie mais en lui donnant richesse et profondeur.

REMERCIEMENTS

Nombreux sont mes amis et collègues qui m'ont confié leurs problèmes intimes et leurs idées sur l'amour et les relations amoureuses. Nos discussions, parfois vives, m'ont aidé à affiner cette théorie du paradoxe de la passion. Je voudrais remercier tout particulièrement John Fleer, Mark Zaslav, Mat Blusewicz, Edith Kaplan, Alan Fridlund, Corinne Grioce et Nick et Chris Lowe. À Dan Wile et à Hilde Burton, qui ont énormément influencé ma conception de la psychothérapie, je tiens à exprimer ma gratitude et mon admiration.

Les couples avec lesquels j'ai travaillé en thérapie m'ont beaucoup appris sur la façon d'affronter et de dépasser les problèmes relationnels. Je les remercie pour le courage et la sagesse dont ils ont fait preuve. Ceux dont l'histoire m'a servi à illustrer certains points de ma théorie apparaissent évidemment sous des noms d'emprunt.

Cassandra Phillips est non seulement un bon écrivain mais une fine observatrice de la nature humaine. À ces deux titres, sa collaboration a considérablement enrichi cet ouvrage. Je n'oublierai ni nos disputes, constructives, ni les grandes joies que nous a données la rédaction commune de ce livre.

Sandra Dijkstra, notre agent, fut la première à soupçonner l'intérêt de ce travail. Elle nous a constamment soutenus et encouragés. Elle a également le mérite d'avoir deviné que Cassandra et moi formerions une équipe idéale

Toni Burbank, notre éditrice, a guidé nos efforts d'une main calme et rassurante. Ses idées sur la construction, le style et le contenu de cet ouvrage furent toujours brillantes. La collaboration artistique de Frank Fisheret, le travail graphique de Nancy Dimsdale nous furent également précieux.

Mes parents m'ont beaucoup appris sur la vie et sur la nature humaine. Leur amour inconditionnel m'a constamment soutenu et encouragé à me dépasser. La version définitive de ce livre doit beaucoup à ma mère, qui a lu et commenté les versions précédentes avec une grande pertinence. Les critiques et les conseils de mon père m'ont aidé à progresser dans mon travail d'écriture.

Quant à ma femme, Meg (imaginez-vous ce que cela représente d'être marié à l'auteur d'un bouquin sur le paradoxe de la passion !), elle a été mon principal critique et la première à tester mes stratégies de dépassement du paradoxe. Je suis heureux d'être son mari et le père de nos deux garçons, Patrick et Drew.

Cassandra Phillips souhaite remercier Sandy Dijkstra pour sa perspicacité et sa confiance ; Dan pour les qualités qui ont fait de leur collaboration une expérience merveilleuse et son mari Bob Burkey pour son soutien et son amour

BIBLIOGRAPHIE

Alberti, Robert E., et Michael L. Lemmons. *Your Perfect Right*. San Luis Obispo, CA, Impact, 1986.

Bach, George R., et Peter Wyden. *Ennemis intimes : le couple en amour et en colère*. Jour, 1984.

Beck Aaron T. *Love is never enough*. New York, Harper & Row, 1988.

Branden Nathaniel. *The Psychology of Romantic Love*. New York, Bantam Books, 1981.

Cowan Ruth S. *More Work for Mother*. New York, Basic Books, 1983.

Ellis, Albert et Robert A. Harper. *A Guide to Successful Marriage*. North Hollywood, CA, Wilshire Books Co.

Farrel Warren. *Why Men are the Way they are*. New York, McGraw-Hill, 1986.

Forward Susan et Joan Torres. *Ces hommes qui méprisent les femmes et les femmes qui les aiment*. Homme, 1988.

Haley Jay. *Strategies of Psychotherapy*. New York, Grune & Stratton, 1963.

Halpern Howard. *Apprenez à rompre*. Jour, 1988.

Leary Timothy. *Interpersonal Diagnosis of Personality*. New York, Ronald Press, 1957.

Masters William H. et Virginia E. Johnson. *The Pleasure Bond*. New York, Bantam Books, 1976.

May Rollo. *Alour et volonté*. Stock, 1971.

Milkman, Harvey B. et Stanley G. Sunderworth. *Craving for Ecstasy*. Lexington MA, Lexington Books, 1987.

412

BIBLIOGRAPHIE

Scarr Sandra, Deborah Phillips et Kathleen McCardney. « Working Mothers and their Families », *American Psychologist,* 44, 1989.

Singer Irving. *The Nature of Love,* vol. 3 Chicago, University of Chicago Press, 1987.

Stendhal. *De l'amour.* Gallimard, 1980

Sternberg Robert J. et Michael L. Barnes. *The Psychology of Love.* New Haven, CT, Yale University Press, 1988.

Tolstoï, Léon. *Anna Karenine.* Gallimard, 1976

Watzlawick, Paul. *Changements.* Seuil, 1981.

Wile Daniel B. *After the Honeymoon.* New York, Wiley & Sons, 1988.

TABLE DES MATIÈRES

Deuxième partie
Comment construire un amour durable

Impression réalisée sur CAMERON par

BUSSIÈRE CAMEDAN IMPRIMERIES

GROUPE CPI

à Saint-Amand-Montrond (Cher)
pour le compte des Éditions Robert Laffont
en janvier 2001

N° d'édition : 41551/02. — N° d'impression : 005925/4.
Dépôt légal : avril 1992.

Imprimé en France